D1590144

Realidad y utopía
en el descubrimiento
y conquista
de la América Hispana
(1492-1682)

STELIO CRO

McMaster University

Prólogo por

FRANCISCO LÓPEZ ESTRADA

International Book Publishers
5213 Greendale Drive
Troy, Michigan 48098

Fundación Universitaria Española
Alcalá 93
Madrid - 9 España

Copyright © 1983 by International Book Publishers, Inc.
5213 Greendale Drive
Troy, Michigan 48098

PRINTED IN THE UNITED STATES OF AMERICA

Library of Congress Card No.: 83-082001
ISBN: 0-936968-07-9

N 106

Índice

Prólogo

La dedicación del profesor Stelio Cro al estudio de las repercusiones de la *Utopía*, de Tomás Moro, en el espacio cultural de la Monarquía española de los Austrias hasta el filo mismo de la nueva dinastía borbónica, a comienzos del siglo XVIII, resulta ciertamente ejemplar. Desde su primer libro, que nos dio a conocer, en 1975, la *Sinapia*, hasta este otro que estoy prologando ahora han pasado relativamente pocos años pero, aun siendo pocos, la actividad del profesor Cro ha proseguido con un buen número de estudios sobre este campo de la cultura moderna. Así quedó indicado en mi obra *Tomás Moro y España: sus relaciones hasta el siglo XVIII*, en la que puse de manifiesto la complejidad de temas que se entrelazan al plantear esta cuestión pues si bien di, en dicha obra, preponderancia a los aspectos literarios del tema, hube de referirme a las numerosas implicaciones históricas, artísticas, religiosas, legales, etc., que se mezclaban en el desarrollo del asunto. Teniendo en cuenta que los estudios sobre el tema utópico pueden abrirse sobre un gran número de cuestiones, en este caso S. Cro ha seguido para su estudio una orientación concreta: su propósito es considerar cómo la *Utopía* de Moro y cuanto es el resultado de su comentario (favorable o contrario) en los campos de la Religión, la Política, la Economía, etc. se hallan presentes en las diversas modalidades de la interpretación de los hechos históricos ocurridos con motivo del descubrimiento de América; y esto se prolonga después en la relación que los españoles entablan con los indígenas americanos y en la sucesiva población de las tierras del Nuevo Mundo. S. Cro extiende su estudio a través del tiempo que transcurre desde Colón hasta 1700 y utiliza numerosos testimonios, de toda especie, tomados de los escritores antiguos y modernos que, de una manera u otra, se han referido al asunto. Con este motivo en esta obra se establece una determinada interpretación que implica una valoración específica de estos hechos, considerados desde la perspectiva utópica que tan amplia resulta, y también de sus diversas resonancias y repercusiones. Esto comprende sobre todo lo que se refiere a la tierra—que es la naturaleza americana—, las gentes del mundo nuevo y sus costumbres propias y la posible creación de nuevas relaciones entre españoles e indios en las que las consideraciones de índole utópica intervienen para lograr un peculiar concepto de "población". En este caso no se trata de justificar hechos o conductas de los españoles ni del número de los que quedaron implicados en las cuestiones planteadas, sino de ofrecer los testimonios de que éstas, en algunas ocasiones, fueron formuladas de una manera teórica y que se llegó a una proyección práctica en determinados casos que tocaban a la religión, el derecho, la economía, la arquitectura, etc. Hay algunos aspectos del caso y hombres que son más conocidos, como ocurre con Las Casas, Vasco de Quiroga, etc., pero hay otros muchos que tienen que reunirse a éstos y, sobre todo, está la necesidad de formular una exposición coherente de todo cuanto se hizo en este sentido y puede, de algún modo, colocarse bajo el signo de la utopía.

Cuanto indico—y otros aspectos complementarios—interviene de algún modo en el largo cometido que S. Cro establece examinando las crónicas históricas y gran diversidad de libros y documentos, hasta llegar a la redacción del manuscrito de la *Sinapia*, que representa la aportación hispánica a la serie de los libros europeos que tomaron como modelo genérico la referida *Utopía* de Moro. Y es de resaltar que el planteamiento y la escritura del único libro utópico de los españoles se establece contando al mismo tiempo con la tradición europea del género y con la experiencia colectiva de lo que fue el descubrimiento y la población de la América española.

El propósito de S. Cro tiene, pues, un cometido concreto dentro de la multiplicidad de los estudios utópicos pero, al mismo tiempo, hay que señalar que opera sobre un campo geográfico e histórico muy extenso pues comprende el continente americano y el espacio de dos siglos muy complejos de vida europea. Y para cumplirlo, S. Cro ha realizado desde 1975 hasta hoy un cierto número de exploraciones previas que hemos ido conociendo a través de los libros y artículos que ha publicado en revistas de especialización, como puede

verse en la parte de bibliografía de esta obra y que él ha dado
a conocer en diferentes lenguas. En este libro se reúne un tan
extenso y variado trabajo, elaborado para una exposición de
conjunto. De esta manera, con la suma de los estudios, se
pueden comenzar a sentar algunas conclusiones sobre la materia que habrán de incorporarse a las exposiciones generales
sobre los comienzos y el proceso de la cultura americana. Y
una conclusión muy importante es documentar la amplitud y
la complejidad de las corrientes ideológicas que circularon
entre los españoles, tanto entre los que llevaron a cabo la
población de América, como entre los que, elaborando las
Crónicas, redactando documentos o escribiendo libros de Religión, Derecho o otra clase, dieron cuenta histórica del acontecimiento. En la bibliografía histórica sobre el siglo XVII se
había pasado un tanto por alto la parte que correspondía a los
reinados de Felipe IV y más aún de Carlos II, acaso porque los
conceptos de decadencia, declinación, degeneración y otros
más de la misma condición semántica habían ocultado con su
niebla algunos hechos culturales que convendría haber conocido y valorado debidamente. En los libros más recientes en
que se estudian en conjunto las características de esta época,
hay indicaciones de que se requiere un nuevo planteamiento
historiográfico en lo que se refiere a la difícil cuestión de la
periodización. Con esto se recoge una renovadora actividad
de los historiadores más recientes que ya se está incorporando a los libros generales sobre la época. Así Jose Luis Abellán,
en el curso de su historia del pensamiento español (1981),
establece un periodo que sitúa bajo el título de "La primera
crisis de la conciencia española: los *novatores*", al que asigna los
años que van de 1680 a 1724.[1] Abellán indica que "antes de
Feijoo existe un importante movimiento de ideas en el campo
de la filosofía y de la ciencia, con representantes manifiestos
ya del espíritu ilustrado".[2] Y la consecuencia es que lo que se
atribuía generalmente al siglo XVIII "comienza mucho antes
de lo que se había considerado tradicionalmente". En una reciente Historia de España (1982) J. P. Le Flem, refiriéndose a
la economía de la época, después de señalar que faltan las
investigaciones sobre la segunda mitad de la centuria, escribe:
"Las 'luces' del siglo XVIII nacen en los años 1680. El concepto de 'decadencia'. . . es un camino facilón y tendencioso, que
refleja una pereza y una torpeza de mentalidad para evitar

enfrentarse con el 'enigma histórico' de España...."[3] Y esto
puede aplicarse a otros campos y conviene decirlo para así
reconocer el esfuerzo de S. Cro en la parte en que se refiere a
esta época. Frente a la fácil leyenda negra que con un solo
color de violencia interpreta el hecho de la presencia española
en América, S. Cro asegura y prueba que en el largo proceso
histórico hasta 1700, tanto los realizadores del mismo como
sus inspiradores y sus narradores, al menos algunos de ellos,
conocieron y tuvieron en cuenta el ideal utópico y los libros
propios del género, desde Moro al autor español del libro *Sinapia*, que S. Cro, su primer editor, ha situado alrededor de
1682. Y esto significa que hubo, al menos en algunos, un esfuerzo intelectual por acercarse a una base de interpretación
ideológica como fue la que supuso la *Utopía* de Moro y sus
consecuencias intelectuales.

La lectura del libro de Cro presenta un doble interés: en él
existe la exposición sistemática de una amplia bibliografía
precedente (desperdigada en numerosas obras de muy diferente condición cuyos autores fueron Bataillon, Castro,
Garin, Gilson, Hanke, Henríquez Ureña, Latchmann, Love,
Madariaga, Maravall, Menéndez Pelayo, Morales Padrón,
Penrose, Tellechea, Trousson, Zavala, etc.), elegida de entre
todas ellas en la parte que toca al motivo de su exposición; y,
al mismo tiempo también se reúnen en este libro las propias
investigaciones de su autor. Por tanto, resulta una obra in-
formativa aprovechable como manual escolar de alto grado
sobre esta materia, y vale para difundir entre un público amplio las noticias sobre la materia, más recientes y renovado-
ras. Es notable el esfuerzo que se requiere para que las nove-
dades culturales salgan de los reducidos ámbitos de la
especialización; a pesar de que la obra *Sinapia* apareció publicada en 1975 por el mismo profesor Cro y en 1976 por M. Avilés, su consideración apenas se ha abierto camino de una manera general para situarla en una amplia concepción de la
cultura española y en su concierto en la europea de la época.
Confío en que este libro sirva para este fin y, al mismo tiempo, para perfilar cada vez con más datos y con una perspectiva cultural más abierta los motivos básicos del contenido de
Sinapia.[4] Quedan, además, abiertos, amplios espacios de estudio, antes y después de los límites históricos del libro de Cro
y en relación con la multiplicidad de asuntos que se reúnen en

los estudios utópicos en un orden general. Así resulta que conviene conocer que antes de que Moro lograse la genial formulación de su *Utopía*, un cierto número de los elementos, conceptos e intenciones "preutópicas" habían logrado cuerpo literario; estoy probando a través de varios estudios[5] que, como habían hecho otros europeos, los españoles de la Edad Media también participaron en la expresión de los ideales que desde la Antigüedad fueron a reunirse en la *Utopía* como cabeza del género moderno de las Utopías; y después de 1700 queda mucho por considerar en relación con el tema y confío en que ha de proseguir la investigación sobre el asunto. El replanteamiento de la cuestión utópica en el siglo XVIII es un campo que se está conociendo mejor, y obras que pertenecen a planteamientos de teoría y práctica del gobierno económicos, como el *Bosquejo de política económica*, de Campomanes, *Las Cartas político-económicas al conde de Lerena* y otras más ofrecen nuevas perspectivas al asunto, que enlazan con los proyectos de los arbitristas anteriores (estudiados por J. Vilar), tan curiosos y a veces patéticos ante una situación en la que la necesidad de una reforma resulta patente para un alertado grupo de gentes de la época. Y la interpretación romántica posterior vuelve a ofrecer nuevos aspectos del viejo tema que también hay que explorar hasta llegar al punto en que el asunto obtiene un planteamiento cada vez más estrictamente sociológico.

Estoy seguro de que el libro del profesor Cro ha de abrir otros caminos que proseguirán las investigaciones sobre las que se basa esta obra, al mismo tiempo que ofrece un panorama general sobre la interpretación utópica del descubrimiento y población de América. Una de sus tesis básicas es que el pueblo español fue, de entre los europeos, el mejor dispuesto para verificar una conjunción entre la realidad de los hechos históricos, presentes en la vida de cada hombre, y la utopía. Y es importante notar que la *Utopía* de Moro, aparece por vez primera en 1516 y fue escrita precisamente cuando se difunde por Europa la asombrosa novedad del descubrimiento de un mundo nuevo. Que S. Cro estudie el reflejo de la obra y sus consecuencias en América resulta en perfecta consonancia con lo que digo y ésta es la vía de su trabajo aplicándose al estudio del caso español en su vertiente americana. El desarrollo del libro se ha establecido para coordinar la suma de los aspectos que la reunión de la materia ha juntado. Así trata sucesivamente de los siguientes temas: el buen salvaje, la utopía empírica (salida de la realidad americana), sus fundamentos teóricos, la confluencia con el tópico de la Edad de Oro, tan cargado de resonancias literarias y que conduce a tantas interpretaciones vividas en el afán por realizar el ideal utópico, entreverado de ansias de riqueza y felicidad. Estos son los temas que se van sucediendo hasta venir a dar en el que representa la obra *Sinapia*, que es la aportación personal de S. Cro al caso estudiado. Con el esquema de este desarrollo, el lector queda avisado de que penetrará en un libro que le ha de suscitar al menos curiosidad, sino apasionamiento, por la hondura humana de muchas de las situaciones que cuenta, acaso inesperadas en relación con una época y unos hechos poco conocidos y, a veces, sólo a través de versiones deformadas.

Y no es desconcertado que un estudio de esta especie proceda del hispanismo canadiense. Para los españoles de mi generación, en número me atrevo a decir que crecido, la lectura de los libros de aventuras que ocurrían en el Canadá nos trajo en la adolescencia confusos ensueños utópicos de una vida espontánea en uno de los pocos lugares en los que imaginábamos que era posible encontrar la Naturaleza limpia; es cierto que se trataba de una literatura de escasa calidad que pronto descubrimos, —ay, la ingenuidad desaparecida por vía de la información—, que era una secuela del Romanticismo. Pero esto demuestra que el mito utópico reaparece siempre y casi puede decirse que es una etapa de la formación y desarrollo de la mente humana. Sin embargo, después en mi madurez, en el tiempo en que viví en el Canadá, en más de una ocasión revivieron en mí los ensueños adolescentes ante la belleza espectacular de las praderas y los bosques del país, lejos de las ciudades y de las grandes autopistas. En un otoño canadiense agoté la apreciación de los matices posibles de color que percibía en las hojas de los bosques y me entregué vencido y sin reservas a la contemplación de la naturaleza, un concepto tantas veces escrito y que allí viví en su plenitud humana.

FRANCISCO LÓPEZ ESTRADA
Universidad Complutense de Madrid
Departamento de Literatura Española

Introducción

EL PROPÓSITO de este estudio es múltiple. En primer lugar me he propuesto demostrar que la utopía española, a diferencia de la utopía de Platón (*La República*), de la de San Agustín (*La Ciudad de Dios*), de la de Tomás Moro (*Utopía*) y la de Tomás Campanella (*La Ciudad del Sol*) es eminentemente empírica. En segundo lugar, el objeto de este estudio es el de establecer que este tipo de utopía se verifica en España a causa del descubrimiento y conquista del Nuevo Mundo. De allí que en este estudio se habla casi siempre de una utopía hispanoamericana, más que española. En tercer lugar, es mi convicción que la tradición de la utopía española se inicia con los experimentos efectuados en el Nuevo Mundo, que culminan con las "Reducciones" jesuíticas del Paraguay, y que esta tradición, que es objeto del presente estudio, se acaba con un texto teórico: la *Descripción de la Sinapia, península en la tierra austral*.

Los tres objetivos perseguidos en este estudio se relacionan entre sí porque el fenómeno de la utopía española se desenvuelve en tres etapas, a saber: 1) la etapa de los reformistas Vasco de Quiroga y Bartolomé de Las Casas, ambos inspirados por los ideales promovidos por el Cardenal Cisneros y por la palabra y el ejemplo de fray Girolamo Savonarola. A estos influjos, y no solamente en esta primera etapa de la utopía española, hay que añadir el influjo importantísimo de Erasmo. Este aspecto ya en gran parte ha sido estudiado por Marcel Bataillon en su obra *Erasmo y España*. En el presente estudio, las referencias a la acción reformadora del erasmismo en la utopía española se limitan a subrayar la importancia de la tesis del ilustre erudito francés para comprender el significado del pensamiento y la acción reformadora de los utopistas españoles. 2) La segunda etapa de la utopía española se verifica cuando, entre la obra reformista de Vasco de Quiroga y Las Casas por un lado, y la acción del gobierno español por el otro, se produce una ruptura insanable. También en esta etapa el erasmismo servirá para ali-

mentar la tendencia a la utopía humanística de Alfonso de Valdés, de Antonio de Guevara y hasta de Miguel de Cervantes.
Para este aspecto, además del estudio ya citado de Bataillon,
mis observaciones se detienen, no sin ciertas reservas, sobre
los resultados obtenidos por Américo Castro y, sobre todo, por
José Antonio Maravall, en particular en su reciente estudio
sobre la *Utopía y contra utopía en el Quijote*. 3) La tercera etapa de la
evolución (o involución) de la utopía española se verifica con la
Sinapia, el único texto teórico que nos ha llegado de una utopía
sistemática española. De acuerdo a mi interpretación, la *Sinapia*
representa el fruto teórico más maduro del pensamiento utópico español y, al mismo tiempo, aclara el significado de la utopía
española: la reforma radical que la clase militar castellana y el
clero secular español jamás permitieron. El anónimo autor de la
Sinapia ya es un reformador ilustrado, aunque yo haya puesto
como fecha de composición de esta obra la de 1682, que representa al mismo tiempo el límite cronológico abarcado por este
estudio, sin que esto impida, por razones de coherencia histórica-
ca, hacer referencias a hechos ocurridos antes de 1492 y a hechos ocurridos después de 1682. Ha sido por ejemplo necesario
referir el influjo del humanismo italiano del siglo XV sobre
Pedro Mártir y sus discípulos Antonio de Guevara y Alfonso
de Valdés, como también mostrar cómo un motivo utópico del
siglo XVI—el de la Ciudad Encantada de los Césares—halla su
expresión más madura en textos del siglo XVIII. La cuestión de
las fechas de composición no es un problema secundario por lo
que se refiere al significado histórico, político e ideológico de la
Sinapia. Pues, si bien es cierto que mi datación hace del anónimo
autor de la *Sinapia* un precursor de la Ilustración, el hecho fundamental es el carácter teórico de la *Sinapia*, es decir, su concepción como la "antípoda" de España en lo moral, religioso, político y social.

La publicación de la segunda edición de la *Sinapia, Sinapia.
Una utopía española del siglo de las luces* (Madrid: Editora Nacional,
1976) que su editor, Miguel Avilés Fernández, coloca a fines
del siglo XVIII, propone una alternativa a su fecha que hasta
ahora no ha hallado una confirmación en la opinión de los eruditos de la materia. En dos reseñas sobre las dos ediciones de
Sinapia Francisco López Estrada no se ha pronunciado sobre las
dos fechas propuestas, limitándose a referirse a ellas, sin inter-
venir en la cuestión.[1] En su último trabajo, *Tomás Moro y España:*

sus relaciones hasta el siglo XVIII,[2] López Estrada vuelve a referirse ampliamente a las dos ediciones sin pronunciarse sobre la cuestión: "Nuestra utopía es obra tardía, en relación con las otras europeas; sobre este punto divergen los dos editores de la obra, pues Cro estima que su autor vivió y escribió a fines del siglo XVII, alrededor de 1682; el autor de *Sinapia* resultaría un precursor de los propósitos renovadores de Feijoo, al que precedería en cerca de medio siglo a la impresión del primer tomo del *Teatro crítico* (1726). Avilés, por su parte, estima que la obra es del último tercio del siglo XVIII, y por eso la relaciona con las creaciones económicas, políticas y literarias de la Ilustración de Carlos III" (p. 105). Además obseva que "Avilés Fernández insinúa que su autor pudo haber sido el mismo conde" (p. 102).

De hecho, todos los otros críticos, españoles y extranjeros, se han pronunciado netamente a favor de la fecha propuesta por mí y en contra de la de Avilés. En 1979 Raymond Trousson rechazó la fecha propuesta por Avilés Fernández en la segunda edición de su obra *Voyages aux pays de nulle part*: "L'hypothese de S. Cro nous parait la mieux fondée, tant sur des arguments de critique interne, que par la comparaison qu'il établit avec un autre manuscrit des memes archives, le *Discurso de la educación*".[3] También François López, en su artículo "Considérations sur la *Sinapia*" se ha pronunciado con nuevos argumentos históricos y linguísticos, en favor de la fecha propuesta por mí: "qu'en ce qui concernait la datation du texte, j'inclinais plus de son côté [de Cro] que de celui de Miguel Avilés."[4] Por su parte, en la "Introducción" a su edición del *Tratado sobre la Monarquía Columbina*,[5] Pedro Alvarez de Miranda expresó su opinión de que *Sinapia* es una obra de fines del siglo XVII: "Después de las investigaciones del profesor Stelio Cro puede asegurarse que la *Sinapia* fue escrita en los últimos decenios del siglo XVII, lo que la convierte en un preciso testimonio del arranque de la Ilustración española" (p. XXI). Sobre la edición de Avilés escribe Alvarez de Miranda: "Poco después de la de Cro apareció otra edición, de Miguel Avilés Fernández (*Sinapia. Una utopía española del Siglo de las Luces*, Madrid, Editora Nacional, 1976), quien desconocía la existencia de la de Cro y, francamente desorientado, situaba la obra en el último tercio del XVIII" (p. 33).

El elemento unificador del período cronológico estudiado por mí es la inspiración profundamente cristiana que informa a todos los utopistas en él comprendidos, desde Colón hasta el

anónimo autor de la *Sinapia*. Por este motivo unificador he preferido limitar el estudio a este periodo cronológico. Esto no significa en absoluto que el estudio de la utopía española deba
limitarse a este período. Ya Antonio Elorza en su estudio sobre
el *Socialismo utópico español* (Madrid: Editorial Ciencia Nueva,
1970) ha demostrado la vigencia, dentro de otras corrientes
ideológicas, de la tradición utópica española hasta nuestros días
y su estrecha relación con los movimientos obreros y sindica-
les. Lo que importa para este estudio es hacer constar cómo,
entre 1492 y 1682, España, único entre todos los países de
Europa, es la que elabora la utopía para el Nuevo Mundo y, en
cierto sentido, en oposición al Viejo.

La distinción clásica de la edad de oro y de la edad de hierro,
ya presente en Hesíodo (*Los trabajos y los días*) y Ovidio (*Las Metamórfosis*), tuvo en la empresa colombina su comprobación empírica. Los españoles heredaron el motivo de la edad de oro a
través del renovado interés que por él sintieron los humanistas
italianos de los siglos XIV y XV. Pero la empresa del descubrimiento puso de relieve, una vez más, el genio realista del pueblo español. Cuando Colón volvió de su primer viaje los españoles reaccionaron como habían reaccionado en otros
momentos decisivos de su historia, es decir, con su fondo de
realismo tradicional—el mismo realismo que distingue el *Mio
Cid* de la *Chanson de Roland*. Por este motivo los españoles elaboraron la utopía empírica, que constituye, como hemos visto, la
primera etapa de la evolución de la utopía hispanoamericana.

Como ya observó Pedro Henríquez Ureña, el "buen salvaje"
que había vivido en la edad de oro reapareció por primera vez
en los escritos de Colón[6] y, agrego yo, de Pedro Mártir. Los
modelos clásicos de Hesíodo y Ovidio habían descrito razas y
regiones míticas. Los reformistas como Vasco de Quiroga y
Las Casas, o como los Padres Jesuitas del Paraguay, insistieron
en contraponer el "buen salvaje", que vivía en la nueva edad de
oro, al europeo que vivía en la edad de hierro.

El estudio de este fenómeno, hasta ahora ignorado, me pareció justificar mi esfuerzo. Quizás la historia española de los
siglos XV, XVI y XVII halle en la utopía española un motivo
digno de consideración.[7]

Finalmente este estudio presenta la aspiración a la utopía
cristiana en el Nuevo Mundo entre 1492 y 1682 como el momento de la unidad espiritual entre España y sus antiguas colo-

nias de América, es más, acaso como uno de los elementos for-
madores de la identidad e individualidad hispanoamericana. Re-
corriendo los pasos perdidos de este período en este estudio, un
elemento salta a la vista: la unidad espiritual entre la Madre
Patria y sus colonias. Por eso, entre 1492 y 1682 se puede in-
distintamente calificar la utopía como hispanoamericana o española, pues uno es el deseo de reforma y progreso dentre del
espíritu auténticamente cristiano de ambos lados del Atlántico.

Este libro se ha publicado gracias a la ayuda de una beca de
la Canadian Federation for the Humanities, con fondos proveí-
dos por el Social Sciences and Humanities Research Council of
Canada y gracias a la ayuda de McMaster University. Por todo
ello agradezco al Señor Philip Cercone y la Señora Denise La-
chance de la CFH y el Dr. Alan C. Frosst, Assistant Vice-
President, Research Services, McMaster University, y el Dr.
Norman Shrive, Chairman, Arts Research Board, McMaster
University.

I Parte.
Siglos XVI-XVII.
La utopía cristiano-social.

❧ I ❧

El encuentro con la utopía

Desde que Tomás Moro escribiera su *Utopía* en 1516, el título de la obra ha pasado a significar, entre otras cosas, también el del género que trata del gobierno ideal. Los adjetivos con los que se ha calificado el gobierno de estas ciudades o estados varían: "ideal", "feliz", "mejor", "buen", pero la intención semántica es la misma: la de describir un estado u organización política que, en las intenciones del autor, represente el lugar más apto para que imperen la justicia, la moral, la paz, en otras palabras, las virtudes que deberían hacer al hombre dichoso.

La ya nutrida bibliografía sobre el género utópico que, como veremos, ofrece interpretaciones muy diferentes, nos obliga a una aclaración más. Empecemos por establecer en qué sentido hablamos aquí de utopía. Aquí nos ocupan solamente las obras de antes de 1700, escritas originalmente en español o en latín que tengan un carácter utópico. En este género o disciplina podríamos incluir de manera muy general a varios textos del descubrimiento y de la conquista de América, como *Los cuatro viajes del Almirante* de Cristóbal Colón, las *Décadas* del *De orbe novo* (1503-1530) de Pedro Mártir de Anglería, las *Cartas de relación* (1519-1526) de Hernán Cortés, la *Carta de relación* (1525) de Pedro de Alvarado, la *Verdadera relación de la conquista del Perú* (1534) de Francisco de Xérez, la *Historia general y natural de las Indias* (1535-1553) de Gonzalo Fernández de Oviedo, la *Crónica del Perú* (1553) de Pedro Cieza de León, la *Brevísima relación de la destrucción de las Indias* (1553) de Bartolomé de las Casas, la *Historia natural y moral de las Indias* (1589) de José de Acosta, las *Décadas* (1601-1615) de Antonio de Herrera y Tordesillas y los *Comentarios reales* (1609) de Garcilaso de la Vega, el Inca.[1] Estas obras comprenden los primeros cien años después del descubrimiento y se suceden a lo largo de la conquista que, como se sabe, se cumplió en el lapso de unos cincuenta años. De manera que las obras citadas más arriba constituyen las fuentes de primera mano para el descubrimiento y la conquista de América. Estos textos han venido adquiriendo últimamente una significación utópica.[2]

Entre los relatos de los historiadores primitivos de las Indias occidentales que han narrado el descubrimiento y la conquista de América hallamos muchas descripciones de ciudades ideales. Estas fueron influídas por una parte por el humanismo cristiano que floreció en Europa en el siglo XVI y por la otra por el renacimiento de la cultura clásica. Pedro Mártir de Anglería, el primer cronista oficial de las Indias occidentales, es el que asimiló las influencias humanistas en sus crónicas *De Orbe Novo*. A su vez en él se inspiran muchos otros cronistas.[3] José Antonio Maravall ha afirmado: "Las Casas fue un utópico del género de un Tomás Moro."[4]

El aspecto utópico de algunas de las leyendas del Nuevo Mundo no pasó desapercibido para algunos críticos de la literatura y la cultura hispánica,[5] mas es necesario aquí subrayar el momento histórico en que se originan esas leyendas. Estos textos florecieron en el momento en que brotó el renovado interés por la cultura clásica y en que se afirmó el deseo de la vuelta a los valores del cristianismo primitivo, en otras palabras, durante el Renacimiento. Esta tradición y fusión del renovado interés por los clásicos junto con la aspiración a un cristianismo más puro, más primitivo y auténtico, se afirmó también en España, come se estaba afirmando en otros países de Europa. Los navíos que trajeron a los misioneros y a los soldados a América también trajeron esta nueva sensibilidad. J. A. Maravall has insistido suficientemente sobre la carga utópica del siglo XVI.[6]

Hoy por hoy la utopía se identifica con frecuencia con una filosofía determinista, podríamos decir materialista, una fuerza revolucionaria cuya finalidad explícita o implícita es la de destruir antes de construir. Pero los estudios utópicos que han tenido en cuenta el material de las crónicas españolas del descubrimiento y de la conquista llegan a la conclusión de que la utopía española tiene una carga espiritual.[7] En verdad, la utopía española, por la magnitud de las fuerzas históricas que intervinieron en su elaboración secular, necesita de una previa discusión metodológica en la que se pueda aclarar lo que se ha hecho previamente y entender por qué la utopía española responde a reglas diferentes. Por empezar esta utopía tiene un aspecto totalmente inédito y paradójico que es su empirismo, es decir, la raíz empírica de su elaboración.

En su diálogo *Crito*, Platón nos relata el mito de la Atlántida. El filósofo cree que los antiguos Atenienses que conquistaron a la Atlántida sean superiores a los contemporáneos suyos. Para él, el remedio a la decadencia que amenaza a Atenas es el modelo de 9.000 años antes. Este punto de vista es muy distinto del de los que elaboraron la utopía de España. Cristóbal Colón, Pedro Mártir, Bartolomé de las Casas, Vasco de Quiroga, concibieron a los indios como hombres que vivían en la edad de oro, en un Paraíso Terrenal y que habrían de ser corrompidos por los Europeos. Mientras la utopía de Platón, como la de Moro y de la mayoría de los utopistas europeos, se basa en una tradición literaria, la utopía española toma su punto de partida de una experiencia vital. De allí su carácter empírico y paradojal, si se considera a la tradición puramente teórica del género. Este carácter puede haber influído en la escasez de las elaboraciones teóricas de la utopía española. La realidad inimaginable del Nuevo Mundo, con sus maravillas humanas, naturales y animales, condicionó la elaboración de formas utópicas en España. Al mismo tiempo, al percibir a la utopía como ideal de reforma inspirado en la realidad del Nuevo Mundo, los españoles tuvieron un punto de referencia que otros pueblos, más ricos en utopías teóricas, desconocieron. La utopía española está condicionada por esa primera experiencia.

Los textos de los primeros cronistas ya nos revelan la idea central de esta actitud: el encuentro de los europeos corruptos y decadentes con los habitantes inocentes y puros del Nuevo Mundo. Esta actitud ya de por sí constituye una interpretación de la historia y se observa en varios cronistas del siglo XVI: Colón, Pedro Mártir, Las Casas, Vasco de Quiroga. De hecho el examen de las obras de estos autores nos mostraría el momento en que la teoría del buen salvaje tuvo su primera expresión espontánea.

❧ II ❧

El Buen Salvaje

en las crónicas primitivas.[1]

*1. Cristóbal Colón
y la búsqueda de la utopía*

A LO LARGO DE los relatos de sus cuatro viajes Colón describe
a los indios como gente muy mansa, incapaz de hacer daño a
nadie, temerosa y admirada de los hombres que "vienen del
cielo", es decir los españoles. Las islas y la Tierra Firme des-
criptas en su diario aparecen como una tierra hermosa, hasta
que hacia el final del relato del "Primer viaje" Colón identifica
esas islas con el Paraíso Terrenal. El texto, copiado por Las
Casas, dice: "Concluyendo, dice el Almirante que dijeron los
sacros teólogos y los sabios filósofos que el Paraíso Terrenal
está en el fin de Oriente, porque es lugar temperadísimo. Así
que aquellas tierras que agora él había descubierto es—dice
él—el fin de Oriente."[2] Este motivo del Paraíso Terrenal se
torna la idea fija de Colón que insiste en ella en los otros
relatos, invocando hasta la autoridad de la Sagrada Escritura:

> La Sacra Escriptura testifica que Nuestro Señor hizo al
> Paraíso Terrenal y en él puso el árbol de la vida, y de él
> sale una fuente de donde resultan en este mundo cuatro
> ríos principales: Ganges en India, Tigris y Eufrates en
> [interpunción en el texto original] los cuales apartan la sie-
> rra y hacen la Mesopotamia y van a tener en Persia, y el
> Nilo que nace en Etiopía y va en la mar en Alejandría (*Cua-
> tro viajes*, p. 183).

Colón se refiere al hecho de que falta un mapa que indique la ubicación exacta del Paraíso Terrenal, mas que las fuentes clásicas y las Sagradas Escrituras lo sitúan en el Oriente (*Cuatro viajes*, pp. 183-184). A falta de la autoridad de las Escrituras Colón interpreta sus propias observaciones de navegante como indicios y pruebas de la existencia del Paraíso Terrenal, en las tierras halladas allende el Océano:

> Torno a mi propósito de la tierra de Gracia y río y lago que allí fallé, atán grande que más se le puede llamar mar que lago, porque *lago* es lugar de agua, y en seyendo grande se dice *mar*, como se dijo a la mar de Galilea y al mar Muerto, y digo que si no procede del Paraíso Terrenal que viene este río y procede de tierra infinita, pues al Austro, de la cual fasta agora no se ha habido noticia, mas yo muy asentado tengo en el ánima que allí adonde dije es el Paraíso Terrenal y descanso sobre razones y autoridades sobrescriptas. (*Ibid.*, p. 186).

El paisaje y las poblaciones encontradas por Colón a lo largo de sus viajes y exploraciones por las islas y costas de América le convencieron aún más que había llegado a la tierra profetizada de la edad dorada, a los tiempos áureos de la Biblia. Sus observaciones sobre el paisaje y los habitantes nos abren por primera vez la puerta al Nuevo Mundo. La visión de Colón, con su imaginación poética y su fervor profético, casi místico, se nos transmite aún hoy, a distancia de casi cinco siglos de los acontecimientos que cambiaron la historia del mundo. En las páginas de Colón, recogidas por Las Casas, los indios aparecen como hombres mansos, inocentes, pacíficos, generosos y, sobre todo, especialmente predispuestos a hacerse cristianos: "En fin, [los indios] todo tomaban y daban de aquello que tenían de buena voluntad...Ellos no traen armas ni las conocen, porque les amostré espadas y las tomaban por el filo y se cortaban con ignorancia...Ellos deben ser buenos servidores y de buen ingenio, que veo que muy presto dicen todo lo que les decía, y creo que ligeramente se harían cristianos." (*Ibid.*, pp. 30-31). Esta primera descripción colombina de los indios presentará pocas variantes. Con alguna excepcional referencia a tribus o uno que otro cacique belicoso y cruel, de las páginas del diario de Colón, así como nos lo ha transmitido Bartolomé de Las Casas, surge una imagen del indio muy favorable y, de manera consistente, como un hombre manso, generoso, inocente y predispuesto al cristianismo. Se podría objetar que Las Casas pudo haber escogido solamente los pasajes que favorecían su propia concepción muy favorable a los indios. Pero esto no hace más que confirmar lo que venimos diciendo, es decir, que los primeros documentos del descubrimiento desde el principio nos presentan una realidad idealizada, que adquiere paulatinamente un caracter utópico. Por otra parte estudios recientes han demostrado fehacientemente que Las Casas no era ese monje sectario que durante mucho tiempo eruditos pasados y recientes han tratado de pintar.[3] En los relatos de Colón abundan los pasajes en que paisaje e indios se conciben como un todo armonioso, en que la belleza y amenidad del paisaje corresponden a la mansedumbre de los indios: "Esta isla es bien grande y muy llana y de árboles muy verdes y muchas aguas y una laguna en medio muy grande, sin ninguna montaña, y toda ella verde, que es placer de mirarla; y esta gente farto mansa...."[4] Colón percibe también inmediatamente la credulidad y admiración de los indios que creen que los españoles hayan venido del cielo: "[Los indios] se echaban a la mar nadando y venían, y entendíamos que nos preguntaban si éramos venidos del cielo. Y vino un viejo en batel dentro, y otros a voces grandes llamaban todos hombres y mujeres: 'Venid a ver los hombres que vinieron del cielo; traedles de comer y de beber'...Y después junto con la dicha isleta están huertas de árboles las más hermosas que yo víe tan verdes y con sus hojas como las de Castilla en el mes de abril y de mayo, y mucha agua." (*Cuatro viajes*, p. 33).

Otra característica de los indios es la mansedumbre, su inocencia y su obediencia a la ley natural: "Dice más el Almirante: esta gente es muy mansa y muy temerosa, desnuda como dicho tengo, sin armas y sin ley" (*Ibid.*, p. 54). Como veremos, esta última acotación del Almirante, "sin ley", no implica necesariamente una connotación negativa, mas al contrario, adquiere, y más claramente en Pedro Mártir de Anglería, una connotación positiva, que se refiere al estado natural de los indios, sin necesidad de leyes, ni de jueces. La actitud inocente de los indios se percibe bien en su reacción frente a los españoles: "...los cuales [indios a los españoles] los tocaban y les besaban las manos y los pies, maravillándose y creyendo que venían del cielo, y así se lo daban a entender. Dábanles de comer de lo que tenían... Después saliéronse los hombres y entraron las mujeres y sentáronse de la misma manera en derredor de ellos, besándoles las manos y los pies, atentándolos si eran de carne y de hueso como ellos" (*Ibid.*, p. 55); "Son gente, dice el Almirante, muy sin mal ni de guerra- ...que luego todos se tornarían cristianos" (*Ibid.*, p. 56); "...porque yo vi e cognozco—dice el Almirante—que esta gente no tiene secta ninguna ni son idólatras, salvo muy mansos y sin saber que sea mal ni matar a otros ni prender, y sin armas...." (*Ibid.*, p. 58); "Esta gente no tiene varas ni azagayas ni otras ningunas armas, ni los otros de toda esta isla, y tengo que es grandísima: son así desnudos como su madre los parió, así mujeres como hombres...." (*Ibid.*, p. 99). El pasaje siguiente es de notar porque en él Las Casas ha transcripto las palabras textuales del Almirante. Este pasaje nos revela que el descubridor del nuevo Mundo vió estas tierras e interpretó el estado natural de sus habitantes como el estado ideal, que los tendría que llevar forzosamente a abrazar el cristianismo, porque los indios "aman a sus prójimos como a sí mismos"; el amor cristiano aparece aquí con toda la fuerza del lenguaje exacto utilizado por el descubridor para registrar sus impresiones, al observar como los indios lamentan el naufragio de su barco, la Sta. María: "El [el cacique] con todo el pueblo lloraban tanto—dice el Almirante—, son gente de amor y sin codicia y convenibles para toda cosa, que certifico a Vuestras Altezas que en el mundo creo que no hay mejor gente ni mejor tierra: ellos aman a sus prójimos como a sí mismos, y tienen una habla la más dulce del mundo y mansa, y siempre con risa. Ellos andan desnudos, hombres y mujeres, como sus madres los parieron. Mas, crean Vuestras Altezas que entre sí tienen costumbres muy buenas, y el rey muy maravilloso estado, de una cierta manera tan continente que es placer de verlo todo, y la memoria que tienen, y todo quieren ver, y preguntan que es y para qué" (*Ibid.*, p. 109). La única observación negativa de Colón se refiere a un individuo, a un cacique llamado Caonabo "que es hombre, segun relación de todos, muy malo y muy más atrevido" (*Ibid.*, p. 157).

En Colón había una doble característica de hombre medieval, místico, convencido de su misión excepcional y de gloria en la tierra, y de navegante experimentado y hombre práctico. Bien lo dice Boies Penrose en su *Travel and Discovery in the Renaissance 1420-1620*, afirmando que sus ideas, aunque estuviesen influídas por su "maestro" Toscanelli y su teoría del pasaje a India por el oeste, "were fundamentally Ptolemaic and were strongly influenced by the *Imago Mundi* of Pierre d'Ailly, to say nothing of Marco Polo and Sir John Mandeville. This curious medievalism in Columbus' thought was balanced by the practical side of his nature, such as his superb skill as a navigator; but these two sides of his character must always make him a problem for the psychologist and a puzzle for the historian."[5] Por otra parte Salvador de Madariaga observa comentando la carta acompañatoria de Colón a los Reyes Católicos enviándoles su *Libro de las Profecías* que esta carta revela al converso reciente. Refiriéndose a Bataillon y a su *Erasmo y España* sobre las características de los místicos, iluminados y alumbrados de los conversos españoles, Madriaga cree ver las mismas características en Colón, haciéndole parte del movimiento prerreformista español de fines del siglo XV.[6] Madariaga afirma que Colón "ya en esencia es un protestante" (p. 504). Y esto respondería al fervor con el que Colón quiere creer que las tierras por él descubiertas son el Extremo Oriente, es decir, el lugar que él cree ser la sede del Paraíso Terrenal. A este respecto Colón interpretaba su propia experiencia según los textos sagrados, buscando, no la verdad científica independientemente de las Sagradas Escrituras sino, con mentalidad típicamente medieval, la confirmación, en su experiencia, de las verdades bíblicas. Es así como concibe la explicación de la región del Golfo de Paria (Venezuela) como la región donde se yergue el Paraíso Terrenal. Comienza refiriéndose a la forma del globo terrestre que, dice, más que de perfecta esfera, tiene una forma como de pera y que el pezón de la pera corresponde al lugar más alto del globo terrestre y se halla en el fin del Oriente, precisamente en las regiones recién descubiertas, o sea el Golfo de Paria, en la costa venezolana, con las altas montañas avistadas desde la costa. Debido a esta elevación del globo en este punto Colón dice que los navíos que navegan hacia él se levantan hacia el cielo (*Cuatro viajes*, pp. 180-81). Los hombres que habitan estas regiones tienen una apariencia muy agradable, así como el paisaje, que es más hermoso por estar más cerca del cielo y ello se debe a que cuando Dios creó el sol lo hizo en el oriente, donde está el Paraíso Terrenal (*Ibid.*, pp. 182-83). Sobre este punto Colón insiste de manera muy convincente, basándose en las Sagradas Escrituras y en las características orográficas y geográficas de la región (*Ibid.*, pp. 183-84). Tres veces afirma Colón en esta carta que ha hallado el lugar donde se yergue la montaña apacible del Paraíso Terrenal (*Ibid.*, pp. 183, 184, 186).

La imaginación vívida y llena de las lecturas medievales de Colón se revela desde el primer viaje. En la anotacion del 6 de enero de 1493 Colón introduce el primer mito del descubrimiento, las amazonas, imitado en esto por muchos conquistadores y cronistas durante el siglo XVI, desde Cortés hasta Schmidel:[7] "También diz que supo el Almirante que allí, hacia el Leste, había una isla adonde no había sino solas mujeres, y esto diz que de muchas personas lo sabía" (*Cuatro viajes*, p. 122). En otra anotación del 13 de enero Colón se refiere nuevamente a la isla poblada de mujeres: "De la isla de Matinino dijo aquel indio que era toda poblada de mujeres sin hombres, y que en ella hay mucho tuob, que es oro o alambre, y que es más al Leste de Carib" (*Ibid.*, p. 127). Hay otras anotaciones sobre la misma isla fechadas el 15 y el 16 de enero y de nuevo el 14 de febrero de 1493.

Así que ya en el Diario del Primer Viaje Colón escribe las primeras páginas de la utopía en América. Utopía que ya en él adquiere características sociales—el indio es un ser capaz de convertirse al cristianismo y a la civilización—poéticas—las amazonas—y religiosas—el Paraíso Terrenal. Utopía que se basa en sus lecturas de las Sagradas Escrituras y de los viajes de Marco Polo. En su mente no hay duda que Dios le ha elegido para descubrir las tierras bíblicas donde se halla el Paraíso Terrenal. En los siguientes tres viajes su impresión, lejos de disiparse con los nuevos descubrimientos del continente sudamericano, de la costa panameña y de otras islas, se confirma. Cada nuevo descubrimiento es un nuevo indicio. Es un caso singular que este soberbio marino no pudiese sobreponerse a su cultura medieval, alimentada por su asidua frecuentación de las Sagradas Escrituras. Pero es precisamente la cultura medieval la que le hace ver una isla de amazonas y el espejismo del Catay visitado por Marco Polo. Es precisamente, y paradójicamente, esta cultura medieval de Colón, la

que echa las bases de la utopía española en América. Al
mismo tiempo, es acaso esa misma cultura que proviene de la
Edad Media la que otorga a Colón la férvida e inagotable fe
de la que necesitó para, con su primer viaje y descubrimiento
en 1492, abrir las puertas a la Edad Moderna.

2. Pedro Mártir
y la utopía del Nuevo Mundo.

Uno de los primeros cronistas del descubrimiento y conquista fue Pedro Mártir de Anglería, nombrado primer cronista oficial de las Indias por el monarca español. Fue también
el único cronista humanista que conoció y trató en varias ocasiones a Colón. Pedro Mártir sigue la misma línea de Colón y
amplía aun más su relato de la índole de los indios y de su
manera de vivir. Con Pedro Mártir la tradición del "buen salvaje" adquiere un impulso más y, acaso, mayor, por la difusión que tuvieron sus obras y cartas, escritas en latín, la
lengua internacional de aquel tiempo, y dirigidas a personali-
dades prominentes de la época: Papa León X y Papa Clemente
VII, Francisco Sforza, Duque de Milán y Alejandro Sforza,
Cardenal y Vice Canciller. En fecha 13 de noviembre de 1493,
al poco tiempo del descubrimiento, Pedro Mártir refiere el
carácter ideal, podríamos decir utópico, de la empresa de
Colón: "Creyóse, y Colón, ya nombrado Almirante, fue desde
un principio de igual opinión, que de las islas recién descritas
había de provenir el mayor número de esos bienes y ventajas
tras de los cuales se afanan con todas sus fuerzas los
mortales.[8]

a). La Edad de Oro y el Paraíso Terrenal.

Ya desde la *Primera Década* el motivo de la edad de oro se
afirma claramente. Al comparar a los indios con los itálicos
hallados en el Lacio por Eneas, Pedro Mártir concluye:

> Creo yo, empero, que estos isleños de la Española son más
> felices que aquéllos, con tal de que se les instruya en la
> verdadera religión, porque viven desnudos, sin pesas, sin
> medidas y, sobre todo, sin el mortífero dinero en una ver-
> dadera edad de oro, sin jueces calumniosos y sin libros,
> satisfechos con los bienes de la naturaleza, y sin preocupa-
> ciones por el provenir. (I, p. 121).

Lo importante de este pasaje es que el estado feliz de los indios se concibe como opuesto al infeliz de los europeos, puesto que las cosas que a ellos les faltan, y que los harían infelices de tenerlas, son precisamente los objetos típicos de la civilización europea: pesas, medidas, el "mortífero dinero", "jueces calumniosos", libros y la preocupación por el incierto porvenir. Es éste uno de los motivos fundamentales de las Décadas. Las *Décadas De Orbe Novo* de Pedro Mártir tienen la cualidad insuperable del primer trabajo histórico sobre el descubrimiento y conquista de América hecho por un humanista que trató de discernir lo factual de lo legendario. Este esfuerzo visible muestra que desde un primer momento lo legendario y lo histórico se mezclaron en el relato del descubrimiento y de la conquista. No siempre Pedro Mártir logra superar la leyenda y él también sucumbe a veces al encanto de lo maravilloso y fabuloso que los mismos conquistadores divulgaban. Etas referencias contribuyeron a divulgar la utopía de América, pues por la fecha y la difusión del trabajo y las cartas de Pedro Mártir, leído en toda Europa por el Papa y por los monarcas europeos, sus comentarios e interpretaciones tuvieron amplia difusión y crédito.

Las *Décadas* se publicaron en latín, primero en Sevilla en 1511 (*Primera Década*), luego en Alcalá de Henares en 1516 (*Décadas* I-III) y más tarde en 1530 (*Décadas* I-VIII). Las *Décadas* siguen de cerca los relatos de Colón y de los primeros conquistadores de las islas del Caribe y de las costas de México, Panamá, y Venezuela. Pedro Mártir participa del entusiasmo de los descubridores: "Refieren ser aquella tierra la más fecunda de cuantas alumbran los astros con su luz" (I, p. 111). La Española posee todas las características del Paraíso Terrenal: "Cuánta sea la fertilidad de este valle y cuánta la benignidad del terreno, podrás colegirlo de lo que dicen los propios expedicionarios...Las legumbres maduran dos veces al año...De sus montes fluyen cuatro grandes ríos, que con memorable industria de la naturaleza lo dividen en cuatro partes casi iguales, y encierran el resto en sus alveos" (I, p. 130). Las referencias bíblicas que Colón ha mencionado en sus relatos reverberan en las *Décadas*; en el mismo libro, Pedro Mártir, al hablar de la Española, dice: "Esta isla Española, que Colón identifica con la de Ofir, de que se habla en el libro tercero de los Reyes...." (I, p. 129). Una de las características que Pedro Mártir pone de relieve es que los nativos no conocen la propiedad privada: "Es cosa averiguada que aquellos indígenas poseen en común la tierra, como la luz del Sol y como el agua, y que desconocen las palabras 'tuyo' y 'mío', semillero de todos los males... Viven en plena edad de oro, y no rodean sus propiedades con fosos, muros ni setos. Habitan en huertos abiertos, sin leyes, sin libros y sin jueces, y observan lo justo por instinto natural" (I, pp. 141-42).

b). El pecado original
de los europeos y el buen salvaje.

En este mundo de bondad inocente y espontánea los recién llegados, los europeos "cristianos" se comportan como animales feroces. Pedro Mártir refiere cómo algunos españoles, para mantener sus músculos ejercitados y para no olvidar el arte de matar, competían entre ellos a ver quién, con un solo revés, pudiese cortar la cabeza de esos infelices. Ya en esta *Primera Década* Pedro Mártir prepara el terreno para las vehementes acusaciones de Las Casas. Uno de los caciques acusa a los españoles de ser "violentos y malos, codiciosos sólo de lo ajeno, sedientos siempre de sangre inocente, por lo que no quería tener relación o amistad con semejantes criminales" (I, p. 174). Hay muchos otros pasajes en las *Décadas* de Pedro Mártir sobre los indios en que éstos aparecen inocentes, de buen carácter, amistosos y generosos, mientras que los españoles se describen codiciosos, pendencieros y sedientos de sangre. En el libro III de la *Primera Década*, al describir el estado feliz de los indios, Pedro Mártir especifica el carácter comunitario de la propiedad, asimilando las ideas de *La República* de Platón y anticipando las de Tomás Moro, el autor de la *Utopía*. La tierra en común, la ausencia de propiedad privada es uno de los principios clásicos de toda utopía, desde la *República* de Platón hasta la *Utopía* de Moro y, como veremos, de la *Sinapia*. La identificación del origen de todos los males con las palabras 'tuyo' y 'mío' es un antecedente directo de la *Utopía* de Moro que utiliza la misma expresión, y de *Sinapia*, inspirada en la obra de Moro, como veremos más adelante. Otro aspecto importante de este pasaje de Pedro Mártir es el papel que juega la naturaleza al ordenar la vida social. Pedro Mártir dice que los indios saben lo que es justo "por instinto natural"; es decir, sin querer llevar esta afirmación a las conclusiones a las que llegará Rousseau en el *Contrato social*, Pedro Mártir ya establece aquí que si el hombre sigue su propia naturaleza no puede ser malo. Por otra parte se reafirma aquí el carácter negativo de las leyes, los libros y los jueces, es decir de todo lo que constituye y distingue a la sociedad civilizada de la bárbara. La intencion crítica de Pedro Mártir se revela aun más claramente en los pasajes en que el cronista se hace eco de los sucesos en que los españoles se mostraron crueles con los indios inocentes. Pedro Mártir se hace eco de la reyerta entre los hermanos Colón y sus lugartenientes, quienes los acusan ante los reyes. Su breve exposición es bastante objetiva, mas, en llegando a referir los cargos que Colón atribuía a los españoles rebeldes, se detiene en describir la escena horripilante de cómo los españoles se entretenían mutilando a los pobres indios: "[Colón decía] que por diversión y para que sus [de los españoles] manos no perdiesen el hábito de verter sangre y poner a prueba el vigor de sus brazos, competían entre sí con espadas desenvainadas sobre cortar de un solo tajo cabezas de inocentes, reputándose por más fuerte y honrado al que con mayor rapidez hacía rodar por tierra con su golpe la testa de un infeliz" (I, p. 172).

El carácter manso de los indios por otra parte se destaca en las *Décadas*, pues Pedro Mártir pudo recoger distintos datos de varios navegantes. En el Libro VIII de la *Primera Década*, al hablar del viaje de Pero Alfonso Niño al Golfo de Paria (Venezuela), Pedro Mártir refiere la índole de los indios: "En veinte días que los trataron, conocieron los nuestros su natural manso, sencillo, inocente y hospitalario" (I, p. 180). Es más, en Pedro Mártir se observa un motivo que constituye una novedad en las crónicas, el de la adaptación del europeo al estado natural. En el Libro III de la *Segunda Década*, al referir cómo se hallarono unos españoles al cabo de vivir durante 18 meses entre los indígenas, Pedro Mártir dice que estaban muy satisfechos "pues habían vivido sin las disputas del 'mío' y 'tuyo', del 'dame' y 'no te doy', que son las dos cosas que arrastran, fuerzan y obligan a los hombres a que, viviendo, no vivan en realidad" (I, p. 231). Es decir, que también aquellos que están acostumbrados al "mío" y al "tuyo" serían más felices si experimentaran por un tiempo cómo se vive en el estado natural, sin propiedad privada. De manera que en Pedro Mártir no hay solamente la admiración por el estado

natural, como lo hemos visto en Colón, sino una etapa ulterior: el estado natural puede modificar los hábitos de los
europeos y por ello el estado feliz es posible aún. Esta convicción de la bondad de un sistema es la condición mental para la
elaboración de una utopía. Por ello los cronistas primitivos de
Indias deberían ocupar siempre el primer capítulo de cualquier historia del pensamiento utópico moderno. A lo largo
de todas las *Décadas* Pedro Mártir puntualiza sus sentimientos
para con el dinero, el oro y las piedras preciosas de las Indias,
esto es, deja ver su profundo desprecio. Se percibe entre las
líneas su crítica al afán de los españoles para conseguir las
riquezas materiales y descuidar el bienestar espiritual. Cada
vez que los españoles—el ejemplo lo da el mismo Colón, obse-
sionado por el oro—hallan un nuevo territorio y conocen a
un pueblo nuevo, lo primero que preguntan a los indios es
por los metales preciosos, las perlas y las piedras preciosas,
mientras que los indios al no conocer "la funesta moneda" (I,
p. 416), no le asignan el mismo valor. Expresiones como
"mortífero dinero" (I, p. 385), "uso funesto del dinero" (II, p.
621), y otras análogas, son muy frecuentes en las *Décadas*.
    Como en Colón, en Pedro Mártir este motivo del buen
salvaje se acompaña al de la edad dorada, la amenidad del paisaje y la bondad de los habitadores del Nuevo Mundo opuesta
a la maldad de los habitadores del Viejo Mundo. En Pedro
Mártir hay también una actitud crítica contra los humanistas
que no creían en lo que el cronista relataba de los acontecimientos del Nuevo Mundo, pues juzgaban las cosas nuevas
con criterios viejos, heredados de sus lecturas y estudios. En
otras palabras, en Pedro Mártir, el motivo del buen salvaje,
como ya en Colón y, más aun, en Las Casas y en Quiroga,
está acompañado de una nueva mentalidad.
    Al principio del Primer Libro de la *Primera Década* de su *De
orbe novo* Pedro Mártir, en fecha 13 de noviembre 1493, cuenta
los antecedentes del descubrimiento del primer viaje de Colón
y su vuelta triunfal a España con los preparativos para su
segundo viaje. El descubrimiento de las islas de Haití, Cuba,
Jamaica, las Bahamas y las Antillas constituyen en esencia el
descubrimiento del Nuevo Mundo por parte de Colón, según
el relato de Pedro Mártir, quien se detiene en describir sus
habitantes, la geografía, las plantas, los animales y los pro-
ductos. En particular Pedro Mártir nos llama la atención

sobre las reacciones de los nativos, persuadidos que los recién
llegados sean gente caída del cielo (I, p. 106). Y agrega, como
haciéndose eco del motivo bíblico de la Tierra Prometida, y
aflorante en los escritos del Almirante con su insistencia
sobre el hallazgo del lugar donde se yergue el Paraíso Terrenal: "Refieren ser aquella tierra la más fecunda de cuantas
alumbran los astros con su luz" (I, p. 111).[9]

Siempre en el Libro Primero el autor confirma la interpretación bíblica de Colón al referir su convicción de haber descubierto a la bíblica isla de Ofir del Rey Salomón: "Habiendo,
pues, puesto rumbo hacia oriente, cuenta que descubrió la
isla de Ofir; pero bien examinados los diseños de los cosmó-
grafos, aquellas son las Antilas y otras islas adyacentes: dio a
ésta el nombre de Española...." (I, p. 105).

Los motivos de la edad de oro, de la tierra prometida y del
Paraíso Terrenal afloran en varios pasajes de la obra. En el
libro IV de la *Primera Década* el cronista refiere la descripción
de Colón del globo terrestre como una pera en cuyo pezón se
encuentra el Paraíso Terrenal: "De aquí que enérgicamente
Colón sostenga que en la cima de aquellos tres montes, divi-
sados a lo lejos por el vigía desde la atalaya, según ya dijimos,
está el Paraíso Terrenal, y que aquella impetuosa corriente
dulce, que desde la ensenada y gargantas sobredichas se
esfuerza por salir al encuentro del mar, es la superficie de las
aguas que se precipitan de las cimas de dichos montes" (I, p.
169). Pero el historiador, después de conceder espacio a las
fantasías del Almirante, vuelve a tomar el control del relato y
hace una salvedad que vale también como juicio crítico de su
fuente: "Pero dejemos ya estas cosas que me parecen fabulosas, y volvamos a la historia, de que nos hemos apartado" (I,
p. 169).

Los que han hablado de los caníbales de Montaigne pueden sin duda incluir a Pedro Mártir entre sus fuentes. El
Libro II de la *Primera Década*, al que nos hemos referido anteriormente, está fechado el 29 de abril de 1494 y sin duda
puede considerarse como el primer documento del pensamiento utópico renacentista. Además hay otro motivo original de Pedro Mártir y es su velada ironía que por momentos
estalla en franca polémica anti-humanista, cuando el cronista
denuesta la incredulidad, suficiencia y envidia de algunos
humanistas, sobre todo de los que forman el círculo papal. De

nuevo vuelve, a principios de la *Séptima Década*, en el Libro I, a referirse a la organización social de los indios americanos antes de la conquista como una edad de oro: "Edad de oro era aquélla, sin noción de lo tuyo y lo mío, simiente de discordias" (I, p. 592).

Ya a fines del Libro III de la *Primera Década* Pedro Mártir identifica, dieciséis años antes de la *Utopía* de Moro, la abolición de lo "mío" y lo "tuyo" con el estado feliz de la edad dorada: "Es cosa averiguada que aquellos indígenas poseen en común la tierra, como la luz del sol y como el agua, y que desconocen las palabras 'tuyo' y 'mío', semillero de todos los males. Hasta tal punto se contentan con poco, que en la comarca que habitan antes sobran campos que falta nada a nadie. Viven en plena edad de oro, y no rodean sus propiedades con fosos, muros ni setos. Habitan en huertos abiertos, sin leyes, ni libros y sin jueces, y observan lo justo por instinto natural. Consideran malo y criminal al que se complace en ofender a otro" (I, pp. 141-42). Hay aquí todo un himno al poder instintivo de la naturaleza, al estado natural que los filósofos de la Ilustración referirán a Montaigne, más que había que acreditar también a este cronista milanés de la corte de los Reyes Católicos.

En el Libro III de la *Tercera Década* Pedro Mártir describe el gran aprecio que los indios mostraban por las hachas de hierro que los españoles les daban a cambio de oro, comentando que los indios tienen a estos instrumentos "más aprecio que de grandes montones de oro, porque de este metal, como ignorantes de la mortífera moneda, no necesitan, y en cambio, el que consigue uno de los citados instrumentos, se considera más rico que Creso. Aquellos hombres desnudos proclaman que las hachas sirven para mil usos, y que el oro, en cambio, se busca para satisfacer vanos apetitos, cuya privación ningún detrimento acarrea" (I, p. 308). Aquí Pedro Mártir no se limita a repetir el motivo de la existencia feliz de los indios que, al no tener noción de lo "mío" y lo "tuyo", no atribuyen valor excesivo al vil metal, sino que introduce claramente la comparación con el hombre europeo civilizado quien, por su codicia, se muestra inferior al salvaje desnudo: "Y es que aún no ha llegado hasta ellos esa nuestra ambición que los fuerce a colmar de alhajas sus alacenas, como se hace en nuestros tiempos" (I, p. 309).

Los nativos viven al estado natural y por lo tanto no culti-
van el lujo ni el gusto por lo superfluo, defecto que es común
al europeo. La descripción realística de Pedro Mártir de las
costumbres de los indios hace resaltar aún más la vanidad del
europeo: "Ellos no usan mesas, ni servilletas, ni manteles, a
no ser los régulos, que por acaso adornan sus mesas con algunos vasillos de oro, los demás, cogiendo con la diestra un pan
nativo y con la izquierda un trozo de pescado o alguna fruta,
satisfacen su hambre" (I, p. 309). Es el mismo tema contra el
lujo tratado por Erasmo y repetido por Moro, Montaigne,
Shakespeare, Campanella y el anónimo autor de *Sinapia*. Este
tema es tan significativo que Pedro Mártir, queriendo criticar
las costumbres europeas, y con un tono francamente erasmista, que se ve también en su crítica anti-humanista y su
loor de la pobreza, en un pasaje del Libro X de la misma
Década refiere el mismo motivo del aprecio de las hachas entre
los indios, con un lenguaje aún más explícito contra la codicia
europea, diciendo que un reyezuelo estaba muy contento con
el obsequio de "sartas de vidrio, espejos, cascabeles de latón y
alguna que otra hacha de hierro, que ellos estiman más que
montones de oro, haciendo burla de los nuestros al verlos dar
por un puñado de oro, que sólo sirve para la procuración de
placeres inútiles, instrumentos como la segur, tan útil para
múltiples necesidades humanas" (I, p. 378). El mismo Pedro
Mártir se muestra sarcástico cuando, después de explicar las
cualidades y formas de las perlas de las nuevas tierras y com-
pararlas con las que traen del Asia, interrumpe su disertación
abruptamente diciendo: "Pero basta ya de estos animales
marinos y de sus huevos, que la necia ambición humana
estima en más que los de gallina o pato" (I, p. 381).

En este libro Pedro Mártir repite el adjetivo "mortífero"
aplicado al dinero, refiriéndose al comercio por permuta entre
los indios que no conocen el uso del "mortífero dinero" (I, p.
385). Y al final de la *Tercera Década*, después de narrar todas las
tribulaciones arrostradas por los españoles para satisfacer su
sed de oro, Pedro Mártir concluye con una nota claramente
negativa sobre la codicia de los europeos: "Así viven, tratando
de satisfacer su hambre de oro, pero cuanto más se llenan las
manos excavando, tanto mayor es su codicia, y a medida que
echan leña a la hoguera, se acrece la furia con que su fuego
chisporrotea. El hinchado hidrópico piensa que con beber

extinguirá su sed y no hace más que excitarla más ardiente" (I, p. 391). En el libro VI de la *Cuarta Década*, comenzando a narrar la conquista de México por Hernán Cortés, Pedro Mártir repite que entre aquellas poblaciones no se conoce el uso del dinero, calificando a éste de funesto: "...pues en parte alguna de aquellos vastos territorios atormenta a sus moradores el cruel afán de la funesta moneda" (I, p. 416). Sus denostaciones contra el oro y el dinero se acrecientan en esta *Década*. Hacia el fin de la misma declara que no hablará más de esto, habiéndose dado cuenta que ya lo ha hecho abundantemente: "Del hambre mortífera de oro ya hemos hablado bastante." Pero unas líneas más adelante, bajo el impulso de nuevas noticias de la completa y total dedicación de los conquistadores a satisfacer su sed de oro, Pedro Mártir comenta: "La rabiosa sed del oro ha apartado de la agricultura hasta hoy a los españoles" (I, p. 435).

En el Libro IV de la *Quinta Década* Pedro Mártir se refiere al uso que los aztecas hacían del cacao como de moneda para adquirir cosas y exclama que esa moneda es "feliz" porque no puede guardarse como el oro y porque se utiliza para preparar una bebida refrescante, contrariamente al oro, que por su posibilidad de ser guardado despierta la codicia: "¡Oh, feliz moneda, que proporcionas al linaje humano tan deliciosa y útil poción y mantienes a sus poseedores libres de la infernal peste de la avaricia, ya que no se te puede enterrar ni conservar mucho tiempo!" (II, p. 477). En el Libro I de la *Séptima Década* Pedro Mártir hace una referencia muy explícita al hambre cruel del oro de los españoles. Por el contrario, la vida de los indígenas en el Nuevo Mundo, antes del arribo de los europeos, responde al ideal de la edad de oro: "Edad de oro era aquélla, sin noción de lo tuyo y lo mío, simiente de discordias" (II, p. 592). Esta expresión, que podría parecer dictada por una actitud de humanista que ha leído a Hesíodo o Platón, es en realidad el espíritu crítico que anima la pluma de Pedro Mártir, empeñado en proveer para los importantes personajes, a los que dedica sus *Décadas*, una lectura verdadera que sea al mismo tiempo entretenida y de elevación moral. El motivo de la crítica de costumbres en la sociedad contemporánea se filtra a través de la alabanza de la simplicidad del hombre desnudo del Nuevo Mundo, anticipando en esto las famosas páginas que sobre el mismo tema escribiera Montaigne en su capítulo "Sur les cannibales" en los *Essais*. En efecto en el Libro IV de la misma *Década* Pedro Mártir dice que los indios comercian por permutas "como no andan embarazados por el mortífero dinero", y viven de acuerdo a las leyes de la naturaleza, careciendo de todo lo superfluo. En realidad los indígenas que nos presenta Pedro Mártir son los antecedentes directos de los de Montaigne y, luego, de Voltaire (II, p. 502).

En el Libro IV de la misma *Década* hay una página acusatoria contra la crueldad de los españoles, quienes arrastrados por su sed de oro esclavizan a los indios en las minas y una crítica al sistema que no logra imponer la ley entre los conquistadores: "Los nuestros, transportados a mundos tan extraños, peregrinos y distantes... se dejan arrastrar por la ciega codicia del oro... y sin consideración al sexo ni a la edad de los indios los hacen trabajar en las minas hasta que se mueren, con tal de saciar su sed de oro...." (II, p. 607).

Mas, junto con las loas a los indios y las críticas a los españoles, Pedro Mártir se hizo eco de lo que algunos frailes atestiguaron ante el Consejo de Indias. De entre los testimonios Pedro Mártir transcribe el de fray Tomás Ortiz, sin traducir en latín del original en español, para que no se desvirtúe la intención del que hizo el testimonio:

> Comen carne humana en la tierra firme, son sodométicos más que en generación alguna; ninguna justicia ay entre ellos; andan desnudos, no tienen amor ni vergüença; son estólidos, alocados, no guardan verdad si no es a su provecho, son inconstantes; no saben qué cosa sea consejo; son ingratíssimos y amigos de novedades. Se precian de embeudarse... Son bestiales, y précianse de ser abominables en vicios; ninguna obediencia ni cortesía tienen mozos a viejos, ni hijos a padres. (II, p. 609).

Esta descripción, según Pedro Mártir, debería justificar "después de mis agrias acusaciones contra los españoles... que son dignos de alguna excusa si se rehusan a darles libertad...." (II, p. 608). Es decir, no todos los indios eran iguales y no todos los españoles actuaban de manera injustificada cuando castigaban a los indios. Junto con la inspiración utópica en Pedro Mártir hay siempre un esfuerzo de presentar una visión objetiva de la conquista. Este deseo de justificar a los espaloles desaparecerá completamente de las páginas del Padre Bartolomé de Las Casas quien, convencido de la necesidad de su apostolado, jamás reconocerá a los españoles el derecho de usar de la fuerza y de la violencia contra los indios. Al comentar el testimonio de fray Tomás Ortiz, Pedro Mártir advierte que hay pareceres contrarios entre los españoles sobre la mejor política a seguir con los indios, agregando que muchos españoles ya han pagado con sus vidas sus yerros, pereciendo de muerte violenta a manos de los indios (II, pp. 610-11).

La referencia final al motivo del desprecio del oro ocurre hacia el final del trabajo, en el libro IV de la *Octava Década*, la última, donde se refiere al uso del cacao en lugar de la moneda entre los aztecas: "Merece asimismo conocerse la dichosa moneda de que usan, a la cual califico así, porque estas gentes en su deseo de obtenerla no necesitan desgravar con hendeduras las entrañas de la tierra, ni devolverla a sus escondrijos movidos de la sórdida avaricia o del terror de guerras inminentes, como acontece con las de oro o plata...." (II, p. 675).

c). La isla feliz y la eterna juventud.

Hay otros motivos en las *Décadas* de Pedro Mártir que generalmente podrían considerarse relacionados de manera muy general al tema de la utopía, pero conviene restringirnos a los que se relacionan al del buen salvaje, que los incluye todos de manera orgánica, principalmente el motivo de lo "mío" y lo "tuyo" del que el cronista subraya la ausencia en la sociedad en que vive el buen salvaje. Así que junto al del buen salvaje aparecen en Pedro Mártir el de la "isla feliz", el de la "Fuente de la juventud", como plenitud de la vida física, sin los achaques de la vejez que acarrea infelicidad moral, mientras que la plenitud física es plenitud moral, según el adagio "mens sana in corpore sano". En un segundo plano Pedro Mártir esgrime la crítica a sus contemporáneos, motivo fundamental del utopista, que es siempre un moralista y un reformista, que en Pedro Mártir adquiere particular importancia en su polémica contra los humanistas, con sus originalísimas afirmaciones, casi precursoras de una especie de "querelle" de los antiguos y los modernos, que él aparentemente resolvió en favor de los modernos, revelando al mismo tiempo una tendencia apo-

calíptica, de estilo oratorio, motivado por su deseo reformista
y persuasorio.

Pedro Mártir esgrime a menudo el motivo del buen salvaje
contra el lujo y los refinamientos europeos, como afirmación
de la superioridad de la sencilla vida de los indígenas del
Nuevo Mundo, como ya hemos visto. Lo mismo puede decirse de su crítica de la codicia europea y su alabanza de la generosidad y despego de los indios. En el Libro VII de la *Primera
Década* este motivo se introduce por primera vez cuando
Pedro Mártir se refiere a lo que dice Pedro Alfonso Niño, el
piloto del mismo Colón, quien en 1500 hizo un viaje de exploración por su propia cuenta y halló muchas perlas. Al referirse a estos indios dice el texto de Pedro Mártir: "En veinte
días que los trataron, conocieron los nuestros su natural
manso, sencillo, inocente y hospitalario" (I, p. 180).

Sobre el tema de la "isla ideal" Pedro Mártir alude a la
identificación de Colón de la Española con Ofir en el Libro III
de la *Primera Década*. La fertilidad de la isla y la benignidad del
clima superan toda imaginación, pues hay dos cosechas por
año (I, p. 130). Pero la Española no es la única isla afortunada
de estas nuevas regiones porque, observa Pedro Mártir en el
Libro I de la *Séptima Década*, toda una corte de otras islas se
extiende en torno de la Española "reina de aquella inmensa
extensión", y todas gozan de un clima ideal "donde ningún
morador percibe en todo el año la diferencia entre el día y la
noche, donde el verano no es duro, ni riguroso el invierno;
donde perpetuamente están frondosos y a la vez cargados de
flores y frutos los árboles, ni faltan tampoco legumbres, cala-
bazas, melones, cohombros y demás hortalizas, y donde los
ganados y rebaños llevados de aquí (pues no hay en las islas
ningún animal nativo), tienen más fecundos partos y mayor
tamaño" (II, p. 588). En el Libro I de la *Octava Década*, con una
comparación homérica, llama las islas "hermosísimas Nerei-
das, o sea las perlíferas islas del Océano, ocultas desde
comienzos del mundo" (II, p. 655). En el Libro III de la misma
Década se refiere a la isla Jamaica, de la que había sido nombrado primer abad por el Emperador Carlos V (II, p. 656)
como el Paraíso Terrenal referido en las Sagradas Escrituras:

Los sabios de la antigua ley mosaica y los varones ilustres
de la nueva llaman paraíso terrestre a aquella apartada y

escondida región del mundo en que Dios, criador de todas las cosas, creemos haber sacado del barro de la tierra el primer hombre. Así es la isla de Jamaica, porque no hay en ella ninguna o casi ninguna diferencia entre el día y la noche durante todo el año, ni duro verano, ni riguroso invierno, sin un aire saludable, fuentes cristalinas y ríos de límpida corriente. La naturaleza, benigna madre, decoró a ésta mi esposa con todos sus atributos. (II, p. 667).

En este paisaje idílico el hombre desnudo vive una existencia feliz y hasta ha logrado vencer la más temible de todas las enfermedades: los achaques de la vejez. Este tema se podría identificar con el que ha pasado en la tradición de las crónicas como el tema de la "Fuente de la juventud". El primero que refiere este mito en conexión con la conquista de América es precisamente Pedro Mártir, seguido en esto por casi todos los cronistas de la conquista. En el Libro VII de la *Séptima Década* Pedro Mártir recuerda su alusión a una fuente: "En mis primeras Décadas, que impresas andan por el mundo, se hizo mención de una fuente, cuya oculta fuerza dicen ser tanta, que bebiéndola o bañándose en ella se rejuvenecen los ancianos" (II, p. 623). Tres hombres de cierta autoridad que han estado en las Indias le han referido a Pedro Mártir los detalles relativos a esta fuente, situada cerca de la Florida; son ellos el bachiller Alvaro de Castro, el jurisconsulto y oidor Ayllon y el licenciado Figueroa: "Los tres están de acuerdo en haber oído hablar del poder restaurador de la fuente, y dado en parte crédito a sus informadores, asegurando empero que ni lo vieron ni lo experimentaron, porque los de la Florida son gentes indómitas, acérrimos defensores de su derecho y no toleran huéspedes, sobre todo los que traen la intención de privarles de su libertad y ocupar su patrio suelo" (II, p. 624). Luego Pedro Mártir refiere el caso de un indígena ya anciano quien, "al modo de los nuestros, por recobrar la salud, suelen trasladarse desde Roma a Nápoles a los baños de Puzol", se encaminó hacia la fuente y llegado allí se detuvo durante muchos días "observando las prescripciones establecidas por los bañeros", se lavó y bebió el agua durante todo el tiempo y que, vuelto a su casa, se halló rejuvenecido a tal punto que "se casó otra vez y tuvo hijos" y que muchos testigos juraban haber visto a los hijos y a ese hombre antes "ya casi decrépito, rejuvenecido luego y con fuerzas y vigor corporal" (II, p. 624).

Después de referir este episodio Pedro Mártir concede que es un caso no sólo excepcional sino contrario "al parecer de los filósofos y en especial de los médicos" (II, p. 625). Pedro Mártir refiere el caso de las culebras que renuevan su piel y de otros animales para preguntarse: "Si todo esto es verdad, si la naturaleza, artífice admirable, se deleita con mostrarse munificente y poderosa respecto de seres mudos, como son los ingratos animales, incapaces de comprender su grandeza. ¿Qué será maravilla que en los más excelentes engendre y produzca algo semejante en su seno tan diversamente fecundo?" (II, p. 625). De hecho, afirma Pedro Mártir, las aguas que corren en el seno de la tierra producen efectos variados de acuerdo a su color, sabor, cualidad y peso y es sabido que con raíces y hojas de ciertas plantas se curan muchas enfermedades y concluye que la acción rejuvenecedora de la fuente podría explicarse con el poder misterioso de la naturaleza que nosotros desconocemos: "No me maravillaría, por tanto, si las aguas de la tan decantada fuente, poseyeran alguna fuerza desconocida para moderar ese mal humor, restaurando sus virtudes acuosa y aérea" (II, p. 626). Esta actitud científica, de confianza en la naturaleza, hacen de Pedro Mártir un precursor de las posiciones que adoptarán los filósofos del Renacimiento como Campanella y Bacón. Esta actitud es por otra parte resultado de los estudios científicos de Pedro Mártir y de su hábito de observar el fenómeno de la naturaleza en sí mismo. Actitud muy diferente de la de ciertos humanistas incrédulos de todo, y en particular de lo que Pedro Mártir refería del descubrimiento y conquista del Nuevo Mundo.

d). El primer documento
de la polémica americana:
la nueva ciencia y la vieja escuela.

La polémica de Pedro Mártir contra la incredulidad de los humanistas comienza al promediar la obra y se mantiene hasta el final de la misma, adquiriendo por momentos acentos muy vivos. Esta polémica, en la que Pedro Mártir ataca la hipocresía de los humanistas y su estrechez mental, revela la originalidad del pensamiento de Pedro Mártir y su acerca-

miento a posiciones afines al erasmismo y a su crítica reformista contra los errores y los vicios del humanismo. En verdad la crítica contra el purismo linguístico de los humanistas
adquiere el mismo sentido y sirve el mismo propósito perseguido por Erasmo con su crítica al ciceronismo de los humanistas. Pedro Mártir articula su polémica contra los
humanistas sobre tres motivos fundamentales, relacionados
entre sí: lo que podríamos definir el "purismo" de los latinistas italianos, que rechazan todo término nuevo o que designe
un fenómeno desconocido hasta ese momento, o no comprendido en el léxico tradicional. Es éste un motivo muy frecuente
en Erasmo, por lo cual podríase suponer que Pedro Mártir
sintió en España el influjo del erasmismo. El segundo motivo
de la polémica de Pedro Mártir contra los humanistas es su
acusación que éstos no quieren aceptar las nuevas palabras
que revelan las nuevas verdades del Nuevo Mundo por envidia. El tercero y último motivo, el más tratado, es la incredulidad de los humanistas, contra la que Pedro Mártir reacciona
demostrando que su incredulidad raya en la ignorancia y presunción de saberlo todo sin haber tenido la experiencia de las
cosas. Esta polémica de Pedro Mártir contra los humanistas
es quizás una de las mejores pruebas de la limitación "mediterránea" del humanismo italiano, vuelto totalmente al pasado
y últimamente al oriente y por lo tanto incapacitado para percibir la importancia de los nuevos descubrimientos geográficos realizados por los portugueses y los españoles en los
siglos XV y XVI. El humanismo italiano no veía de buen ojo el
descubrimiento porque temía que esto redundara en la pérdida de la supremacía mediterránea como en efecto acaeció.[10]
En el Libro VII de la *Segunda Década* Pedro Mártir se refiere
por primera vez a la tradición humanista italiana muy apegada a las palabras tradicionales y hostil a toda novedad en el
campo linguístico: "Si los hombres latinísimos que habitan el
Adriático o la Liguria, al llegar algún día a sus manos nuestros escritos, como sabemos que ha ocurrido con la *Primera
Década*, dada a las prensas sin nuestra anuencia, achacaren a
ignorancia o descuido éstas y otras expresiones, no creo que
deba atormentarme en exceso. Quiero que sepan que soy
lombardo y no latino, que nací en Milán, lejos del Lacio, y que
he vivido a mucha distancia de allí, como resido en España" (I,
p. 264). Y además les advierte que él ha tenido que emplear

términos vulgares españoles como bergantines, carabelas, almirante y adelantado: "No se me oculta que los helenizantes gritan que al encargado del penúltimo oficio se le ha de llamar 'architalaso', o 'pontarco', que los latinistas lo nombran 'navarco' y así en otros casos semejantes. A mí me basta con saber que Tu Santidad queda satisfecho con esta mi sencilla relación acerca de tamaños acontecimientos" (I, p. 264).

En el Libro VII de la *Quinta Década* Pedro Mártir renueva esta acusación afirmando: "Si se le preguntara a uno de esos que sólo viven atentos a atesorar en su espíritu cuanto les dé aspecto latino, aunque la lengua sabia carezca del vocablo apropiado y éste pueda buscarse fácilmente en otra, sobre si es lícito decir anapelo, torcerá el gesto y murmurará resoplando y frunciendo el ceño que el nombre verdadero de tal planta es 'estrangulador de lobo'. Digo, pues, con perdón de los sabihondos, que las islas Malucas abundan en naranjos, limas, limones, toronjas, cidras, cidrones, granadas, manzanas y hortalizas" (II, p. 513). A fines del Libro VII de la *Séptima Década* Pedro Mártir repite los mismos conceptos: "Me valgo de palabras vulgares cuando no las tiene la antigua lengua latina, séame lícito, dicho con perdón de los que me niegan su venia, revestir de nueva cobertura a lo que de nuevo sale a luz, pues quiero que se me entienda" (II, p. 628).

El tema de la envidia de los humanistas aparece por primera vez en el Libro IX de la *Cuarta Década*, cuando, después de mencionar varias nuevsa plantas traídas por Colón de la Española, Pedro Mártir advierte que sin duda estos nuevos nombres y objetos moverán "las espuelas de los envidiosos" que ignoran que el mismo Plinio "y otros hombres insignes por su ciencia" se propusieron divulgar sus conocimientos y observaciones y que se ocuparon de los más nimios detalles (I, p. 370).

En el Libro II de la *Séptima Década* Pedro Mártir insiste en justificar la incredulidad de los humanistas con su envidia hacia todo lo que ellos ignoran: "La envidia es un azote ingénito en los mortales, que jamás cesa de escarbar y los empuja a buscar abrojos en el ajeno campo, por limpio que se encuentre; esa peste se apodera sobre todo de los necios o de quienes, siendo inteligentes, han visto transcurrir sus vidas ociosas y sin cultivo de las letras, como inútiles cargas de la sociedad" (II, p. 596).

El tema más frecuente en la polémica de Pedro Mártir
contra los humanistas es la incredulidad de los mismos, que
se explica en distintas maneras y bajo formas distintas. Es
muy significativo que este aspecto de la polémica aparezca al
promediar las *Décadas*, y precisamente al comienzo del Libro I
de la *Quinta Década*, desde la narración de la conquista de
México por Cortés. Después de narrar la hazaña de Cortés y
la conquista del imperio azteca con unos 500 infantes y 14
jinetes, Pedro Mártir atribuye la incredulidad por algunos
hechos narrados en las crónicas atribuyéndola a mezquindad:
"En este punto es preciso que hablemos un poco de cierta
clase de gentes de espíritu tan mezquino, que consideran
como fabuloso cuanto ellos mismos se reconocen incapaces de
llevar a cabo. De seguro que los tales torcerán el gesto
cuando sepan que un número tan exiguo de soldados des-
trozó a tantos miles de enemigos" (II, p. 441). En el Libro II de
la misma década Pedro Mártir se refiere nuevamente a la
incredulidad con respecto a la hazaña de Cortés y sus hombres: "También aquí se admirarán los espíritus estrechos,
siempre dispuestos a graduar de fabuloso lo que nunca han
oído en parte alguna o reputan por superior a sus fuerzas" (II,
p. 452). Las riquezas de Moctezuma también suscitan la
incredulidad de los "espíritus estrechos", como Pedro Mártir
los llama por segunda vez en el mismo libro (II, p. 457).
A principios del Libro III de la misma década, al describir a
la ciudad de Tenustitán (Technoctitlán, México) edificada
sobre la laguna, Pedro Mártir se interrumpe para dirigirse
directamente al Papa admitiendo que sea difícil creer a ciertas
cosas extraordinarias, como la arquitectura de aquella fabulosa ciudad: "Esto, Padre Santo, a mi juicio y al de los que
creen que una cosa no puede ocurrir si no la han leído en otra
parte, es una maravilla de la naturaleza" (II, p. 464). En el
mismo libro, al llegar a la descripción de la planta del cacao y
del uso al que destinaban los mexicanos la pepita como
moneda y bebida a la vez, Pedro Mártir advierte: "Las personas de mezquino ingenio tendrán por fantasía el que de un
árbol se coja moneda" (II, p. 470). Pedro Mártir mismo parece
a veces perplejo ante las noticias que recibe de primera mano
de los conquistadores, y hasta del mismo Cortés: "Escribe
Cortés que el referido palacio, en tan breve tiempo edificado,
valdría, si se pudiera vender, más de 20 mil castellanos de

oro, y que en España no hay ninguno comparable. Como me lo cuentan, así lo refiero" (II, p. 471).

Algo parecido ocurre cuando Pedro Mártir se refiere a otros objetos del tesoro de Moctezuma: "De objetos de algodón, como tapetes, trajes y adornos de camas refieren cosas increíbles, pero que por fuerza han de ser ciertas, cuando un hombre como Cortés se atreve a escribirlas al Emperador y a los miembros de nuestro Consejo de Indias" (II, p. 473). Pedro Mártir hace cuatro referencias a la incredulidad de los humanistas en el Libro III de la *Quinta Década*, reuniendo en ese punto el número más alto de referencias de este tipo en la obra. En el Libro IV de la misma década, después de referirse nuevamente al árbol del cacao y a su uso por los mexicanos Pedro Mártir concluye: "Pero baste ya de la moneda, que si los espíritus vulgares y estrechos no quisieren creerlo, pido que no se les obligue" (II, p. 478).

En el Libro IX de la misma década Pedro Mártir refiere los cuentos de las "sirenas", pero aclarando que son "peces de tamaño de delfines dotados de cantos armoniosos y adormecedores, como cuentan de las sirenas" (II, p. 530). Seguidamente advierte que esta referencia producirá admiración: "Ya estoy viendo a los hombres de ánimo estrecho admirarse y decir que esto es imposible" (II, p. 530). Para explicar el fenómeno Pedro Mártir se refiere al hecho de que también el Mar Eritreo recibe su nombre del color que aparece en sus aguas, producido por el reflejo de la arena y rocas que producen ese color y agrega que no tiene nada de extraordinario hallar peces con voz nunca oída antes: "¿No croa acaso la rana debajo del agua? ¿Qué de extraño tiene, pues, encontrar otros peces con voz, antes nunca oídos? Crea cada cual lo que guste: yo pienso que la naturaleza es omnipotente" (II, p. 531).

En el Libro I de la *Séptima Década* Pedro Mártir cuenta que una india usando unas hierbas restituyó el brazo de un indio casi cercenado completamente por la espada de un español. Contra la incredulidad de los humanistas, reafirma su fe en el poder de la naturaleza: "Los que en todo ven objeciones murmuren como quieran; nosotros estamos dispuestos a creer que la naturaleza es capaz de ésta y otras mayores maravillas" (II, p. 589). En el Libro VIII de la misma década Pedro Mártir revela claramente que el blanco de sus flechazos irónicos son los cortesanos de la corte papal: "Los inclinados a la maledicencia riéronse de mí en Roma a cuenta de éstas y otras parecidas cosas en tiempos del Papa León, hasta que Juan Rufo de Forlí, arzobispo de Cosenza, conocedor de mis escritos, al regresar allá después de haber ejercido durante catorce años el cargo de embajador en nombre del Pontífice Julio y más tarde del anteriormente nombrado, les tapó la boca a muchos con el testimonio favorable a mi buena fama" (II, p. 630).

La incredulidad, la estrechez mental y espiritual, la envidia de los que se saben incapacitados para realizar las hazañas descritas en el *De orbe nove*, las maledicencias, son todas razones que Pedro Mártir aporta para tratar de convencer a sus lectores de la verdad de sus escritos, en los que por primera vez un humanista y cronista con temple de historiador nos transmitió los motivos que en gran parte fueron a constituir ese conjunto de motivos que llamamos "el encuentro con la utopía" de la que el motivo del buen salvaje es central. Pedro Mártir sabía que su relato presentaba situaciones y acontecimientos increíbles y necesitaba prevenir el lector contra la incredulidad, pues aquellos hechos habían sucedido y él se encargaba de difundirlos. No es aquí el lugar para juzgar a Pedro Mártir como historiador pues la validez de su obra ya ha sido establecida por otros. Lo que importa subrayar aquí es que ciertos elementos de las crónicas de Pedro Mártir pasaron a la elaboración utópica del Renacimiento: el motivo del desprecio del dinero, de lo "mío" y lo "tuyo" reaparece en Moro, Campanella y *Sinapia*. Lo mismo dígase del motivo del "buen salvaje", que será difundido sobre todo por obra de Montaigne. El de la isla ideal es otro motivo clásico de la utopía española, que hallará cultivadores entre los autores clásicos, máxime Cervantes con su ínsula Barataria. El motivo de la fuente de la juventud, además de anticipar a Bacón y a Campanella, enriquece los motivos de las crónicas de la conquista. Además de estos motivos los otros motivos divulgados por Pedro Mártir en su *De orbe novo* son el de las amazonas, el de los monstruos y gigantes y, como hemos visto, el de las sirenas. Es necesario hacer una referencia a estos motivos pues, aunque no constituyan material utópico, pertenecen a la etapa de la elaboración mítica de la conquista.

e). Amazonas, *monstruos y gigantes.*

Pedro Mártir se refiere en varias ocasiones a las amazonas, que se convierten en el motivo mencionado con más frecuencia en el *De orbe novo,* entre los motivos de carácter
mitológico de la conquista. La primera referencia ocurre en el
Libro II de la *Primera Década*:

> Los indígenas que Colón había llevado a España después
> del primer viaje, y los que habíanse escapado del cautiverio
> entre los caníbales afirmaron que sus habitantes la llama-
> ban Malasinea (sic) y que solamente estaba habitada por
> mujeres. Algunos rumores acerca de esta isla habían lle-
> gado a oidos de los nuestros con anterioridad. Créese que
> en determinadas épocas del año trasládanse a ella los caní-
> bales como es fama que en los tiempos antiguos los tracios
> pasaban a ver a las Amazonas de Lesbos, y que de igual
> manera ellas envían los hijos varones a sus padres, cuando
> ya han pasado la edad de la lactancia, y retienen en su
> poder a las hembras. Cuéntase que estas mujeres tienen
> grandes minas subterráneas, en las que se refugian cuando
> alguien se llega a ellas fuera del tiempo convenido; y si por
> fuerza o por acechanza se las persigue o intenta alcanzar-
> las, defiéndense con flechas que, al parecer disparan con
> extraordinaria puntería. Esto me han contado y así te lo
> transmito. (I, pp. 116-17).

Como se puede observar Pedro Mártir parece querer advertir
que él se limita a referir lo que ha sabido de los mismos descubridores. Deja que el lector juzgue de por sí. Por otra parte,
al referirse a unos indios cautivos que habían sido muy feroces y habían arrojado sus flechas envenenadas contra los
españoles, hombres guiados por una mujer, Pedro Mártir asegura que parecían muy feroces al verlos en cautiverio en
Medina del Campo, donde él mismo había ido a observarlos
(*Ibid.*, p. 118).

En el Libro IX de la misma década Pedro Mártir, al comenzar su narración de las creencias religiosas de los indígenas de
las islas recién descubiertas las define "niñerías" (I, p. 192).
Seguidamente hace tres referencias a la isla Matinino, ya
mencionada por Colón en su "Diario del Primer viaje",[11]
explicando, con una tradición indígena, el origen de las ama-

zonas (I, p. 192). En el Libro IX de la *Tercera Década* Pedro
Mártir refiere una conversación tenida con Colón en la que
éste le comunicó que entre las nuevas tierras había islas habitadas "sólo por mujeres" (I, p. 374).

Esta conversación le sirve a Pedro Mártir de motivo para
tratar de explicar el origen de la creencia entre los españoles
de la existencia de las amazonas. En ciertas islas las mujeres,
quedando solas cuando los hombres se marchan para pescar o
cazar, "defienden virilmente su derecho contra estrañas agre-
siones. Sospecho que de estas circunstancias se originó la
creencia de que existen en este océano islas habitadas sólo
por hembras, según me lo persuadió el propio almirante
Colón y dijimos en la *Primera Década*" (I, p. 374). Es decir Pedro
Mártir no solamente no cree en las amazonas sino que trata
de explicar la creencia a la que creyó inclusive Colón.

Muchos de los cronistas posteriores a Pedro Mártir se
refirieron a las amazonas sin espíritu crítico, aduciendo haber
visto a estos seres, y asimilando esta leyenda al mito clásico.[12]
En cambio en Pedro Mártir hay un intento de explicación histórica. En el Libro IV de la *Cuarta Década* Pedro Mártir hace
una clara distinción entre las sacerdotisas adictas al culto del
Sol y el mito de las amazonas. Mientras Pedro Mártir declara
que las primeras son simple y puramente sacerdotisas las
segundas no tienen fundamento real. Al referirse a las segundas declara rotundamente "Téngolo por fábula" (I, p. 408). A
fines de la *Quinta Década* Pedro Mártir reafirma su incredulidad con respecto a las amazonas: "Ribera nos contó haber
oído no sé qué acerca de una región habitada sólo por mujeres, en los montes situados hacia el norte; pero nada de
cierto" (II, p. 546). En otro pasaje del Libro VII de la *Séptima
Década* Pedro Mártir aclara que nada menos que Alfonso
Arguelles, Secretario del Emperador Carlos V, para los asuntos de Castilla, le había asegurado de la veracidad de la existencia de las amazonas, pero se limita a referir lo que le han
contado, sin declararse en favor de la existencia de las criatu-
ras fabulosas: "Mis informantes no me han sacado de dudas
respecto a si la isla Matinino está exclusivamente habitada
por amazonas. Cuando traté esta cuestión no afirmé el hecho, sino me limité a consignar un rumor dudoso. Sin embargo, Alfonso Arguelles, Secretario del Emperador para los
asuntos de Castilla, y recaudador aquí de las rentas de la ilus-

trísima Margarita, tía del César, afirma, después de haber recorrido aquellas tierras, que el hecho es histórico y no fabuloso. Refiero lo que me han contado" (II, p. 631).

Con tales informantes, que quizás veían sólo lo que querían ver, es de admirarse de la mesura y del sentido crítico de Pedro Mártir en la evaluación de los datos consignados. A fines del libro IX de la misma década Pedro Mártir consigna su referencia final al mito, aún no persuadido del todo, pero sin duda impresionado por la coincidencia de noticias que parecen confirmar la existencia de las amazonas: "Añaden también estos informantes que es verdad lo que se cuenta de la islas habitada solamente por mujeres, que a flechazos defienden con bravura sus costas, así como que en determinadas épocas del año pasan allá los caníbales para fecundarlas, sin que ellas, una vez encintas, toleren el trato de varón rechazando a los hijos varones y quedándose con las hembras. De esto traté en las primeras Décadas, consignándolo a manera de semifábula" (II, p. 642).

En una ocasión, en el Libro VII de la *Octava Década* Pedro Mártir sucumbe a la atracción de lo fabuloso y a la asimilación de un mito clásico, los monstruos que los españoles dicen haber visto en el océano y que él cree identificar con los tritones: "a quienes la fabulosa antiguedad decoró con el nombre de trompeteros de Neptuno" (II, p. 695). También se refiere a otro mito asimilándolo a otro mito clásico, el de los gigantes y al hueso que ha tenido ocasión de ver, en el Libro IX de la *Quinta Década* (II, p. 535).

f). El primer documento de la cuestión
de antiguos y modernos:
la nueva moralidad anti-maquiavélica.

Un aspecto que encontramos en Pedro Mártir es el motivo de la superioridad de la ciencia y técnica moderna sobre la antigua. Es una anticipación de la "querelle des anciens et moderns" del siglo XVII y del mismo motivo sobre el que en particular insistirán los utopistas, en particular Moro, Campanella y Bacón. Pedro Mártir en el Libro VII de la *Quinta Década* se refiere al viaje de Magallanes y a la primera vuelta al mundo realizada por una de sus naves llamada Victoria, al mando de Sebastián Elcano. Esta hazaña le hace meditar sobre las hazañas míticas de Teseo y Jasón, de los Argonautas

y de Hércules, de las que nada se sabe y de las que se puede
dudar en vista de la exigua distancia que en la leyenda de
estos antiguos héroes se supone que debieron recorrer:

¿Qué no hubiese inventado la Grecia sobre novedad tan
increíble de haberla llevado a cabo uno de los suyos?
Venga la nave argonáutica, de cuya llegada al cielo se nos
habla supersticiosamente, sin que los que tal hacen se
ruboricen ni se rían, a contarnos sus hazañas. Mas, ¿en
qué consistió ésta, sino en arribar desde Argos a Oetes y
Medea con sus héroes Hércules, Teseo y Jasón? ¿Acaso
sabemos lo que hizo? Las gentes ignoran aún en qué consistió el famoso vellocino de oro, pero en cambio los niños
han aprendido de cualquier maestrillo que la distancia existente entre Grecia y el Ponto es inferior a la uña de un
gigante. (II, p. 516).

Yo creo que no se pueda dudar que entre 1492, fecha del
relato del primer viaje de Colón, y 1525, fecha de la última
Década de Pedro Mártir, las crónicas del descubrimiento y conquista del Nuevo Mundo establecieron ya el motivo del buen
salvaje como el hombre ideal, el habitante de un estado ideal
natural, esto es, utópico. Estos textos afirman que la naturaleza mansa del buen salvaje le predispone a abrazar el cristianismo. Esta afirmación fundamental es la misma que está a la
base de uno de los principios fundamentales del humanismo
cristiano, la vuelta al cristianismo primitivo de L. Valla y,
luego, de Erasmo y de los grandes utopistas del Renacimiento: Tomás Moro, Tomás Campanella, Francisco Bacón.
Lo interesante del caso es que, antes del descubrimiento de
América, los humanistas italianos del Quattrocento ya habían
elaborado el motivo del buen salvaje. Veremos como este
motivo hallará resonancias entre aquellos humanistas españoles que, como Antonio de Guevara, se hallan en la encruci-
jada de la utopía de las crónicas a las que nos hemos referido.

En una carta escrita a su amigo Niccolo Niccoli desde
Baden, en Alemania, en 1416, Poggio Bracciolini describe a
los alemanes de forma que parece anticipar las descripciones
que acabamos de leer en Colón y en Anglería. Poggio compara a los alemanes con los italianos y confiesa a Niccoli que
la sencillez natural, el trato amistoso y el buen carácter de los
alemanes era en mucho superior a la codicia, sospecha, envi-

dia y celos de los italianos. Tanto él admiraba a los alemanes que había pensado que ellos erano los ciudadanos perfectos de la *República* de Platón por su sabiduría innata: "Nada es tan difícil en sus costumbres que no se vuelva fácil. Seguramente ellos habrían podido vivir en la *República* de Platón, ya que poseen todo en común, y aunque no conocieran sus doctrinas estarían preparados para sus enseñanzas."[13]

En la misma tradición del texto de Poggio hallamos el "Villano del Danubio" de Fray Antonio de Guevara, el cuento del buen salvaje del Danubio incluído en el *Reloj de Príncipes,* publicado en 1529.[14] Aunque aparentemente fustiga a las costumbres romanas por intermedio del campesino de Boemia, en realidad Guevara critica a la sociedad europea de sus tiempos y alude al tratamiento cruel de los indios por parte de los españoles. El Emperador Marco Aurelio cuenta la historia para mostrar las injusticias de los oficiales romanos en las provincias. La analogía entre Marco Aurelio y los romanos corrompidos por un lado y, por el otro, Carlos V y los españoles que habían esclavizado a los indios en América, es muy evidente. Las acusaciones del campesino contra los romanos podrían pasar por las de los indios contra los españoles.[15] En cierto sentido, el discurso del *Villano del Danubio* es el primer texto utópico de la literatura española, pues, a diferencia de los relatos de Colón o de las crónicas de Pedro Mártir, Guevara elabora una obra teórica para indicar una crítica al sistema vigente. Por más velada que sea, su crítica apunta hacia el poder constituído, aunque evite la referencia directa.[16]

Pero el método no es muy distinto del adoptado por Moro que, para acusar a los europeos de haber traicionado las enseñanzas de Cristo, imagina a los habitantes paganos de la isla de Utopía y los hace comportar de manera muy cristiana. Aquí, como en Guevara, la crítica no es explícita, sino implícita. Es decir, si unos paganos pueden vivir en paz y armonía y, sin haberse enterado de la existencia de Cristo, mostrarse más aptos para la vida cristiana que los europeos, ello quiere decir que estos últimos se han alejado de las enseñanzas de Cristo a tal punto que un pueblo no cristiano se halla naturalmente más cerca del cristianismo que los mismos cristianos que así vienen a ser los más peligrosos enemigos del cristianismo. Es la misma línea polémica adoptada por Erasmo. Como bien ha observado A. Castro, Guevara quiso aludir a la realidad de las Indias.[17]

Ya Castro ha demostrado como Guevara modificara en la revisión final del texto la descripción del villano poniéndole barba, para evitar la analogía con un indio lampiño: "Este hombre del Danubio dice a los romanos 'que ni *la mar nos pudo valer en sus abismos*', lo cual descubre que el autor pensaba en un indio americano; además, de no ser así, Guevara lo habría representado con barba, cosa que no hizo, por tener en la fantasía a un indio lampiño."[18] Las páginas de Castro demuestran fehacientemente que las alusiones de Guevara se entienden mucho mejor si referidas a la realidad americana. De hecho Guevara fue atacado por sus contemporáneos que le acusaron de falsear la historia porque no todos entendieron la intención alegórica de su villano. En verdad Castro ya observó cómo Quiroga tuvo en cuenta el *Villano del Danubio* de Guevara para la elaboración del pasaje sobre su conversación con el indio incluída en su *Información en Derecho*.[18bis]

Castro es muy explícito al respecto del significado que el escrito de Guevara tuvo para apreciar el estado de ánimo de algunos miembros de la corte imperial: "...por bajo del sueño imperial de la España de Carlos V aparece la crueldad de los conquistadores y el sacrificio de la libertad de los indios" (Castro, *Ibid.*, pp. 96-97). Castro ve claramente la línea de pensamiento utópico de Guevara, Quiroga, y Las Casas: "Guevara, Quiroga, Las Casas y otros muchos quisieron proteger a los indios (según ellos paradigmas del hombre de la Edad de Oro), contra la opresión corruptora de aquellos cristianos de la Edad de Hierro" (*Ibid.*, p. 98). A pesar de sus reservas con respecto a los motivos ideales que impulsaran a estos españoles a luchar en favor de los indios, Castro reafirma el caracter utópico de la acción de España en el Nuevo Mundo: "Sin negar yo el humanitarismo cristiano de Las Casas, Guevara y sus semejantes, me parece que bajo el violento ataque contra la conquista y detrás de toda la discusión de los 'títulos' de los reyes a poseer las tierras conquistadas, yace el propósito, muy natural en España, de erigir un poder espiritual frente al del Estado: vosotros conquistáis con la espada, mas nosotros, con nuestra doctrina, os gobernaremos a vosotros y a los indios" (*Ibid.*, p. 100).

Mas según Castro la utopía española depende exclusivamente de la tradición eclesiástica tan peculiar de España, la que el mismo llama la concepción teocrática: "Los jesuítas realizaron plenamente aquella concepción teocrática de la vida española en sus misiones del Paraguay y en otros lugares. La suficiencia y la agresividad antiimperialista de Las Casas y de Guevara descubren un deseo de imperialismo eclesiástico y utópico...." (*Ibid.*, p. 101). Mas esta limitación de Castro no tiene en cuenta al material de las crónicas, que en parte ya hemos examinado en este trabajo, como los relatos de Colón o las *Décadas* de Anglería. Castro se inclina a creer con Sepúlveda que los indios vivían como bárbaros: "Una mente clara, el humanista Juan Ginés de Supúlveda (un discípulo de Pomponazzi), aventuró algunas exactas razones frente al sueño utópico de dominicos y franciscanos, y negó que los indios vivieran en la Edad de Oro" (*Ibid.*, p. 102). En nota, Castro cita el juicio de Sepúlveda, según la edición y traducción de Menéndez y Pelayo: "No vayas a creer que antes de la llegada de los cristianos vivían en aquel pacífico *reino de Saturno que fingieron los poetas*".[19] Según Castro, Sepúlveda fracasó porque su argumentación estaba en contra de la "mera exigencia de su forma de vida" (A. Castro, *Hacia Cervantes*, p. 102). Ello explica por qué su "tratado justificativo de la guerra contra los indígenas quedó inédito, y no fue publicado hasta 1892" (*Ibid.*, p. 102). Esta actitud según Castro fue exigida por el erasmismo que influyó sobre la corte de Carlos V "entre 1520 y 1530" (*Ibid.*, p. 106). Según esto, Castro piensa que ambas componentes—la exigencia teocrática y el pacifismo erasmista—determinaron lo que él llama el "imperialismo mesiánico"; la actitud de la corte y de los frailes coincidió en la utopía de América: "En tan pío anhelo convergían el pacifismo intelectualista de Erasmo y el afán de imperio sacramental de los frailes que compatían al humanista holandés. El utopismo intelectual se transformaba en utopía de la creencia; al imperio sin freno de las armas se oponía el imperialismo mesiánico en el que pusieron su fe las órdenes religiosas, Guevara, el pueblo y el Emperador" (*Ibid.*, p. 104).

El erasmismo, según Castro, influyó en Guevara con su crítica de las prácticas religiosas exteriores y en favor de un cristianismo interior: "Nada tiene entonces de extraño hallar en Guevara referencias a la oposición entre el cristianismo de la pura conciencia y el de las prácticas exteriores, en lo cual, sin duda, coincide con Erasmo...." (*Ibid.*, p. 105). Pero ya

hemos visto cómo Colón declara en sus relatos cómo los
indios son los que más naturalmente se convertirían al cristianismo por su sencillez, su natural mansedumbre. Lo
mismo repite Pedro Mártir de Anglería. Ambos, Colón y
Anglería, viven y escriben antes de la década indicada por
Castro como la del influjo erasmista en la corte española.

Este hecho incontrovertible es el que nos induce a creer
que la limitación cronológica concebida por Castro para hacer
coincidir el utopismo español con el erasmismo excluye una
componente esencial del utopismo español, es decir, las crónicas que se escribieron entre fines del siglo XV y principios del
XVI: en particular los escritos de Colón y de Pedro Mártir de
Anglería, que no se pueden considerar por cierto erasmistas
por razones cronológicas, aunque es posible que en las últimas décadas Pedro Mártir haya recogido atisbos pre-eras-
mistas con su crítica contra los humanistas italianos y sus
afirmaciones de cristianismo primitivo. Es decir, Castro se
inclina a interpretar la acción de Las Casas, Quiroga y Guevara, como resultado de la actitud existencial de los españoles, cuya exigencia era la utopía teocrática, fuere lo que fuere
lo que hallaran en América; por más bárbaros que los indios
fueran el fervor de Quiroga, Las Casas y Guevara, su perte-
necer a cierta casta, los obligaría a afirmar ardientemente que
los indios vivían en la edad de oro. Mas esto no explica por
qué Colón y Pedro Mártir afirmaran lo mismo antes que
ellos. Es verdad que Colón pudo ser él mismo un converso,
mas ¿Pedro Mártir? Sin embargo, investigaciones recientes
han demostrado que Las Casas no se movía sólo por razones
personales, sino por razones ideales.[20]

La actitud de Sepúlveda que Castro comparte, es la del
intelectual brillante y razonador, quien excluye que pueda
haber otra sociedad mejor que la que él conoce y para quien
toda otra forma de vida natural y sin ley es bárbara e inferior.
La actitud de Las Casas, y, antes que él, de Colón y de Pedro
Mártir, es mucho más humana y, paradojalmente, moderna.
Para estos cronistas el sistema de vida de los indios, no solamente no es inferior al de los europeos, sino que en muchos
casos es superior.

3. El ápice de la nueva moralidad: Padre Bartolomé de Las Casas.

La obra de Las Casas es quizás la mejor demostración del carácter cristiano—social de la utopía española. John L Phelan ha caracterizado la concepción de la monarquía de Las Casas como opuesta a la que concibió Sepúlveda. En el dominico el acento está en el pueblo, mientras que en Sepúlveda la concepción monárquica se identifica con el Estado español: "En el mundo español del siglo XVI es donde puede observarse la compleja y sutil transición entre la idea del Imperio y la idea de un imperio. Sepúlveda y Las Casas son dos figuras claves en este cambio. El primero es el precursor de la modernidad; el segundo, el campeón del universalismo medieval. Sepúlveda abogaba por la *humanitas* y la *Hispanitas,* Las Casas por el *populus Christianus.*"[21] Las Casas combate por un ideal de igualdad inspirado en su evangelismo radical. Su obra en favor de los indios es el mejor testimonio de lo que Hanke muy atinadamente definió "la lucha por la justicia en la conquista de América." Y Henríquez Ureña, hablando de la acción de los frailes de la Orden de Santo Domingo, define la misma como uno de los acontecimientos "más grandes en la historia espiritual de la humanidad."[22]

En Colón hemos visto al visionario descubridor del Paraíso Terrenal, en Pedro Mártir al cronista que percibe la importancia histórica del descubrimiento del Nuevo Mundo y el significado político-social del mismo, como de la nueva estructura social observada en las poblaciones nativas de las nuevas tierras. Con Pedro Mártir ya está forjada la imagen del buen salvaje. En Las Casas se verifica un paso ulterior. El buen salvaje, víctima de la codicia europea, sucumbe rápidamente, y su extinción demuestra la ineptitud de los europeos para colonizar al Nuevo Mundo según la ley cristiana. Para Las Casas queda un solo remedio: el de anular los errores cometidos bloqueando todo ulterior intento de proseguir la colonización con otros métodos que los que enseña la doctrina cristiana, evangélica y apostólica. Esto es, confiar la evangelización del Nuevo Mundo a misioneros que habrán de convertir a los indios pacíficamente y permitir sólo aquellos españoles que pueden contribuir el establecimiento de estas nuevas colonias, regidas por los misioneros y protegidas por

la corona española, que deberá favorecer con todos los medios a su alcance la conversión pacífica de los indios. Un principio asentado por Las Casas es que no se puede obligar por la
fuerza a los indios a convertirse al cristianismo. Otro principio del dominico es que hay que devolver las tierras a sus
propietarios, los indios, y que éstos son naturalmente libres y
señores de sus territorios y los españoles no tienen ningún
derecho de expropiarles las tierras, no habiendo los indios
cometido nunca hostilidad alguna contra los españoles. André
Saint-Lu ha subrayado la convicción que se desprende de los
escritos de Las Casas de que "se impone más y más la idea de
restitución a los indios, o sea, a sus verdaderos 'poseedores y
propietarios', de todos los bienes 'robados' o 'usurpados'".[23]
Para ello, concluye Las Casas, habrá que abolir el injusto régimen de las encomiendas. Maravall ha mostrado cómo el eje
del pensamiento lascasiano gira en torno a la libertad de los
indios que "les es inexorablemente necesaria y debida."[24]

Las Casas afirmó estas ideas en todas sus obras, algunas
muy voluminosas, como la *Historia de las Indias*, o la *Apologética
historia*, otras breves como la *Brevísima relación de la destruyción de
las Indias*, y en sus numerosos memoriales y cartas a los
monarcas españoles. Algunos de sus memoriales han sido
definidos "utópicos". Refiriéndose al memorial de 1518 Maravall dice "Quizá ningún documento tenga el interés 'utópico'
del plan de emigración de labradores de 1518" ("Utopía y primitivismo....", p. 381).

En todos los escritos de Las Casas una idea resalta meri-
diana, y ésta es su convicción de la superioridad del "hombre
desnudo" del Nuevo Mundo sobre el europeo. Es éste un
punto fundamental para entender el carácter utópico de los
escritos lascasianos, que por esta vertiente se halla muy cerca
al iniciador del género, Tomás Moro. También Moro, al describir por boca de Rafael Hythlodaeus las costumbres de Utopía, deja claramente sentado que los habitantes de esta isla
feliz, aun sin ser cristianos, practican las virtudes cristianas,
mientras que los europeos aparecen alejados de las mismas.
En verdad este motivo de la idealización de los indios fue tratado por todos los historiadores españoles de la conquista y
no hay otra controversia como ésta en la que los españoles se
hallaron envueltos durante buena parte del siglo XVI.[25]

A medida que la conquista procedía se originaron dos

interpretaciones opuestas de la justicia y de cómo lograr su prevalencia. Un grupo admitía que la conversión de los indios fuera importante, mas creía que fuera secundario y sus miembros se dedicaron a justificar ante la conciencia real el esclavizamiento completo de los indios como medio para desarrollar los recursos y el potencial económico del Nuevo Mundo para beneficio de la corona y la gloria de los españoles y España. El otro grupo ponía su énfasis principal en la conversión y en el bienestar de los indios dejando en segundo lugar el desarrollo material del continente. Ambos grupos exigieron poder político como la fuerza indispensable requerida para hacer prevalecer su concepción, los eclesiásticos tan enérgicamente como los conquistadores.

En efecto detrás de estas disputas sobre los derechos de la corona sobre las tierras conquistadas se delínea el plan, muy natural en España, para erigir un poder espiritual por encima y en contra del poder temporal. La convicción y la agresividad antimperialista de Las Casas esconden un deseo de imperialismo eclesiástico y utópico.[26] En una "Carta a un personaje de la Corte", fechada el 15 de octubre de 1535, Las Casas habla de Nicaragua como de un "Paraíso", repitiendo en parte conceptos ya expresados por Colón sobre la amenidad y fertilidad del Nuevo Mundo: "Es esta Nicaragua un paraíso del Señor. Es unos deleites y alegría para el linaje humano, y dado que la Española isla y todas las otras y otras partes de esta Tierra Firme donde yo he andado, sea tal cual nunca fue oído, esta, empero, me tiene admirado más que ninguna en ver tanta fertilidad, tanta abundancia, tanta amenidad y frescura, tanta sanidad, tantos frutales, ordenado como las huertas de las cibdades de Castilla, y, finalmente, todo complimiento y provisión para vivienda y recreación y suavidad de los hombres."[27] En el Capítulo II de la *Apologética Historia* Las Casas dice de la isla Española que "toda ella parece un terrenal Paraíso" (*Obras escogidas*, citado, III, p. 9).

Son innúmeros los pasajes de esta obra en la que Las Casas alaba la belleza, amenidad, fertilidad y buen clima de las Indias. Después de mostrar cómo la ubicación de la Española hace que su clima sea sano y templado y cómo los vientos y las aguas hacen que éste sea muy salubre (*Ibid.*, Cap. XVII-XVIII, pp. 52-58), Las Casas arguye que los españoles trajeron a ella plagas como los piojos, el "mal francés" y otros insectos inmundos (*Ibid.*, Cap. XIX). Por extensión todas las Indias tienen clima excelente y muchas riquezas naturales (*Ibid.*, Cap. XXI).

Después de alabar el lugar, Las Casas habla de sus naturales, arguyendo que "las distintas influencias de los cielos causan que las almas sean más o menos perfectas" (*Ibid.*, Cap. XXIII). Los indios son el resultado de todas las condiciones climáticas favorables (*Ibid.*, Cap. XXIII-XXX) y de sus costumbres matrimoniales (*Ibid.*, Cap. XXXI), alimentación (*Ibid.*, Cap. XXXII), lo que viene a explicar la clara inteligencia y grande valentía de los indios, como Las Casas afirma en el cap. XXXIII, donde dice:

> Son, pues, los indios vecinos y moradores naturales de todas estas nuestras Indias, por la mayor parte y generalmente, de su natural, por razón de nacer y morar en tierras temperatísimas, al menos en mediana manera bien intelectivos y para los obras de razón bien dispuestos más o menos según se llegaren más a la mediocridad y templanza las provincias, mayormente los más meridionales, puesto que entre ellos haya grados que por razón de la dispusición de las tierras sean unos de más sotiles ingenios y artificiosos que otros, y lo mismo es cuanto a la animosidad y el esfuerzo. (*Ibid.*, pp. 112-13).

Las Casas se detiene en describir las muchas cualidades físicas y morales de los indios. En el Cap. XXXIV dice "Que los indios eran de belleza notable"; y que "Así que por la disposición y hermosura corporal y por la modestia, verguenza, honestidad, madureza, composición, mortificación, cordura y los otros actos y movimientos exteriores que en sí y de sí muestran aun desde niños, los cuales les son innatos y naturales, manifiesta cosa es haberles proveído la naturaleza y su Criador dotados naturalmente de aptitud y capacidad, de buena razón y buenos entendimientos. Son, pues, las gentes naturales destas Indias, universalmente y por la mayor parte de su natural, por razón de la buena compostura de los miembros, por la conveniencia y proporción de los órganos de los sentidos exteriores, y la hermosura de los gestos de las cabezas, los meneos y movimientos, etc., naturalmente de buena razón y buenos entendimientos" (*Ibid.*, p. 117).

Además de afirmar la "sobriedad y templanza" (*Ibid.*, Cap.

XXXV) y la "castidad y otras virtudes" (*Ibid.*, Cap. XXXVI) de los indios, Las Casas subraya "la mansedumbre y excelente ingenio de los indios" (*Ibid.*, Cap. XXXVII) y sus "buenos juicios y entendimientos" (*Ibid.*, Cap. XXXVIII), concluyendo que "para el mal o para el bien son hombres racionales, de habilidad y buenos ingenios y juicios y prudentes, como los otros hombres, y más hábiles, discretos, ingeniosos y de mejores entendimientos, por la mayor parte, que otras muchas naciones" (*Ibid.*, p. 144). Con respecto a su organización económica Las Casas dice que los indios "tenían, como dicho es, sus casas y familias suficientes, abundantes, prósperas, acrecentadas, multiplicadas y proveídas, y, por consiguiente, alcanzaban el fin de la económica compañía, y así cuanto a esto según su manera y lo que de este mundo querían, eran bienaventurados y felices... Dije felices porque verdaderamente así lo eran, pues sólo tomando de este mundo lo que necesario les era para vivir, lo tenían en abundancia, sin cuidados y sin zozobras, sin pendencias y sin tomar a nadie lo suyo, antes en toda quietud y sosiego, amor y paz y en alegría vivían...." (*Ibid.*, p. 151). Según Las Casas no puede haber perfección fuera de la religión cristiana mas, aun entre los gentiles, los indios demostraron tener muchas cosas buenas. Este es el sentido del Cap. XLV ("De cómo los indios vivían en buena sociedad") donde Las Casas observa:

> ...fuera de esta república [cristiana] ningún bien se puede decir que hay, pues no puede haber salvación por la carencia de la sancta fe cathólica como principio y fundamento della, con la cual se juzgan y limpian las horruras e imperfecciones barbáricas de los pueblos y de las chicas y grandes comunidades por más polidas y regidas y acenderadamente gobernadas que sean en la infidelidad, y por eso no nos hemos de maravillar de los defectos que los infieles en sus repúblicas padezcan, sino maravillamos de los no muy malo, y más si algo bueno viéremos que tienen, porque sin fe y sin cristiana doctrina en ninguna comunidad de hombres puede haber cosa perfecta, sino llena o mezclada de muchas imperfecciones. (*Ibid.*, p. 153).

Pero el capítulo XLVI, que se titula "De la perfección de las sociedades indias" es acaso el más utópico o, al menos el que demuestra el aspecto utópico, no solamente de la *Apologé-*

tica Historia, sino de toda la obra de Las Casas, y en particular del *Memorial de remedios*. Esta insistencia en la superioridad del indio sobre el europeo responde a razones análogas a las que persuadieron a Moro a escribir la *Utopía*, cuyos habitantes se acercan a los ideales cristianos del desprecio del dinero, el lujo y el poder y cuyo ideal es la paz y el desprecio de la guerra y de toda otra forma de violencia. Y para Las Casas estos ideales ya se hallan en la *Política* aristotélica: "Manifiéstase, pues, y queda clara la suficiencia y perfección de las repúblicas, reinos y comunidades destas gentes, cuanto es necesario y conveniente para en las cosas temporales vivir a su voluntad y en abundancia dellas, y así conseguir el fin último y felice de la ciudad o vida social, cuanto sin fe y verdadero cognoscimiento de Dios en esta vida se puede alcanzar, que es la paz" (*Ibid.*, p. 155).

El hecho que los indios no vivan siempre en el mismo lugar, ni en ciudades es una prueba de su inclinación a satisfacer sus necesidades sin desear acumular riquezas: "La otra [razón, además de que en ciertas zonas la tierra es áspera y no permite la aglomeración de casas] fue por razón de su pobreza, la cual es tan voluntaria en ellos que no quieren tener ni poseer más de cuanto tengan para pasar y sustentar la vida lo necesario. Y esto en ellos no es vituperable ni por defecto de razón, si no fuere según el juicio corrupto de los hombres mundanos, pues es doctrina de Jesu-Christo no tesaurizar ni ser solícitos los hombres sobre lo superfluo, antes nos manda dar a otros lo que nos sobrare, como parece por Sant Matheo y Sant Lucas, capítulo 6.⁰ y 11" (*Ibid.*, p. 157). En todas las utopías se critica el lujo y la moda extravagante de los europeos por su afición a lo superfluo. Finalmente en el Cap. CXCV (*Ibid.*, Tomo IV) Las Casas apoyándose en las citas de Aristóteles (*Política*), Platón (*La República*), Alberto Magno (*Eticas*), Demóstenes, San Agustín (*De civitate Dei*), Varrón, Escipión, afirma que los indios "tuvieron bien ordenadas repúblicas", porque tuvieron leyes y los métodos para administrar la justicia.

Uno de los puntos fundamentales de toda utopía es la educación y Las Casas no es excepción. En la *Apologética Historia* hay varias referencias a usos y costumbres, ceremonias religiosas y civiles, arte militar y política, todas de gran importancia y que ejercen un influjo directo sobre la educación. Las

Casas dedica seis capítulos de la *Apologética Historia* a la educación de los jóvenes mejicanos (capítulos CCXIX-CCXXIV, *Ibid.*, Tomo IV, pp. 286-308). Los jóvenes estaban acostumbrados a la más rígida disciplina ya en casa (*Ibid.*, Cap. CCXIX); cita el ejemplo de la joven que fue ahogada por orden del rey, su padre, porque había hablado a un mancebo, contra las costumbres, y el ejemplo de la esposa adúltera, ejecutada contra la voluntad del mismo marido traicionado, que había implorado clemencia (*Ibid.*, pp. 288-289). Al referir el comentario de estos sucesos de un Padre Franciscano, Las Casas opone el rigor de la educación de las jóvenes mexicanas al relajamiento de las jóvenes españolas: "Miren a las hijas de los gentiles, criadas con tanto recogimiento y honestidad como monjas religiosas. Todo esto dice aquel padre religioso, y añado yo: que más bien criadas, más honestas, más mortificadas y calladas, sin haber hecho profesión de guardar silencio, y más cuerdas y morigeradas no se pueden criar las novicias para monjas en los monasterios" (*Ibid.*, p. 289). Aquí hay otro motivo utópico: es decir, el de presentar las costumbres de pueblos no cristianos superiores en virtudes morales a las de los propios cristianos, como en Moro y, más tarde, en Campanella.

En los capítulos CCXXII y CCXXIV Las Casas transcribe unos consejos que un padre franciscano tradujo del nahuatl al español. Estos consejos se refieren a la conducta general y son de un padre a su hijo, con la respuesta del hijo agradecido: una exhortación de una dama a la reina con la respuesta agradecida de ésta, una exhortación de un "padre labrador a su hijo casado" con la respuesta de éste. Estos consejos revelan gran sabiduría y se pueden considerar entre las páginas más poéticas escritas por Las Casas. Un aire bíblico, acaso acentuado por efecto de la traducción, se percibe en estas palabras del padre al hijo: "No seas muy polidillo, ni te cures de espejo, porque no seas tenido por disoluto; guarda la vista por donde fueres; no vayas haciendo gestos, ni trabes a otro de la mano. Mira bien por dónde vas, y así no te encontrarás con otro, ni te pongas delante dél si te fuere mandado tener cargo; por ventura te quieren probar; por eso, apártate lo mejor que pudieras y serás tenido por cuerdo, y no lo aceptes luego aunque sientas tú exceder a otros, mas espera por que no seas desechado y avergonzado" (*Ibid.*, p. 301). Los acentos

con los que la dama exhorta a la reina suenan muy cristianos:
"¿A quién que mejor lo haga podéis dejar el cargo de los pueblos y vasallos y caballeros que tenéis? Los pobres y afligidos
y puestos al rincón ¿qué harán sin vos? Todos os los enco-
mendaron los dioses para que los ampareis debajo de vuestras
alas como el ave a sus hijos, y como tales se acogen a vos para
que los abriguéis. Mirad, pues, señora, que no pongáis algunos dellos en olvido, pues de todos sois su amparo y defen-
sión" (*Ibid.*, p 303). Un sentido de ineludible y resignado
sufrimiento, connatural al hecho mismo de vivir, vibra en las
palabras del padre labrador: "Hijo mío, estés en buena hora,
al tiempo que vivieres, esperando cada día enfermedad o castigo de la mano de los dioses, trabajo tienes en este su pueblo
de día y de noche. No tomas sueño con quietud por servir a
aquel con quien vives. Contigo tienes a punto tus sandalias,
bordón o azada, con lo demás que pertenece a tu oficio, pues
eres labrador, para ir a tu trabajo, en el cual los dioses te
pusieron, y tu dicha o ventura fue tal y que sirvas a otro en
pizar barro y hacer adobes, etc., en ello ayudas a todo el pueblo y al Señor, y con estas obras ternás lo necesario para ti e
tu mujer y tus hijos" (*Ibid.*, p. 304).
   En el pasaje siguiente se puede ver una imagen ideal de
niña a la que su madre le da consejos revelando al mismo
tiempo una actitud firme y cariñosa:

Hija mía de mis entrañas nascida, te parí y te he criado y
puesto por crianza en concierto como linda cuenta ensar-
tada, y como piedra fina o perla te ha polido y adornado tu
padre: si no eres lo que debes, ¿cómo vivirás con otra? o
¿quién te querrá por mujer? Cierto, con mucho trabajo y
dificultad se viene en este mundo, hija, y las fuerzas se
consumen y gran diligencia es menester para alcanzar lo
necesario y los bienes que los dioses nos envían... Si
encontrares en el camino con alguno y se te riere, no te
rías tú él, mas calla, no haciendo caso de lo que te dijere, ni
pienses ni tengas en algo sus deshonestas palabras. Si te
siguiere algo, no le vuelvas la cara, ni respondas, porque
no le mueves más el corazón al malvado, y si no curas dél,
dejarte ha e irás tu camino. No entres, hija, sin propósito
en casa de otro, porque no te levanten algún falso testimonio; pero si entrares en casa de tus parientes o deudos,

tenles acatamiento y hazles reverencia, y luego toma el huso o la tela o lo que allí vieres que conviene hacer, y no estés mano sobre mano. (*Ibid.*, pp. 305-306).

Las Casas refiere el comentario que al final de su transcripción anotó el padre franciscano Andrés de Olmos quien subraya que en estos preceptos no falta ni una ley moral ni uno de los Diez Mandamientos, así como las cuatro virtudes temporales de la prudencia, justicia, fortaleza y temperancia. Pero la parte del comentario de fray Olmos que es particularmente interesante para Las Casas, que lo transcribe íntegro, es la que concierne la referencia con los principios de los grandes filósofos y el evangelio cristiano que, en la opinión de fray Olmos, no hubieran podido dar consejos más atinados:

¿Qué mejores o qué más naturales amonestaciones y más necesarias para componer en virtuosas costumbres la vida humana pudo poner y declarar a los hombres Platón, ni Sócrates, ni Pitágoras, ni después dellos Aristóteles, que las que acostumbraban y tenían en frecuentísimo uso dar a sus hijos y unos a otros estos bárbaros? Item, ¿qué más enseña la cristiana, salva la fe y lo que predica de las cosas invisibles y sobrenaturales? Luego ninguno puede negar estas gentes haber tenido suficientísimas policías muy bien gobernadas y vivir como hombres de muy buenos ingenios, y más que otros reglados, cuerdos, prudentes y racionales, y con lo que al fin de aquellas exhortaciones dice aquel padre, este capítulo acabo. (*Ibid.*, p. 308).

Este pasaje se puede considerar como otro antecedente del de Montaigne "Sur les cannibales" en el que el humanista francés afirma la misma idea refiriéndose a la *República* de Platón.

En verdad Las Casas en varias ocasiones en sus obras contrapuso la inocencia de los indios a la malicia de los españoles, sobre todo en su *Brevísima relación de la destrucción de las Indias*. Su propóstio era el de hacer resaltar la mansedumbre de los indios, cuya naturaleza inocente y dócil los hacía especialmente aptos para recibir los preceptos del evangelio: "cierto estas gentes eran las más bienaventuradas del mundo si solamente conocieran a Dios". (*Obras escogidas*, Tomo V, p. 136). Como Pedro Mártir, y con más vehemencia del humanista italiano, Las Casas contrapone a los indios tan dóciles e ino-

centes la crueldad de los españoles: "En estas ovejas mansas,
y de las calidades susodichas por su Hacedor y Criador así
dotadas, entraron los españoles, desde luego que las conocieron, como lobos y tigres y leones cruelísimos de muchos días
hambrientos" (Ibid.). La crueldad y la codicia de los españoles
hicieron estragos muy pronto de estas poblaciones y de sus
tierras apacibles. El resultado es desolador: "Serán todas estas
islas, de tierra, más de dos mil leguas, que todas están despobladas y desiertas de gente...Daremos por cuenta muy cierta
y verdadera que son muertas en los dichos cuarenta años por
las dichas tiranías e infernales obras de los cristianos, injusta
y tiránicamente, más de doce cuentos de ánimas, hombres y
mujeres y niños, y en verdad que creo, sin pensar engañarme,
que son más de quince cuentos" (Ibid.). Se trata, en opinión de
Las Casas de lo que hoy calificaríamos de genocidio. El relato
de Las Casas, esparcido de detalles horripilantes, ha sido a
veces impugnado por malentendidos nacionalistas. Pero si se
pueden admitir exageraciones de forma, el relato en la subs-
tancia es verdadero. Esta es acaso la página más terrible que
se haya escrito sobre los excesos cometidos por los conquistadores. Mas es honra de España que haya sido un español, y
no un francés, ni un inglés, ni un alemán, todos culpables de
alguna atrocidad contra sus enemigos, el primero en denunciar estos excesos y en lograr una legislación que miró a proteger al indio.

El texto más utópico de Las Casas es su famoso *Memorial
de remedios para las Indias*, fechado en 1516 en el que Las Casas
presenta un plan completo para la fundación de un estado
ideal en América. El texto, como bien vio Hanke, tiene todas
las características de una utopía.[28] Considerando que Las
Casas lo compuso en 1516 hay que observar su contempora-
neidad con la *Utopía* de Moro. Como hemos visto, el carácter
de reforma radical de los textos utópicos los hacía inacepta-
bles a la clase que detenía el poder en Europa a principios del
siglo XVI: los militares, el clero y la alta burguesía de los ban-
queros y grandes comerciantes. Al examinar este texto lascasiano observamos las mismas características de reforma
radical propuesta por otros autores de utopías. Estas reformas eran radicales y por ende impracticables por los políticos
de la época porque suponían un desinterés por los bienes
temporales que ni los mismos miembros del clero observaban.

El *Memorial* de 1516 sugiere catorce "remedios", cada uno de ellos se explica luego en detalle, con disposiciones de carácter religioso, moral, jurídico, económico y social. La finalidad es la de crear en las islas de Cuba, Española (Sto. Domingo), San Juan (Puerto Rico) y Jamaica las condiciones ideales para, no solamente remediar a la destrucción provocada por los españoles en esas tierras y en esas poblaciones nativas, sino también para hacer de esas islas "la mejor y más rica tierra del mundo; todo esto viviendo los indios", pues de la forma en que los españoles han practicado la colonización, el número de los indios se ha reducido y se está extinguiendo rápidamente. Las Casas estaba demasiado adelantado a su época para lograr que sus remedios se pusieran en práctica. Solamente hoy, con los adelantos sociales modernos, podemos comprender en todo su alcance el pensamiento lascasiano, con su combinación de caridad cristiana y de sentido moral de la justicia social.

De entre los catorce remedios del *Memorial* de 1516, el 1º. el 4º y el 11º favorecen una inmediata suspensión de todos los repartimientos y encomiendas en toda la isla y de un pregón que así lo difunda por todas las islas con miras a asegurar que nadie, ni el monarca español, mantenga más esclavos indios. El 2º remedio se refiere al régimen económico-social y es quizás el más importante, pues fue una medida que el mismo gobierno español se vio obligado a adoptar más adelante. Las Casas quiere que la corona "mande hacer una comunidad en cada villa y ciudad de los españoles, en que ningún vecino tenga indios conocidos ni señalados". Este remedio en conclusión prescribe la abolición del sistema de las encomiendas y de los repartimientos. E. 3º remedio prescribe una colonización hecha de enteras familias de labradores españoles y no aventureros codiciosos del oro. Además estos labradores deberán ser tratados en un plano de igualdad con los indios. En este consejo Las Casas usa un neologismo muy expresivo. Dice que españoles e indios deberán vivir "hermanablemente", de manera que de esta convivencia pacífica broten las uniones matrimoniales entre los jóvenes españoles e indios, es decir Las Casas miraba a una política de integración entre españoles e indios, la única que hubiese permitido una población pacífica. La finalidad de esta política es la de garantizar plena libertad a los indios. El 5º remedio y el 6º establecen un cargo único para las islas que habrá que ejercer un hombre piadoso y que actúe como protector de los indios. Los indios no deben jamás usarse como recompensa, ni a los que gobiernan. Las Casas recomienda que los oficiales que están encargados de administrar a los indios no tengan ningún otro cargo. Esto es necesario para que no haya ninguna interferencia en el ejercicio de sus deberes. El 7º remedio recomienda la exclusión de las nuevas colonias de todos los conquistadores y gobernantes anteriores porque ellos son los responsables de todos los males presentes. El 8º remedio prescribe que los oficiales que en España tienen cargos relacionados con las Indias no puedan desempeñar ningún otro cargo, para evitar conflictos de intereses. Los remedios 9º y 10º recomiendan una reforma total de la legislación de las Indias. El 12º remedio advierte que hay que enviar mejores sacerdotes a las Indias para que den el buen ejemplo a los indios y no el mal ejemplo, como han hecho hasta ahora. El 13º remedio recomienda la prohibición de llevar indios de una isla a otra, salvo casos extremos y necesarios y esto bajo condiciones que se especifican más adelante. El 14º remedio recomienda imprimir y difundir en las Indias obras tales como las del doctor Palacios Rubios, para que todos se enteren de que los indios "son hombres libres".

En las ampliaciones e indicaciones técnicas que especifican la aplicación de estos remedios, Las Casas se detiene en detalles como las horas de trabajo y las de recreo de los indios, los alimentos, los oficiales y profesionales españoles destinados a velar por la salud de los indios y su bienestar: médicos, enfermeros, pescadores, carniceros, pastores y carpinteros. Las horas destinadas al trabajo y al descanso reflejan bien las ideas utópicas de Las Casas y se asemejan a un pasaje análogo de la *Utopía* de Moro seguido en esto por el anónimo autor de la *Sinapia*. Las Casas recomienda que los indios no trabajen más que seis meses por año, y los que trabajan en las minas deben alternar dos meses de labor con dos de descanso. Además del domingo siempre habrá otro día de descanso en la semana y durante el horario laboral se destinarán cuatro horas a los pastos, de diez a dos de la tarde.

Del *Memorial* se desprende que Las Casas quería asegurarse que los indios fuesen tratados como hombres libres y con derechos iguales a los españoles. A. Maravall insiste en la coherencia con que Las Casas defendió "el postulado esencial de la libertad natural de los indios".[29] Es frecuente leer en el texto lascasiano como razón última de esta visión de una justicia social equitativa el hecho de que son los indios que trabajan y por lo tanto tienen derecho a un trato equitativo: "Todo esto no debe parecer costoso ni grave, porque en fin todo sale dellos y ellos lo trabajan y suyo es" (*Obras escogidas*, V, p. 19).

Otro principio establecido por Las Casas es que la comunidad debe hacerse cargo de los niños, de su alimentación y educación, hasta que cumplan quince años y que hay que procurar casarlos a los veinte las mujeres y a los veinticinco los varones. La salud de los indios es de primaria importancia y Las Casas recomienda que ningún indio menor de veinticinco ni mayor de cuarenta y cinco años deberá trabajar en las minas. Recomienda asimismo que el hospital tenga doscientas camas con el personal necesario para que preste su ayuda sanitaria según la necesidad la requiera. También sugiere Las Casas que en ciertas actividades los españoles podrán ser coadyuvados por los indios. Así en el hospital los indios e indias podrán funcionar como enfermeros y cocineros, cada pastor y pescador español podrá tener ayudantes indios que le ayuden a procurar el alimento para la comunidad. Las Casas hasta calculó el costo total de la administración de estas nuevas comunidades. Calculando, según Las Casas, la extracción del oro de la isla de Cuba en cien mil castellanos por año, substrayendo el quinto para la corona, o sea veinte mil castellanos, y tres mil para el fundidor, quedan setenta y siete mil castellanos que, repartidos entre las cuatro comunidades de Cuba "cábenles a diez y nueve mil e doscientos e cincuenta castellanos. Sacados seis mil e seiscientos sesenta castellanos del dicho gasto, sobran doce mil e quinientos e noventa castellanos, que repartidos entre dos mil indios, caben a seis castellanos y dos tomines y casi cuatro gramos" (*Ibid.*, p. 25). Así que Las Casas concebía un repartimiento de la riqueza muy democrático y, para aquellos tiempos, utópico, pero no para los gobiernos actuales más adelantados. La convicción de Las Casas era que las Indias se habían descubierto y conquistado, no para subyugar a los indios, sino para que éstos fuesen redimidos, como declara en el párrafo final: "...porque no los redimió ni descubrió él para que los echasen al infierno" (*Ibid.*, p. 27).

La visión que guió a Las Casas fue la de un mundo nuevo en el que los campesinos españoles, transplantados con sus herramientas, semillas y otras provisiones dadas por el rey, con su capacidad innata, su habilidad para cultivar y firmeza en la fe como su contribución, podrían radicarse en América. Ellos cultivarían el suelo de Tierra Firme y vivirían uno al lado del otro, con los indios, de tal forma que su fe, habilidad e industria serían asimilados casi sin esfuerzo por los nativos y una comunidad cristiana ideal se formaría.[30] Comentando esta acción de Las Casas Hanke afirma que los españoles llevaron a cabo "one of the greatest attempts the world has seen to make Christian precepts prevail in the relations between peoples" (Hanke, p. 1). Y antes de Hanke ya Pedro Henríquez Ureña había comentado la acción de los predicadores españoles en favor de los indios americanos: "Quizás por vez primera en la historia, los hombres de una poderosa nación conquistadora se ponían a discutir los derechos de conquista" (*Las corrientes literarias*, p. 21). Este memorial ha sido definido "utopian" por el mismo Hanke quien aclara que, a pesar de las analogías con otros textos utópicos, Las Casas concibió su texto exclusivamente inspirado por los principios de su orden y los consejos de sus hermanos Dominicos (Hanke, p. 56).

En otro *Memorial de remedios para las Indias*, fechado en 1518, y en una *Petición al Gran Canciller acerca de la capitulación de Tierra Firme*, fechada en 1519, Las Casas pide tierras de la Tierra Firme para fundar nuevas colonias (*Obras escogidas*, pp. 31-43). Estos memoriales llevarían luego al primer intento de una colonización planificada en el Nuevo Mundo (Hanke, *The Spanish Struggle*, pp. 60-63). Las Casas hizo un prolijo relato de este intento de establecer una colonia en Tierra Firme en su *Historia de las Indias* (*Obras escogidas*, Tomo II, Libro III). Al comentar este intento de utopía práctica por Las Casas Hanke lo pone en relación a las colonias que casi un siglo más tarde los Jesuitas fundaron en el Paraguay: "Some years later, in the seventeenth and eighteenth centuries, the Jesuits proved conclusively that an Indian community could be established and maintained in their famous Paraguay 'Reductions', the spirit and methods of which had been anticipated in the memorial sent to the crown in 1518 by Las Casas" (Hanke, *The Spanish Struggle*, p. 70).

✧ III ✧

La Utopia Empírica

1. La Teocracia electiva de Vasco de Quiroga.

La analogía de Guevara y de su *Villano del Danubio* puede resultar difícil para nosotros, alejados del tiempo y de las pasiones de la época, mas ella no escapó a un contemporáneo suyo, Vasco de Quiroga, el hombre que con todo derecho puede considerarse el representante máximo de la utopía empírica de España en América. En su *Información en Derecho* (1535) al Emperador Carlos V[1] Quiroga refiere una conversación con algunos indios que se habían allegado a él para quejarse de la crueldad de los españoles de tal manera que en la actualidad él los compara al campesino boemo de Guevara:

> ...que las lástimas y buenas razones que dijo y propuso, si yo las supiera aquí contar, por ventura holgara vuestra merced tanto aquí de las oír, y tuviera tanta razón después de las alabar, *como el razonamiento del villano del Danubio*, que una vez le vi mucho alabar yendo con la corte de camino de Burgos a Madrid, antes que se imprimiese, porque en la verdad parecía mucho a él, iba cuasi por aquellos términos y para le decir no habia por ventura menos causa ni razón...[2]

Quiroga adopta un punto de vista que ya hemos visto en Pedro Mártir: los indios inocentes y mansos han sido oprimidos por los españoles, tiránicos y crueles. Es el mismo punto de vista que adoptará Bartolomé de Las Casas. Mas en la *Información en Derecho* Quiroga toca otros puntos importantes. Entre ellos, el más importante es el que podríamos llamar el fundamento teórico de la utopía española en América.

Quiroga parte de la experiencia habida en sus tratos con los indios. Después de conocer a los indios americanos Quiroga se da cuenta de una verdad elemental, que se le había escapado hasta entonces a los que habían tratado de ordenar a las poblaciones indígenas de acuerdo a moldes preconcebidos. La verdad descubierta por Quiroga es que las leyes y costumbres experimentadas y adoptadas en Europa mal se adaptan al Nuevo Mundo. El párrafo en que Quiroga afirma esta verdad fundamental puede considerarse el fundamento teórico de su experimento utópico:

> ...porque no en vano, sino con mucha causa y razón éste de acá se llama Nuevo-Mundo (y eslo Nuevo-Mundo no porque se halló de nuevo, sino porque es en gentes y cuasi en todo como fue aquel de la edad primera y de oro, que ya por nuestra malicia y gran codicia de nuestra nación ha venido a ser de hierro y peor, y por tanto no se pueden bien conformar nuestras cosas con las suyas ni adatárseles nuestra manera de leyes ni de gobernación, como adelante más largo se dirá, si de nuevo no se les ordena que conforme con la de este Mundo-Nuevo y de sus naturales, y esto hace que en estos sea fácil lo que en nosotros sería imposible...). (*Información en Derecho*, pp. 363-364).

Por estas razones él decide construir dos colonias, los "Hospitales-Pueblos de Santa Fe", basados en los principios de la *Utopía* de Moro. Quiroga reclama que la necesidad de hacer algo por los indios es urgente porque de seguir así los españoles los destruirán, como ya ha ocurrido con los indios de las islas y Tierra Firme:

> ...y es cosa de mucha lástima gente tan dócil y capaz y tan apta nata para todo esto y para todo cuanto se les mandare por su Magestad y por ese su real consejo de las Indias sin resistencia alguna y tan humilde y obediente, vivir tan salvajes y derramada y miserable y bestial por falta de esta buena policía y recogimiento de ciudades, y de juntarlos y recogerlos en ellas, pues es más que verosímil que mientras de otra manera vivieran, nunca lo dejarán de ser ni de acabarse y consumirse de cada día, como se han acabado y consumido en las islas e Tierra Firme por lo mismo, porque esta sola causa e dolencia les basta para que todos en breve

se consuman.... (*Información*, pp. 368-369).

Quiroga le pide al Emperador que le permita construir ciudades donde él pueda recoger a los indios y protegerlos y evitar su segura extinción, como había ocurrido con los indios de las islas y de la costa, diezmados por los indecibles sufrimientos, penurias, malos tratos y enfermedades:

> Y pues su Magestad, como rey y señor y apóstol de este nuevo mundo, a cuyo cargo está todo el gran negocio de él en temporal y espiritual, por Dios y por el Sumo Pontífice a él concedido, tiene todo el poder y el señorío que es menester para los regir y encaminar, gobernar y ordenar, no solamente se les puede pero aún se les debe, (como lo manda y encarga la bula) por su Magestad mandar dar una tal orden y estado de vivir, en que los naturales para sí y para los que han de mantener sean bastantes y suficientes, y en que se conserven y se conviertan bien como deben, y vivan y no mueran ni perezcan como mueren y perecen, padeciendo como padecen agravios y fuerzas grandes, por falta de esta buena policía que no tienen, y por el derramamiento y soledad en que viven, porque todo se ordenaría y remediaría y cesaría ordenándose ésta, y todo bien y descanso vendría juntamente con ella a todos... (pp. 367-368).

Es decir, Quiroga está justificando, desde el punto de vista jurídico de la bula de Alejandro VI y desde la experiencia del pasado reciente de las penalidades sufridas por los indios, la constitución y fundación de poblaciones con un arreglo muy especial, porque está convencido que "sin este recogimiento de ciudades grandes que estén ordenadas y cumplidas de todo lo necesario, en buena y católica policía y conforme a la manera de esto, ninguna buena conversión general, ni aún casi particular, ni perpetuidad, ni conservación, ni buen tratamiento, ni execución de las ordenanzas ni de justicia, en esta tierra ni entre estos naturales se puede esperar ni haber...." (p. 368).

Llegados aquí debemos observar que en esta etapa el buen salvaje está en peligro de extinción. Para evitar este desastre Quiroga concibe la fundación de ciudades y de una constitución, una "policía" que permita el gobierno entre los indios, una "buena y católica policía" que permita la "conversión", y la obediencia a las ordenanzas de la "justicia". Es decir, Quiroga, para salvar al indio concibe la sociedad con todas sus características jurídicas y administrativas, precisamente esas características que habían hecho decir a Pedro Mártir que el indio era feliz porque no las tenía. Esta es ls diferencia fundamental entre un escritor como Guevara por un lado y Quiroga y Las Casas, por el otro. Guevara aún concibe al indio como el buen salvaje y su erasmismo, como ha mostrado A. Castro,[3] le lleva a expresar la loa por la vida sencilla, por la interioridad, contra la vida cortesana y la religiosidad exterior: es el estado de ánimo que le dicta *Menosprecio de Corte y Alabanza de Aldea*, tratado moral, en el que es evidente en algunos pasajes la crítica a la codicia de los españoles en las Indias, como en este pasaje: "¿Cómo loaremos a nuestro siglo de no ser codicioso ni avaro, pues el oro y la plata, no sólo no lo echan en las aguas, mas aún van por ello a las Indias?"[4] Y a las pocas líneas de leer este párrafo se lee este otro en que Guevara declara la superioridad del mundo antiguo sobre el moderno, motivo predominante de este libro: "En aquellos tiempos passados y en aquellos siglos dorados, en caso de ser uno malo, ni lo ossava ser, ni mucho menos parescer; mas ¡ay dolor! que es venido ya el mundo a tanta disolución y corrupción, que los perdonaríamos el ser malos si no fuessen desvergoncados" (*Menosprecio*, p. 159). Es decir, Guevara en su concepción de la edad áurea se aleja de Quiroga y Las Casas, hombres de acción, que quieren salvar al buen salvaje de la crueldad de los europeos y evitar su extinción a manos de los mismos. Por esto Quiroga y Las Casas son los que inician la utopía empírica de España.

A parte de su voluntad por modificar la organización social de los indios con un plan moldeado sobre la *Utopía* de Moro, Quiroga revela ideas afines a las de los humanistas Bracciolini y Pedro Mártir. También él insiste en que los indios viven según la ley natural, a la que describe de la siguiente manera: "...vemos que aquestos que llamamos esclavos en esta tierra entre estos naturales no pierden ingenuidad, libertad, ni ciudad, ni familia, ni casa, ni hijos, ni mujer, ni hacienda, ni ajuar, como está dicho, ni cosa alguna de cuantas antes tenían y después adquirían, salvo solamente cuanto en algunos tiempos del año acudían y acuden con algunas obras o tributillos a quien se lo compró o alquiló...."

(*Información en Derecho*, p. 406). Quiroga insiste sobre todo en las diferencias naturales que deben tenerse en cuenta y por las cuales el gobierno español debe evitar de modificar el ambiente social de los indios y de tratar de imponerles una organización europea:

> Y aún plega a Dios que no se les añada a sus costumbres malas, algunas peores nuestras de que se haga alguna mala ensalada, por la poca manera y menos orden y poco cuidado y menos arte que para ello hay; no sé por qué ésta no se procure, pues nuestra manera a ellos no les arma, ni les es posible ni bastante, ni aplicable, ni practicable, sino que convendría que se les diese alguna otra mejor y más conforme y apropiada a su manera de vivir y entender, que es tan estraña y diferente de la nuestra, cuanto lo es la nación, como tantas veces tengo dicho y nunca lo dejaré de inculcar y tornar a decir por lo mucho que importa, y por la gran necesidad que nos parece que hay de ello, y de saberlo y de entenderlo.... (*Información*, p. 429).

La *Información* de Quiroga constituye además una nueva etapa en la elaboración de la utopía española porque en ella se declara explícitamente la necesidad de edificar la ciudad ideal en América, y se justifica este deseo declarando que esta ciudad es la condición para que los indios se salven física y moralmente. Quiroga cree que la edificación le toca al rey porque a él así se lo ha encomendado la bula papal: "...como por la divina clemencia y suma providencia y concesion apostólica su Magestad lo es de aqueste Nuevo Mundo, y lo debe y puede muy bien hacer y le sobran las fuerzas para ello, no para destruírlos, como nosotros lo entendemos, sino para edificarlos como su Magestad y el Sumo Pontífice lo entienden, como parece por la bula e instrucciones de ella, y como también lo dice Juan Gerson, doctor cristianísimo, *De postestate ecclesiastica et origine juris*" (p. 365). La ciudad cumplirá también la misión de asegurar la conversión de los indios al cristianismo. La ciudad así se convierte en la misma iglesia, que reunirá bajo una misma potestad a los cuerpos y a las almas:

> Así que faltándoles esto del juntarse en buena policía y compañía, yo no sé qué conversión podrá ser la suya, ni que les pueda bastar para sustentarse y sustentar a tantos,

dándonos de cada día como nos dan su sangre y su vida y
sus sudores y sus trabajos, y vendiendo como venden para
ellos padres e hijos y parientes, como tantas veces tengo
dicho; los cuales así comprados y vendidos entre ellos, se
llevan después a vender a españoles por los tiangues de
Guatemala y otras partes donde se ha permitido el hierro
de rescate que dicen.... (p. 370).

En éstos y otros pasajes Quiroga ciertamente no idealiza a
los indios. Si idealización había en Colón y en parte aún, pero
mucho menos, en Pedro Mártir, en Quiroga ya no la hay, o,
si la hay, es de distinta naturaleza. Quiroga siente el deber de
hacer algo para los indios a los que él ni exalta ni condena,
sino que trata de comprender y aceptar por lo que son, "diferentes" de los españoles y europeos y que necesitan ser
gobernados por otras leyes que las que gobiernan a los últimos. De manera que sería incorrecto insistir en afirmar que
Quiroga creyó que los indios vivían en la edad de oro y hacer
de él un ingenuo soñador. Sin duda hay expresiones de admiración en Quiroga por la natural generosidad y simpleza de
los indios, mas en él ya no percibimos el asombro de Colón, ni
de Pedro Mártir. El se ha propuesto remediar a los males de
los indios basándose en la experiencia. Es esa experiencia la
que algunos historiadores y críticos no han ponderado lo bastante como para percibir en ella la clave de la etapa de la utopía empírica española. Quiroga sabe bien lo que quiere, su
obra es la del misionero y del civilizador y legislador. No com-
parto aquí el juicio somero que de Quiroga (y de Guevara y
Las Casas y "otros religiosos") da Américo Castro considerando su actitud inspirada por resentimiento.[5]

En la *Información* de Quiroga está vertida la experiencia de
un hombre de vocación que quiso sinceramente ayudar a los
indios "para juntarlos, ordenarlos, encaminarlos y enderezar-
los y darles leyes y reglas y ordenanzas en que vivan en
buena y católica policía y conversación con que se conviertan
y se conserven y se hagan bastantes y suficientes con buena
industria para sí e para todos, e vivan como católicos cristianos y no perezcan, y se conserven y sean preservados y dejen
de ser gente bárbara, tirana, ruda, y salvaje" (*Información*, pp.
375-376). Y las acusaciones de Quiroga contra los españoles
eran las mismas que hacía Las Casas y que estudios recientes

han hallado justificadas. Sus protestas eran contra "la miserable y dura cautividad en que nosotros los españoles los ponemos, no para mejor aprender la doctrina y servir en nuestras casas, con que allá los malos informadores untan el caxco e quiebra el ojo, sino para echarlos en las minas donde muy en breve mueran mala muerte, y vivan muriendo y mueran viviendo como desesperados, y en lugar de aprender la doctrina, aprendan a maldecir el día en que nacieron, y la leche que mamaron...." (p. 378). Sus acusaciones contra los españoles corresponden a las mismas acusaciones de Las Casas contra los que llegaban a América y obligaban a los indios a trabajar en las minas, donde ponían todo su esfuerzo porque les parecía que "les viene más provecho que no de la población y buena conversión ni conservación de la tierra, de que tienen poco cuidado, porque en esto de este interés lo tienen puesto todo, y el que es amigo de su particular interés, ha de ser por necesidad enemigo del bien común de la república...." (p. 381). Contraviniendo a la voluntad papal expresada en la bula con la que les concedió el Nuevo Mundo, los españoles han venido a esclavizar los indios y no libertarlos de su esclavitud: "... de manera que si estaban antes de la venida de los españoles en una tiranía puestos opresos y tiranizados, ahora, después de vinidos, los veo que están en ciento entre nosotros, debiendo ser todo al contrario, pues que para que alabasen y conociesen a Dios en la libertad cristiana y saliesen de opresiones y tiranías, nos concedió la bula de esta tierra...." (p. 386).

En la *Información* Quiroga no solamente cita pasajes de Moro, sino también de Guillermo Budé quien, en una carta a Tomas Lupset, incluída en la primera edición de la *Utopía* de Moro en 1516, definió a la Utopía como el estado cristiano perfecto agregando que ella pertenecía al Nuevo Mundo:

Ahora bien, la isla de Utopía, que yo me he enterado que llaman también Udepotía, dicen que, por una excepcional suerte, (si debemos creer a la historia), ha adoptado las costumbres y la verdadera sabiduría del cristianismo para la vida pública así como para la privada, y que ha mantenido esta sabiduría incorrupta hasta hoy. Ha hecho así manteniéndose firme sobre tres principios divinos: 1) la igualdad de todas las cosas, buenas y malas, entre los ciu-

dadanos o, si tú prefieres, su participación cívica en ellas,
en todos los aspectos; 2) el amor resuelto y tenaz por la
paz y la tranquilidad y 3) el desprecio del oro y de la plata.
Estos son los tres vencedores, si puedo decirlo, de todos los
engaños, las imposturas, los fraudes, las violaciones y los
actos fraudulentos.[6]

Más adelante Budé continúa:

Personalmente, sin embargo, yo he hecho averiguaciones y
discernido por cierto que Utopía se halla afuera de los límites del mundo conocido. Indudablemente es una de las Islas
Afortunadas, quizás cerca de los Campos Elíseos, porque el
mismo Moro atestigua que Hythlodeo aún no ha establecido su ubicación dando su exacta longitud y latitud. Se
divide en varias ciudades, mas ellas todas se reúnen armo-
niosamente en un solo estado llamado Hagnópolis. Este se
contenta con sus propias instituciones y posesiones, ben-
dito en su inocencia y llevando un tipo de vida santa que
está debajo del nivel del cielo mas por encima de la miseria
de este mundo conocido. En medio de un sinnúmero de
ambiciones mortales, tan vacías y engañadoras como ellas
son dolorosas y arrebatadas, la miseria se arroja cabeza
abajo alocada y febril.[7]

En Quiroga se repite el motivo inspirador de la obra de
Erasmo y de Moro, el de la vivificación de los ideales de
Cristo.[8] Así como Erasmo y Moro acusan a los europeos de
haber abandonado las enseñanzas de Cristo, también Quiroga acusa del mismo vicio a los españoles. Los argumentos
utilizados por Quiroga son los mismos de Erasmo, es decir,
los malos cristianos persiguen la nueva iglesia del Nuevo
Mundo, de la misma manera en que los paganos persiguieron
la primitiva iglesia del Viejo Mundo (*Información*, pp. 456-457).
En un pasaje del *Enquiridion* Erasmo se refiere a la misma
decadencia del cristianismo, sobre todo del clero, afirmando
que éste se halla tan apegado a las ceremonias exteriores que
si S. Agustín resucitase "por ventura no conocería tal linaje
de hombres."[10] La similitud entre el pensamiento de Quiroga
y el de Erasmo muestra que Quiroga perteneció a ese grupo
de "iluminados" que asimilaron el pensamiento de Erasmo en
España.[11] También Quiroga, como antes lo había hecho

Erasmo criticando a los cristianos malos en el *Enquiridion*,[12] se refiere a la hipocresía de los españoles quienes predican una cosa y hacen otra:

> Pero en nosotros que somos como dicen ladrones de casa, y fieles de la misma profesión cristiana que a ellos les predicamos con las palabras, y les despredicamos y deshacemos y destruímos con las obras, haciendo que parezca fraude, malicia y engaño todo cuanto traemos, viendo en nosotros las obras tan contrarias a las palabras de los sermones que se les predican, yo no siento que otra cosa por esta gente, que al presente no sabe más de lo que ve, se pueda presumir y sospechar, sino que viendo esta gran repugnancia y contrariedad que tienen las obras con las palabras, de necesidad nos han de tener por sospechosos y burladores y engañadores y recatarse y escandalizarse en gran manera, y con mucha razón de nuestras obras, sin osarse jamás fiar de nosotros ni de nuestras palabras ... [13]

Según Quiroga las acusaciones de algunos españoles contra el carácter de los indios son falsas, pues, según él, los mismos españoles han sido la causa de todo ello: "... diciendo que esta es gente reprobada, ingrata, incrédula, siendo nosotros en la verdad la causa y ocasión de todo ello y demás que aquí no digo" (*Información*, p. 458). Quiroga repite el juicio de Colón, de que los indios son naturalmente inclinados a abrazar la fe cristiana: "La cura y remedio bastante y bien común y general de todo y para todo, a mi ver podría ser y sería muy fácil, juntándolos a ellos a su parte en orden de muy buena policía mixta y muy buen estado que fuese católico y muy útil y provechoso así para lo espiritual como para lo temporal, pues la cera y la materia está tan blanda y tan dispuesta, que ninguna resistencia de su parte tiene...." (*Ibid.*, p. 458). La insistencia de Quiroga en la creación de una ciudad ideal para los indios del Nuevo Mundo se funda también en su erasmismo.

En un pasaje de su *Información* Quiroga afirma que para lograr la felicidad de los indios es necesario tanto el bienestar espiritual como el temporal (p. 461). Y no hay duda que Quiroga piensa que el indio sea superior al europeo por su naturaleza inocente y su bondad innata: "... de manera que éstos se hagan grandes fieles cristianos, y por ventura se reforme en su humildad y obediencia y paciencia grande, increíble, lo que ya en nuestra soberbia mal se podría reformar...." (p. 463). Obsérvese el uso de la palabra *reformar* a la que Quiroga da, un poco más adelante, el sentido erasmiano de una renovación cristiana. Pero Quiroga cree que esa reforma puede ocurrir sólo con la contribución de los indios: "...como al tiempo doy por testigo en lo porvenir, y a las islas e Tierra Firme en lo pasado; y así se perdería por ventura por mal recaudo la mejor y más dócil y más templada gente y más aparejada para reformar en ella la Iglesia de Dios...." (pp. 463-464). Es claro que este planteo de Qiroga, como el de Las Casas, implicaba problemas doctrinarios y políticos de enorme gravedad para la corona española.

De hecho, después del Concilio de Trento, y aun antes con la prohibición de las obras de Erasmo en España, el viento de la Contrarreforma ha empezado a soplar. Las ideas utópicas de Quiroga y de Las Casas, como las de los Jesuitas de las *Reducciones* paraguayas, representaban una adaptación católica de ideas que tenían toda la apariencia de protestantes. Carlos V y los Habsburgos habían decidido por el lado católico y papal porque veían en él su conveniencia política. Cuando el Nuevo Mundo se convirtió en el terreno ideal para la formulación de teorías heterodoxas la corona española no tuvo más remedio que adoptar una actitud hostil contra los iluminados predicadores y misioneros. Y ello no en base a sus doctrinas, sino en base a que éstas tendían a crear una conciencia política autónoma de la de España, esto es, a fomentar un sentimiento de independencia con respecto al poder absolutista y centralizado de la monarquia habsbúrgica. Por ello el último acto de este drama paradójico es la expulsión de los Padres Jesuítas y la destrucción de sus *Reducciones* que se habían convertido en un estado dentro del estado. El pensamiento central de Quiroga es que la Divina Providencia ha permitido el descubrimiento de América para la renovación del mundo cristiano que se halla en plena decadencia. La convicción de esa decadencia en Quiroga es indudable, y se basa en gran medida en las mismas razones que esgrimía Erasmo: Europa representa la edad de hierro, con sus vicios y sus guerras bestiales.

A la crítica de Erasmo Quiroga agrega su concepción del Nuevo Mundo. Mientras Erasmo predica el cristianismo interior y exhorta a seguir la lección paulina[14] y a alejarse de los vicios en que la cristiandad se está hundiendo, Quiroga concibe la salvación con la fundacion de una nueva iglesia en el Nuevo Mundo y convirtiendo al cristianismo a los indios, es decir, a hombres que aún no conocen la soberbia, malicia y codicia de los europeos y que viven en la nueva edad de oro, en contraposición a los europeos que viven en la de hierro.[15] Quiroga declara su inspiración en la *Utopía* de Moro, mas también en este caso, como en el caso de la doctrina erasmiana, el autor cree que América es el terreno ideal para experimentar ese estado ideal y que ése es el significado de su nombre, "Nuevo Mundo" (*Información*, p. 468). Los cristianos del Nuevo Mundo, a los ojos de Quiroga, son como los Apóstoles en el mundo pagano que convirtieron a los gentiles a la palabra de Cristo, interpretación basada en San Pablo, la misma fuente de Erasmo (*Información*, p. 471).

Quiroga también sigue a Erasmo en la enumeración de los vicios, entre los que destaca a la avaricia, enemiga de la república (*Información*, p. 481). A causa de estos vicios los europeos, según Quiroga, son decididamente inferiores a los indios, quienes, por la misma razón que no han conocido esos mismos vicios, se parecen a los hombres de la edad dorada descriptos en los *Saturnalia* de Luciano:

> ...de la misma manera que he hallado que dice Luciano en sus Saturnales que eran los siervos entre aquellas gentes que llaman de oro y edad dorada de los tiempos de los reinos de Saturno, en que parece que había en todo y por todo la misma manera e igualdad, simplicidad, bondad, obediencia, humildad, fiestas, juegos, placeres, deberes, holgares, ocios, desnudez...que ahora en este Nuevo Mundo parece que hay y se ve en aquestos naturales-...como que no estén obligados ni sujetos a los casos de fortuna, de puros, prudentes y simplecísimos...se maravillan de nosotros y de nuestras cosas e inquietud y desasosiego que traemos...y también con el mismo contentarse con poco y con lo de hoy, aunque sea poco, sin ser solícitos por lo de mañana, y con muy buen menosprecio y olvido de todas las otras cosas tan queridas y deseadas y codiciadas de este nuestro revoltoso mundo, cuanto por ellos olvidadas y menospreciadas en este dorado suyo, con todas las codicias, ambiciones, soberbias, faustos, vanaglorias, tráfa-

gos y congojas del que claramente vemos que no hay, ni se
usan, ni reinan, ni se acostumbran entre estos naturales en
este mundo nuevo, y a mi ver, edad dorada entre ellos, que
ya es vuelta entre nosotros de hierro y de acero y peor....
(*Información*, pp. 482-483).

Los indios, afirma Quiroga, son en todo igual a aquellos hombres mencionados por Luciano y que son tan alabados en
nuestro tiempo. Y según él fue la voluntad divina que le hizo
leer el texto de Luciano, pues era como si le hubiera indicado
las "propiedades y calidades de este Nuevo Mundo y edad
dorada de él entre sus naturales, que entre nosotros no es
sino edad de hierro...." (*Información*, p. 484).

Al leer el venerado texto clásico Quiroga creyó que la
Divina Providencia le estaba revelando la verdad sobre los
indios, el Nuevo Mundo y la predestinación de la Nueva Iglesia. Quiroga transcribe el párrafo de Luciano en el que se
anticipa proféticamente el estado natural de la edad dorada
del Nuevo Mundo: "*Haud tum quidem ariste sed panis paratus, carnes
apparate ac vinum fluminum instar fluebat; tunc fontes melis lactisque,
propterea quod mortales omnes probi essent et aurei; hec inquam mihi
causa fuit cur exigui temporis imperium geram atque ob id undique plau-
sus, canciones, lusus equalitas omnibus servis eque ac liberis neque enim
me regnante quisquam erat servus*" (*Información*, p. 485). Es decir, la
edad de oro consiste en la igualdad y en la libertad procla-
mada en el texto de Luciano, y que Quiroga quería llevar a la
práctica entre los indios y los europeos en América. Sus
intenciones no podían hallar ninguna simpatía en la corte
española, pues la economía de América, y las arcas reales con
que se financiaban las guerras de religión y de poder en
Europa, dependían de los esclavos de las minas americanas. Es
acaso esta oposición, que Quiroga conocía demasiado bien, la
que le hace exclamar: "¡O cuán gran culpa nuestra será si
supiere a la pega de nuestras malas y mal cristianas costumbres, y no a las buenas que entre ellos [los indios] tan fácil se
podrían introducir e injerir, como en plantas nuevas y tier-
nas, no embargante que en nosotros estas semejantes cosas y
costumbres por nuestra gran soberbia y desenfrenada codicia
y desmedida ambición parezcan ser imposibles...." (*Información*, p. 484).

El método seguido en esta ocasión por Quiroga es el

mismo seguido por Erasmo. De hecho Erasmo leía a Platón para aplicar sus principios como si fueran parte integral de su filosofía cristiana. Esto es lo que ha hecho decir a Bataillon que en el *Enquiridion* "se cumple con esplendor único el deseo de Erasmo de que vuelvan los teólogos a aquella 'manera de decir figurativa', que le parecía tesoro común de la Biblia y de Platón."[16] Es decir, el comentario que Quiroga hace al pasaje de Luciano es un buen ejemplo de humanismo cristiano de tipo erasmista. Quiroga sigue al pie de la letra el texto de Luciano que él interpreta como si fuera una profecía de la realidad del Nuevo Mundo:

> Y así aquestos naturales son de aquesta mesma jaez de aquellos que dice Luciano de la edad dorada, y cuasi en todo todos tienen las cosas unos como otros, bien se podrá arguir y sacar, demás de lo dicho de aquí, que estos naturales no tenían ni tuvieron entre sí rey ni señor, ni otro sucesor legítimo, sino como aquí dice Luciano que aquéllos le tenían por la vía electiva... a la manera de aquéstos de la edad dorada que dice aquí Luciano... cierto esta edad de este Nuevo Mundo parece y remeda a aquella....[17]

El pasaje en que Quiroga llega a la tesis central de su *Información* es aquel en que afirma que Moro se inspiró en la realidad de las Indias para elaborar su *Utopía* por las siguientes razones: 1) porque a los indios no les falta sino la doctrina cristiana "para ser perfectos y verdaderos cristianos" (*Información*, p. 492); 2) porque el estado natural de los indios es muy similar al de "aquellos de la edad dorada" (*Ibid.*, p. 493); 3) porque "como inspirado del Espíritu Santo" (*Ibid.*, p. 493) Moro dispuso su estado como el de la edad áurea habiendo "sabido y entendido... de la república... el arte y manera de las gentes simplicísimas de este Nuevo Mundo...." (*Ibid.*, p. 493); 4) porque Moro sabía bien el griego y, según Quiroga, debió inspirarse en la descripción de la edad dorada contenida en las *Saturnalias* de Luciano (*Ibid.*, pp. 493-494).

La finalidad última de este estado en el Nuevo Mundo, modelado sobre la *Utopía* de Moro, ha de ser el de recobrar la inocencia perdida desde el pecado original: "...y que trabajemos mucho conservarnos en ellas y convertirlo todo en mejor con la doctrina cristiana, reformadora y restauradora de aquella santa inocencia que perdimos todos en Adán...."

(*Ibid.*, pp. 494-495). Según Quiroga tal estado deberá asegurar
una comunidad despreciadora de las riquezas y anhelante a la
perfección moral: "...tal orden y estado de república y de
vivir en que se pierdan los vicios y se aumenten las virtudes,
y no pueda haber flojedad, ni ociosidad, ni tiempo perdido
alguno que les acarree necesidad y miseria..." (*Ibid.*, p. 495).

Lo que Quiroga pensaba constituir en América era una
verdadera monarquía cristiana electiva. Su insistencia en la
libertad e igualdad del estado natural y en el proceso electivo
con el que los indios escogen a sus jefes no deja lugar a dudas:
"...demás de estos ha de haber dos alcaldes ordinarios e un
tacatecle; todos los susodichos indios elegidos por la orden que
más largamente pone el parecer de la república, que no será
de las peores, sino la mejor de las mejores que yo he
visto...." (*Ibid.*, p. 501). Mas Quiroga, anticipándose a los
Jesuítas del Paraguay, reservaba para los religiosos el papel de
directores espirituales y materiales de este ordenamiento
nuevo:

> ...también quedan cortadas las raíces de toda discordia y
> desasosiego y de toda lujuria e codicia y ociosidad y pérdida
> de tiempo mal gastado, y se introduce la paz y justicia-
> ...por tal orden y concierto que una ciudad de seis mil
> familias, y cada familia de a diez hasta diez e seis casados
> familiares de ella, que son sobre sesenta mil vecinos, sea
> tan bien regida y gobernada en todo como si fuese sola una
> familia, así en lo espiritual como en lo temporal, e de
> manera que dos religiosos puedan en lo espiritual dar
> recado bastante a más gente que ahora, así como están
> derramados sin buena orden de policía.... (*Información*, p.
> 500).

Pero esta constitución debe ser *mixta*, es decir, debe considerar las exigencias del espíritu y las del cuerpo: "...mixta
como es y conviene que sea aquesta de este Nuevo
Mundo...." (*Información*, p. 502). Los únicos que pueden edificar este estado ideal son los indios por su natural inocencia:
"...que lo que en nosotros parece un tal caso más difícil,
increíble y imposible, resistiéndonos para ello nuestra codicia
y soberbia, vanagloria y ambición, en aquestos naturales,
esperimentado (que ninguna cosa tienen de aquesto, sino que
están muy libres de ello,) se halla y hallará todo al contrario

de lo que nos parece que se halla en nosotros...porque los indios aún se están en aquella buena simplicidad, humildad, obediencia y igualdad de aquella gente de oro y edad dorada que dije" (*Información*, pp. 506-507). Según Quiroga, la *Utopía* de Moro es la constitución más apta para el Nuevo Mundo porque se basa en la paz y no en la guerra:

> Pero en tal arte y estado de república como éste, donde todo va dirigido principalmente a fin de que en ella siempre haya y se conserve esta paz, así espiritual como temporal en ella en todo y por todo, con mucha justicia y caridad, con toda equidad y bondad y con bastante manera para que se pueda conservar y perpetuar por muy largos tiempos, sin que pueda recibir los reveses y contrastes que otras repúblicas han recibido y reciben, y estar y vivir los buenos en toda quietud y sosiego sin recelo de los malos, y los malos castigados y enmendados sin pérdida ni costa de tan-tas vidas como en otras repúblicas se hace.... (*Información*, p. 509).

La conclusión de la *Información* de Quiroga es que Moro, inspirado por el Espíritu Santo escribió su *Utopía* para el Nuevo Mundo:

> Por el mismo Tomás Morus, autor de aqueste muy buen estado de república...sobre ella hizo como en manera de diálogo, donde su intención parece que haya sido proponer, alegar, fundar y probar por razones las causas por que sentía por muy fácil, útil, probable y necesaria la tal república entre una gente tal que fuese de la cualidad de aquesta natural de este Nuevo Mundo, que en hecho de verdad es casi en todo y por todo como él allí sin haberlo visto lo pone, pinta y describe, en tanta manera, que nos hace muchas veces admirar, porque me parece que fue como por revelación del Espíritu Santo para la orden que convendría y sería necesario que se diese en esta Nueva España y Nuevo Mundo, según parece como que se le revelaron toda la disposición, sitio, y manera y condición y secretos de esta tierra y naturales de ella, y también para responder y satisfacer a todos los contrarios y tácitas objeciones que sintió este varón prudentísimo que se le podrían oponer en su república, que son las mismas que se

han opuesto y podrán oponer a la de mi parecer que allá envié, sacada de la suya, como de tal dechado, y como sobre ella dice Guillermo Budeo, honra y gloria en estos tiempos de la escuela de Francia: *velut elegantium utiliumque institutorum seminarium unde translaticios mores in suam quisque civitatem important et accomodent.* (*Información*, pp. 511-512).

Para fundamentar las bases teóricas del ordenamiento del estado ideal Quiroga muestra que el Nuevo Mundo está habitado por el hombre nuevo, que vive en la edad de oro. Este resabio clásico se transforma, ante los ojos de Quiroga, en argumento probante al hacer la experiencia del hombre desnudo que no sabe de "mío" y de "tuyo", ni de jueces o dinero, ni de "dame" y "no te doy", como ya había observado Pedro Mártir. Mientras el europeo vive en la edad de hierro, el hombre nuevo americano vive en la edad de oro. Es así como en estos años, después de Petrarca y de la revaluación de la antiguedad clásica, el mito clásico edadorista sirve para explicar, entender y, en última análisis, probar, la superioridad del hombre desnudo sobre el europeo. Lo que para Aristóteles y los aristotélicos sería barbarie, para Quiroga y los cronistas es inocencia. Sobre esta base se plantea la cuestión entre naturaleza y cultura que tendrá entre sus argumentos los de Rousseau y Voltaire en el siglo XVIII.

2. La teocracia reformista de Las Casas.

La obra más difundida de Las Casas fue la *Brevísima relación de la destrucción de las Indias*, escrita por el Padre dominico Bartolomé de Las Casas (1484-1566), de Chiapas, y publicada en Sevilla en 1553. Las Casas concibió esta obra como defensa de los indios, víctimas de la opresión española. La *Brevísima relación* es un relato horripilante de las crueldades indecibles perpetradas por los españoles contra los indios en el Nuevo Mundo. Tuvo un éxito enorme y se tradujo inmediatamente al latín, italiano, francés, alemán, inglés, y holandés. La obra se dirige al rey de España y el tono del predicador dominico es admonitorio. Las Casas relata la crueldad y la devastación llevadas por los españoles a esas tierras ahora asoladas y antaño populosas y florecientes y exhorta al Monarca para que provea remedios castigando a los culpables y modificando las leyes que gobiernan los territorios americanos. Las Casas sigue, en su descripción de las primeras reacciones de los indios ante la llegada de los españoles, el texto de Colón: "Antes [los indios] los estimaban por inmortales y venidos del cielo, e como tales los rescebían, hasta que sus obras testificaban quién eran y qué pretendían."[18] Después de haber descripto la amenidad de las tierras recién descubiertas y conquistadas, Las Casas describe la docilidad y mansedumbre de las poblaciones indígenas a quienes les faltaba solamente la revelación del evangelio de Cristo: "Cierto estas gentes eran las más bienaventuradas del mundo si solamente conocieran a Dios" (*Destrucción*, p. 136). Los indios eran naturalmente dóciles y obedientes, mas los españoles, en vez de proteger estas ovejas mansas, se comportaron como lobos feroces: "En estas ovejas mansas, y de las calidades susodichas por su Hacedor y Criador así dotadas, entraron los españoles, desde luego que las conocieron, como lobos e tigres y leones cruelísimos de muchos días hambrientos" (*Destrucción*, p. 136). La matanza de los indios, según los cálculos de Las Casas, llegó a la increíble cifra de 15 millones de víctimas en 40 años, dejando una extensión de más de dos mil leguas casi despobladas:

Serán todas estas islas, de tierra, mas de dos mil leguas, que todas están despobladas e desiertas de gente... Daremos por cuenta muy cierta y verdadera que son muertas en los dichos cuarenta años por las dichas tiranías e infernales obras de los cristianos, injusta y tiránicamente, más de doce cuentos de ánimas, hombres y mujeres y niños; y en verdad que creo, sin pensar engañarme, que son más de quince cuentos. (*Destrucción*, p. 137).

A menudo Las Casas describe las persecuciones de los indios por parte de los españoles como si fuera una cacería, con perros adiestrados para despedazar a los indios:

Y porque toda la gente que huír podía se encerraba en los montes y subía a las sierras huyendo de hombres tan inhumanos, tan sin piedad y tan feroces bestias, extirpadores y capitales enemigos del linaje humano, enseñaron y amaestraron lebreles, perros bravísimos que en viendo un indio lo hacian pedazos en un credo, y mejor arremetían a él y lo comían que si fuera un puerco. Estos perros hicieron grandes estragos y carnicerías. (*Destrucción*, p. 138).

O también en este otro pasaje donde Las Casas nos pinta una escena horripilante con gran realismo: "En este reino o en una provincia de la Nueva España, yendo cierto español con sus perros a caza de venados o de conejos, un día, no hallando que cazar, paresciole que tenían hambre los perros y toma un muchacho chiquito a su madre e con un puñal córtale a tarazones los brazos y las piernas, dando a cada perro su parte; y después de comido aquellos tarazones échales todo el corpecito, en el suelo a todos juntos" (*Destrucción*, p. 156). Las Casas repite varias veces que los españoles arrojaban los indios en pasto a sus perros feroces, como si fueran cerdos y carneros, o que los españoles iban a cazar a los indios con sus perros, matando a 15 o 20 en cada cacería: "Hay otros que se van a caza las mañanas con sus perros, e volviéndose a comer preguntados cómo les ha ido, responden: 'Bien me ha ido, porque ahora de quince o viente bellacos dejo muertos con mis perros'" (*Destrucción*, p. 175). También refiere Las Casas que los españoles eran tan ignorantes y bastos que divulgaban el evangelio de manera atropellada y superficial, con el objeto de acusar a los indios de infidelidad y adueñarse de sus tierras y de sus metales preciosos (*Destrucción*, pp. 143-144). Por las mismas razones de codicia, Las Casas afirma que los españoles asesinaron a los jefes y caciques de las islas Española, Cuba y de los territorios de Nicaragua, Nueva España (México), Guatemala, Yucatán, Cartagena (Columbia), Trinidad, Venezuela, Florida, Río de la Plata, Perú y Nuevo Reino de Granada (Columbia, Ecuador y Venezuela). Sobre la obra de Las Casas se desencadenó una polémica enardecida que continuó hasta nuestros días.[19]

En los primeros decenios de la conquista la corona española sigue la línea señalada por los consejos de los juristas de la corte, entre los que el más influyente en ese período fue el doctor Juan López de Palacios Rubios, emitido en 1514. En su juicio Palacios Rubios sostuvo que Cristo era el soberano espiritual y temporal y que él había delegado estas funciones en el Papa y que por ello las tierras de los infieles no eran independientes de la Santa Sede y que los indígenas estaban obligados a someterse a su potestad si ésta así lo requería. Palacios Rubios redactó también un *Requerimiento* que los conquistadores debían leer a los indios. En ello se explicaba someramente la doctrina cristiana para que los indios supieran quiénes eran Cristo, el Papa y el Monarca español y qué derecho tenían los cristianos a exigir su sumisión.

El último párrafo del *Requerimiento* revela el significado cohercitivo del documento. En él, después de decirles a los indios que todos los hombres descienden de Adán, se les pedía que reconociesen a la Iglesia, al Papa, al Rey y a la Reina de España como superiores de estas tierras por merced del Papa. Se les prometía que si se sometían les recibirían con amor y caridad y que sus mujeres e hijos serían respetados y no serían obligados a hacerse cristianos. Mas, si se rehusaban a obedecer, el capitán español con la ayuda de Dios les declararía guerra y los tomaría prisioneros junto con sus mujeres e hijos y los vendería como esclavos. En otras palabras, este *Requerimiento* servía como pretexto para justificar la conquista violenta que de hecho se verificó en las islas del Caribe, México, Perú, América Central, Colombia y Venezuela.

Hubo otros juristas y pensadores que se enfrentaron con el problema jurídico de la conquista y propusieron soluciones teóricas más humanitarias, como el cardenal Cayetano quien sostuvo en 1517 que los paganos que jamás fueron súbditos del imperio romano no hubieran podido ser súbditos de los príncipes cristianos porque en sus tierras jamás habían oído el nombre de Cristo. Además el dominio de sus tierras estaba garantizado por el derecho positivo que no podía ser anulado por su infidelidad al derecho divino.[20] Además Cayetano sostuvo que la penetración española había de hacerse por medios pacíficos, con que los predicadores convirtieran a los indios al cristianismo con su palabra y su ejemplo (Zavala, ob. cit., p. 33). Las Casas sostenía que los indios jamás habían oído hablar de Cristo y negaba que la venida de Cristo les hubiese hecho perder sus tierras, sus haberes y sus derechos. El concebía o veía a los indios como un pueblo que vivía pacíficamente y que estaba preparado para recibir la fe de Cristo y que no podía defenderse sino con la misma ley natural y divina (Zavala, ob. cit., p. 33-34). Las Casas comparaba la conquista, lograda por los españoles con el uso de las armas y de la violencia, a la de los musulmanes. El pensamiento cristiano además proclamaba, por intermedio de San Agustín, que todos los hombres descendían de Adán y que por ello todos los hombres estaban hermanados en el mismo padre divino (Zavala, ob. cit., p. 43). Erasmo había afirmado que

todos los hombres eran iguales y que la servidumbre había
sido superpuesta a la naturaleza; el mismo concepto se lee en
Juan Luis Vives, en quien leemos que no hay nada que repele
más al ánimo del hombre, libre por naturaleza, que la esclavitud (Zavala, ob. cit., p. 44). Mas Juan Ginés de Sepúlveda
(1490-1573), consejero real en las cuestiones de derecho,
debía dar un duro golpe a estas aspiraciones cristianas y
humanitarias. Aristotélico, frecuentador en Italia del círculo
de Pomponazzi, traductor en elegante prosa latina del texto
griego de la *Política* aristotélica, se enfrenta a la cuestión americana con actitud despectiva, siguiendo las ideas de Aristóteles que había proclamado que la esclavitud era natural y se
originaba de la diferencia intelectual entre los hombres y que
entre éstos había los que nacían naturalmente esclavos. En
conclusión Sepúlveda declara que los indios son una raza
inferior a los españoles y que es natural que sean esclavizados
por estos últimos (Zavala, ob. cit., pp. 53-54).

En 1510 los primeros Padres dominicos llegaron al Nuevo
Mundo y enseguida comenzaron los sermones contra los conquistadores que se encruelecían contra los indios inocentes.
Se ordenó que los predicadores volvieran a España, pero la
chispa de la polémica se había encendido y habría de estallar
poco después en los escritos de Bartolomé de Las Casas, otro
fraile dominico. Una de las ideas fundamentales de Las Casas,
y que ya hemos visto en Colón, Anglería y Quiroga, es su
convicción de que los indios se pueden fácilmente convertir al
cristianismo. Esta idea es la que inspira muchas de sus obras,
sobre todo su *Apologética Historia*. En su obra *De unico vocationis
modo omnium gentium ad veram religionem* (1537), el primero de
una serie que comprende la *Historia de las Indias* y la ya mencionada *Apologética Historia*, Las Casas afirma que la Providencia
ha dispuesto que todas las naciones conocieran la verdad cristiana: "[La Providencia] estableció para todo el mundo y para
todos los tiempos un solo, mismo y único modo de enseñarles
a los hombres la verdadera religión; a saber: la persuasión del
entendimiento por medio de razones, y la invitación y suave
moción de la voluntad."[21]

En la *Historia de las Indias* Las Casas afirma que la incapaci-
dad de los jurisconsultos de la corte española ha originado
incomprensión porque su ignorancia ha provocado la crueldad y la violencia de la conquista. De estos consejeros del

monarca español dice: "Y estas particularidades fuera bien que los del Consejo del rey examinaran, como, según Dios y razón aún humana, eran obligados; pero por su gran ignorancia, como queda dicho, y aun presumpción de ser letrados, erraron mil veces en el derecho que no les era lícito ignorarlo, y así tuvieron de lo que tanto importaba ningún cuidado."[22] Los pasajes de la *Historia de las Indias* confirman el hecho que Las Casas estaba convencido, en base a su propia experiencia de misionero y obispo en América, que los españoles no sólo no se preocupaban de convertir a los indios al cristianismo, sino que los esclavizaban para sus fines materiales: "...la servidumbre tiránica comenzada y arraigada, en que perecían, cada día estas gentes desventuradas, sin que uno ni ninguno se doliese dellos ni en su perdición, sino solo en lo que se les disminuía de ganancia temporal, por su muerte, mirase" (*Obras escogidas*, Tomo II, p. 203).

También en Las Casas, como hemos visto en Quiroga, el estado de inocencia de los indios resalta en oposición a la malicia de los españoles: "Estas gentes...fueron sobre todas las destas Indias y creo sobre todas las del mundo, en mansedumbre, simplicidad, humildad, paz y quietud y en otras virtudes naturales, señaladas, que no parecía sino que Adán no había en ellas pecado" (*Ibid.*, II, p. 107). Aun más significativa es la siguiente descripción de un indio anciano, en el que Las Casas cree ver la efigie de Adán en el estado de inocencia, antes del pecado original: "Parábamelos a mirar de propósito, en especial al viejo, que era de un aspecto muy venerable, bien alto de cuerpo, el rostro grande, autorizado y reverendo. Parecíame ver en él a nuestro padre Adán, cuando estuvo y gozó del estado de la inocencia...." (*Ibid.*, p. 156). Al condenar a los españoles Las Casas los compara a la furia de Alejandro Magno: "Y cabe bien aquí lo que refieren las historias de aquel Alexandre Magno, que traía en el mundo el mismo oficio que los españoles han traído y traen por todas estas Indias, infestando, escandalizando, matando, robando, captivando, subjectando y usurpando los reinos ajenos y gentes que nada les debía" (*Ibid.*, II, p. 156). En la *Apologética Historia* Las Casas estudia las condiciones del indio desde un punto de vista antropológico.[23] Los datos recogidos por Las Casas en su *Apologética Historia* le sirvieron para proyectar una visión muy optimista del indio, o sea, sobre la posibilidad que el indio ofrecía de recibir la evangelización por sus cualidades naturales. Era una visión de la historia que se proyectaba del presente hacia el futuro y que se basaba en la convicción de la eficacia de las virtudes cristianas asimiladas por hombres naturalmente inclinados a asimilarlas.

La conclusión de Las Casas es que en América debe establecerse el imperio de los Misioneros.[24] Esta tesis halló una ilustre confirmación en el juicio dado sobre las Misiones Jesuíticas por Ludovico Antonio Muratori en su *Il cristianesimo felice nelle missioni dei Padri della Compagnia di Gesu nel Paraguai descritto da Lodovico Antonio Muratori*, que apareció en Venecia en 1743. En esta obra Muratori, con una esplícita referencia a Las Casas, recoge muchas de las ideas del padre dominico para defender su tesis que las misiones jesuíticas del Paraguay fueron la única manera para salvar a los indios de esas regiones de la codicia de los gobernadores y aventureros españoles y de los piratas portugueses del Brasil.[25] Las Casas cree ver en los indios los hombres libres del pecado original.[26]

En España Sepúlveda fue el intérprete de los que, no sólo negaban igualdad de tratamiento a los indios, sino que pretendían justificar su esclavitud con Aristóteles. La polémica Las Casas-Sepúlveda se centró en el pensamiento contrario (el de Las Casas) o favorable (el de Sepúlveda) a la tesis aristotélica sobre la naturaleza del hombre. Según Aristótles ciertos hombres eran esclavos por naturaleza.[27] Los jueces reunidos en Valladolid en 1550 y 1551 para decidir el pleito entre Las Casas y Sepúlveda nunca se decidieron, ni en favor de uno, ni en favor de otro, o, al menos, sus decisiones, si las tomaron, nunca nos llegaron. El aspecto positivo de esta polémica ha sido justamente subrayado por Lewis Hanke:

> Because Sepúlveda's ideas failed to triumph, Spain through the mouth of Las Casas made a substantial contribution toward the development of one of the most important hypotheses ever set forth—the idea that the Indians discovered in Spain's onward rush through the lands of the New World were not beasts, not slaves by nature, not childlike creatures with a limited or static understanding, but men capable of becoming Christians, who had every right to enjoy their property, political liberty, and human dignity, who should be incorporated

into the Spanish and Christian civilization rather than
enslaved or destroyed. (*The Spanish Struggle for Justice*, pp.
131-132).

Los reyes de España trataron de afianzar su dominio imperial
en América, o sea de afianzar la conquista y conseguir los
frutos de esta conquista, a menudo por medio de las guerras.
Pero como jefes de la iglesia en América ellos estaban dedicados a la gran empresa de ganar a los indios por la fe y esto
debía hacerse en paz. La persecución de este doble fin hizo
inevitable al mismo tiempo una política real llena de incerti-
dumbre y un poderoso conflicto de ideas y hombres. La tra-
gedia de los indios fue que para conseguir cualquiera de los
susodichos fines España tuvo que derrocar los valores esta-
blecidos de los indígenas y destruir sus culturas (*Spanish Struggle*, pp. 173-175). El conflicto de ideas que acompañó el
descubrimiento de América y el establecimiento del gobierno
español en América es parte integral de la conquista y le da
un carácter peculiar: "No European nation however, with the
possible exception of Portugal, took her Christian duty
toward native people so seriously as did Spain," afirma
Hanke (p. 175). Hanke en sus conclusiones, y muy objetivamente, dice: "The specific methods used to apply the theories
worked out by the sixteenth-cetury Spaniards are now as
outmoded as the blowguns with which the Indians shot poi-
soned arrows at the conquistadores, but the ideals which
some Spaniards sought to put into practice as they opened up
the New World will never lose their shining brightness as
long as men believe that other peoples have a right to live,
that just methods may be found for the conduct of relations
between peoples, and that essentially all peoples of the world
are men" (*Spanish Struggle*, pp. 178-179).

Ni Quiroga, ni Las Casas fueron los iniciadores de esta
actitud a legislar la totalidad de una comunidad. De hecho las
Leyes de Burgos, promulgadas el 17 de diciembre de 1512,
fueron el primer código de la legislación de Indias. Hanke
comenta este primer texto jurídico de las Indias de la
siguiente manera: "These laws furnish the most complete
statement we have of the crown's conception at that time of
the ideal relationship between the Indians and their Spanish
masters, and covered an extensive range of subjects, from

the diet of the Indians to the Holy Sacraments" (*Spanish Struggle*, p. 24). Este utopismo eclesiástico se observa en las misiones de los padres jesuitas. En el tratado de Matías de Paz, fraile dominico y profesor de teología de la universidad de Salamanca, titulado "De Dominio Regum Hispaniae super Indos" escrito a requerimiento del Rey Ferdinando I en 1512, Matías afirma que el Papa, como Vicario de Cristo sobre la tierra, tenía directa jurisdicción temporal sobre todo el orbe. Pero esta concepción no era general y, 50 años antes, el cardenal Torquemada, también un dominico, había negado este aserto (Hanke, *Spanish Struggle*, p. 28).

La teoría política en España en el siglo XVI, como consecuencia del descubrimiento de América, se enriqueció de una gran multitud de tratados y estudios y planes para la corona y sus consejeros: "The discovery of the American Continent called for the new principles of administrative science, and territorial right. ... Hence it is that we find so many works in Spain and Portugal treating of colonial matters embracing everything connected with the military and civil administration of the newly created governments of the west, and of all those general principles of policy which the parent states thought it expedient to lay down relative to their colonial territories."[28]

Sobre el experimento de la colonia de la Vera Paz de Las Casas hay que observar su caracter utópico, que sirvió de antecedente a la elaboración del mito de los Césares. La visión que guió a Las Casas fue la de una nueva sociedad democrática en la que los campesinos españoles, transplantados con sus herramientas y semillas, sus animales y familias, su capacidad innata, su habilidad para cultivar la tierra, su firmeza en las creencias cristianas, podrían radicarse en América. Ellos cultivarían el suelo de la Tierra Firme y vivirían uno al lado del otro, el español y el indio, de tal forma que la fe, habilidad e industria de los campesinos españoles serían asimilados casi sin esfuerzo por los nativos y una comunidad cristiana ideal se formaría.[29]

En *Del único modo de atraer a todas las gentes a la religión verdadera*, escrito en latín y traducido y publicado en 1941 por Agustín Millares Carlo y Atenógenes Santamaría, Las Casas explica el método pacífico que hay que emplear para divulgar la fe, oponiéndose una vez más a la que él considera la conquista violenta de los españoles de América. Estas ideas Las Casas quiso poner en práctica en su experimento de la Vera Paz en Guatemala entre 1537 y 1550 (Hanke, *Spanish Struggle*, pp. 72-82). El relato de Las Casas y de su experimento es una prueba clara del ideal del humanismo cristiano en el Nuevo Mundo. Sus opositores y críticos, desde su contemporáneo Sepúlveda hasta, en nuestros días, Menéndez Pidal, lo acusaron de exageración y de prejuicio en favor de los indios.[29 bis]

El humanismo cristiano de Erasmo significa esencialmente una vuelta al cristianismo primitivo. Este fue el comienzo de la Iglesia, con un pequeño número de iniciados, los Apóstoles, enfrentados y rodeados por un mundo pagano que ellos esperaron, y lograron, convertir. Estas son las condiciones que Quiroga, y más aún Las Casas, creyeron hallar en el Nuevo Mundo. Esta es la motivación filosófica de la obra de Bartolomé de Las Casas. De hecho su experimento reformista en Vera Paz lo prueba. Sus referencias asiduas y puntuales a los comienzos de la Iglesia, a los Padres de la Iglesia, su organización de las nuevas comunidades cristianas, el martirio de los misioneros en Vera Paz, son todos hechos que adquieren significación y proyección histórica hacia el pasado de los primeros mártires de la fe cristiana. En el Renacimiento, la concepción de la ciudad ideal se basa en la convicción de la decadencia total, moral y religiosa, de los europeos. Para que ocurra la renovación del espíritu cristiano predicada por Erasmo se escribe la *Utopía* de Moro. En este momento el erasmismo y el protestantismo luterano se mueven a lo largo de las mismas condiciones históricas: la decadencia papal y del clero. Más, en última análisis, apuntarán a dos fines distintos: la renovación interior de la iglesia de Roma en Erasmo, y el rechazo, más o menos violento, de la iglesia romana en Lutero. La concepción de la ciudad ideal acusa esta doble perspectiva implícita en la delineación de las dos tendencias religiosas que históricamente habrían de desvirtuarse en una lucha por el poder temporal: Reforma y Contrarreforma. Para Moro y los erasmistas, la ciudad ideal se concibe para formar al hombre ideal. Para Lutero y los protestantes la ciudad ideal deberá acoger al hombre nuevo que según ellos ya existe: el reformado. Ahora bien, en Las Casas indudablemente la concepción de la ciudad ideal se inspira originariamente en la doctrina católica. Mas, como hemos visto en

Quiroga, y en otros cronistas del descubrimiento, Las Casas
está convencido de que el hombre nuevo, el indio, ya existe.
Por lo tanto sus esfuerzos deberán, fatalmente, coincidir con
los de los protestantes. De hecho, el resultado de su acción en
favor de los indios adquiere significado bajo esta perspectiva
reformadora. Su polémica contra Sepúlveda y el aristotelismo
implicaba por parte de Las Casas un acercamiento a tesis
reformistas. Su ataque contra Sepúlveda se traducía en un
ataque implícito contra la doctrina aristotélica sobre la esclavitud natural de algunos hombres. Aristóteles es el filósofo
contra el que ya se han desencadenado las polémicas de la
nueva filosofía renacentista que durarán hasta el triunfo de la
ciencia moderna, ya entrado el siglo XVII en los países del
norte de Europa, o el siglo XVIII en los países católicos. La
acción de Las Casas tuvo éxito sólo en los primeros tiempos
del reinado de Carlos V, un monarca imbuído de erasmismo.[30] Mas cuando el mismo Carlos V tuvo que decidirse,
por razones políticas, en favor de la tesis católica, y contra los
protestantes, la ciudad ideal de Las Casas naufragó en los
meandros de la burocracia cortesana. Como ya dijo Hanke, su
proyecto lo realizarán los Padres Jesuítias en el Paraguay.

3. La república cristiana del Paraguay.

En el "argumento" expuesto en el Libro Primero de su
Historia del Paraguay el Padre Charlevoix aclara que entre los
motivos de la obra se halla el de describir las repúblicas cristianas del Paraguay fundadas por los Jesuítas que, en su opinión, superaron a los modelos de Platón, Bacón, y Fenelón:
"Hablo de aquellas Repúblicas cristianas, de las cuales no
tenía modelos el mundo, y que han sido fundadas en el centro
de la más feroz barbarie con un plan más perfecto que las de
Platón del canciller Bacón y del ilustre autor del Telémaco."[31]
Es decir que Charlevoix considera las misiones jesuíticas
como ejemplos no sólo del género utópico, sino el mejor de
todos los del género porque, según sus propias palabras, el
mundo no había conocido nada igual, es decir, nada igual a las
repúblicas cristianas fundadas por los jesuítas. Lo original de
estas repúblicas consiste en su base experimental y en el éxito
que ellas tuvieron.

En el "Argumento", puesto a principios de la obra, Charlevoix explica el método seguido por los jesuítas para fundar

sus repúblicas. Charlevoix explica que los misioneros estaban "armados únicamente de la espada de la palabra y con el Evangelio en la mano" (I, p. 22), y que con esas armas espirituales y religiosas los misioneros lograron vencer a los indios "a quienes las armas de los españoles no habían logrado sino irritar; los han civilizado y los han convertido en cristianos tales, que desde hace un siglo son la admiración de cuantos los han visto de cerca" (I, p. 22). Los indios han dado prueba de ser los mejores cristianos, pues no bien se convierten, aceptan ellos mismos el apostolado y hasta el martirio "...viéndoselos convertirse en apóstoles casi en el mismo instante en que se hacen cristianos...y darse por bien pagados con padecer el martirio" (I, p. 22). Mas Charlevoix advierte que esta obra extraordinaria que había sido posible por la voluntad divina halló la oposición más feroz por parte de los mismos que debían haberse alegrado más por ser cristianos, pues los cristianos eruopeos han sido precisamente los peores enemigos de estas repúblicas (I, pp. 22-23).

En resumidas cuentas, Charlevoix ha exhibido las mismas razones y quejas que ya hemos leído en las crónicas, en la *Información* de Quiroga y en varias obras del Padre Las Casas: o sea, que la índole del indio es tal que abraza la fe cristiana con fervor, que el mejor método para civilizar y cristianizar a los indios es por la paz y la humildad, que los peores enemigos de la pacificación y de la civilización de América fueron la codicia y envidia de los europeos y no la babarie de los indios. A esto agréguese el éxito de la experiencia de las repúblicas cristianas de los jesuitas y la oposición que encontraron entre los cristianos europeos, que no podían ver esas repúblicas proteger a los indios e impedir su esclavización. Es decir, los argumentos de Charlevoix confirman lo que habían venido diciendo Colón, Pedro Mártir, Las Casas, Quiroga, y muchos otros, durante siglos. El motivo del cristianismo primitivo, ya promovido por Erasmo y referido continuamente por Quiroga y Las Casas, aparece claramente en el momento de la fundación de las repúblicas jesuíticas. Charlevoix cuenta que cuando los jesuitas italianos Maceta y Cataldino reunieron en 1607 a los indios guaraníes en la primera "Reducción" de Loreto ésta se constituyó en "la cuna de la República cristiana de los Guaraníes, hoy tan floreciente" (II, p. 36). Poco después, los Padres Jesuitas fundaron otra "Reducción", la de

San Ignacio y finalmente otras dos. Estas cuatro "Reducció-
nes" y otra fundada en el Paraná, San Ignacio *Guazú* por el
Padre Lorenzana "fueron el principio de una república cristiana, que en cierto modo resuscitó en medio de aquella barbarie los más hermosos días del Cristianismo naciente" (II, p.
38). Mas desde el comienzo las dificultades mayores eran el
mal ejemplo que los indios convertidos recibían de los europeos quienes, a pesar de hacer abierta profesión de cristianismo, "lo deshonraban con su licenciosa vida y lo hacían
odioso por las más flagrantes injusticias" (II, p. 42).

Según Charlevoix la organización de la "Reducción" se
basa en una jerarquía estricta, tanto entre los indios como
entre los jesuitas, mas el proceso político es electivo. En cada
"Reducción" hay dos jesuitas y "todos aquellos misioneros
aparecen como una familia bien gobernada" (II, p. 53). El
gobierno interior de las Reducciones está principalmente en
manos de los misioneros quienes dirigen a los indios "así respecto de lo temporal, como respecto de lo espiritual" (II, p.
55). Lo peculiar de las Reducciones es que en ellas los que
ocupan los cargos de Corregidor y Alcalde son elegidos por
los indios entre ellos mismos (II, p. 55). El carácter que revela
como el estado de esas "Reducciones" se asemeja al de las
utopías clásicas es el aislamiento del mundo exterior. Para
que los indios no pierdan sus virtudes y las enseñanzas de la
fe y la moral cristiana los misioneros creyeron que fuese
necesario aislarlos de los europeos: "Hase creído necesario
tomar las mayores precauciones para impedir que aquellos
nuevos cristianos tuvieran algún trato con los Españoles" (II,
p. 56). Charlevoix indica como prueba el testimonio de Don
Antonio de Ulloa del que cita las siguientes palabras:

> La entereza de los Padres de la Compañía en no dejar que
> ningún Español, Mestizo o Indio entre en las Reducciones,
> ha dado lugar a muchas calumnias contra ellos. Pero las
> razones que han tenido para obrar así, serán aprobadas por
> todas las personas sensatas. Es cierto que sin esto sus
> indios, que ahora tienen perfecta docilidad; que no recono-
> cen otro Señor que a Dios en el cielo y al Rey en la tierra:
> que están persuadidos de que sus Pastores no les enseñan
> sino el bien y la verdad; que no conocen ni la venganza ni
> la injusticia, ni ninguna de las pasiones que trastornan el

mundo, estarían desconocidos dentro de poco. (II, pp. 56-57).

El método de la enseñanza vocacional de las Reducciones parece tomado del sistema pedagógico de la *Ciudad del Sol* de Campanella. Por ejemplo es muy significativo lo que Charlevoix dice con respecto al canto. Los jesuitas temían que los indios no pudiesen entender la doctrina cristiana, mas se dieron cuenta que cuando cantaban los indios acudían y escuchaban embelesados. Pues los jesuitas decidieron enseñarles la doctrina cantando y los indios aprendieron pronto, revelando un talento innato para la imitación: "Para esto se puso en música toda la Doctrina cristiana, lo que produjo muy buen efecto" (II, p. 86). Este talento les ha servido para exceler en la artesanía a la que se entregan con vocación: "Hay por todas partes talleres de doradores, pintores, escultores, plateros, relojeros, cerrajeros, carpinteros, ebanistas, tejedores, fundidores, en una palabra, de todas las artes y de cuantos oficios puedan ser útiles. Luego que los niños se hallan en edad de poder empezar a trabajar, los llevan a aquellos talleres, y se ponen en aquel al que parecen tener mayor inclinación; pues están persuadidos de que el arte ha de ser guiado por la naturaleza" (II, p. 61). Por otra parte, como en las utopías de Moro y Campanella, y en la *Sinapia*, la utopía española, las Reducciones producen sólo lo que es necesario sin derroche innecesario. Las mujeres, como en las utopías clásicas, tienen asignadas sus labores al igual que los hombres (II, pp. 59-62). La costumbre de producir lo que sea suficiente y de ayudar a los pueblos vecinos con el sobrante es tembién un rasgo que leemos en la *Utopía* de Moro y en la *Sinapia*. Otra característica conforme a la *Utopía* y a la *Sinapia* es que las calles están tiradas a cordel y las casas o habitaciones son uniformes (II, p. 66).

El tema central de la exposición de Charlevoix coincide con el motivo fundamental de las utopías clásicas, desde la *República* de Platón hasta la del anónimo autor de *Sinapia*: la falta del "mío" y del "tuyo", la ausencia de propiedad privada y por lo tanto la ausencia de pleitos y procesos: "Una de las grandes ventajas que resultan de este gobierno es que nadie se deja estar ocioso... Nunca se ven allí pleitos ni procesos; ni siquiera son conocidos allí el mío y tuyo... De este modo los

autores de esta fundación se sirvieron de los mismos defectos
de los indios para procurarles el más precioso bien de la sociedad y el ejercicio de la primera de las virtudes cristianas, que
es la caridad" (II, p. 70). El comportamiento de los habitadores
de las Reducciones muestra un orden y armonía desconocidos
en las otras ciudades de Europa: "...pero todo esto va mezclado con santos regocijos, en los que excita la admiración el
hallar un gusto, un orden y elegancia que difícilmente se
verían en las más cultas ciudades de Europa" (II, pp. 74-75).
La actitud de los indios muestra su naturaleza noble e inocente: "No hay cosa comparable con la modestia, reverencia y
ternura de devoción con que [los indios] asisten a los divinos
misterios y a las oraciones, que casi todas se rezan en la iglesia" (II, pp. 80-81). Con respecto a la inteligencia de los indios
Charlevoix se declara, como en su tiempo lo hizo Las Casas,
contra Sepúlveda, en contra de los que creen que el indio no
es apto para entender la doctrina cristiana: "No es de admirar
que Dios se complazca en obrar tan grandes cosas en almas
tan puras, ni que los mismos indios, que algunos eruditos
doctores pretendieron que no tenían capacidad para ser admi-
tidos en el seno de la Iglesia, sean hoy uno de sus principales
ornamentos y quizá la más preciosa parte de la grey de Jesucristo. A lo menos es cierto que entre ellos se encuentran
gran número de cristianos que han llegado a la más eminente
santidad" (II, p. 82).

La república cristiana de los jesuitas es el Estado cristiano
ideal donde reina la palabra de Cristo y la armonía, hermand-
dad y paz. Según Charlevoix, esta república se mantiene en
su fervor porque evita el trato con los "cristianos viejos", los
europeos quienes han echado a perder a los otros indios: "En
una palabra, este país es el reino de la sencillez evangélica, y
para no alterarla es para lo que se alejan en cuanto es posible
estos nuevos fieles de toda comunicación con los Europeos,
por haber hecho conocer la experiencia que todas las cristian-
dades del Nuevo Mundo que han decaído de su primer fervor,
no lo han perdido sino por haber visto muy de cerca y tratado
demasiadamente con los cristianos viejos" (II, pp. 92-93).

En conclusión, los indios de las Reducciones, según Charlevoix, son felices. Como prueba de la verdad de sus afirmaciones el historiador cita a Ludovico A. Muratori: "De cuanto
acabamos de decir, resulta que en ninguna parte se halla

dicha tan perfecta como la de que se goza en esta nueva iglesia, y que Muratori tuvo razón en titular la descripción que
de ella hace *Il Cristianesimo felice"* (II, p. 95). Más aún, considerando lo que Charlevoix ha escrito sobre las misiones jesuíticas del Paraguay, éstas responden a los caracteres generales
de la utopía cristiano-social española:

1. La inspiración de carácter religioso y moral es la de fundar la república cristiana.
2. Los indios son más aptos que los europeos para vivir en
la república cristiana.
3. La nueva república evangélica es superior a los estados
europeos porque el hombre que las puebla es mejor.
4. En la constitución de estas Reducciones se desarrolla
una reforma radical implícita: no hay propiedad privada, ni
jueces, ni pleitos.
5. Finalmente se señala cómo al peor enemigo del estado
ideal de los indios a ese mismo europeo que se jacta de ser
cristiano y que viene a América impulsado por la codicia y
la ambición de poder.
6. La expulsión de los jesuitas del territorio español y de
las colonias del ultramar ordenada por el monarca español
en 1767 no hizo más que confirmar la paradoja política que
ya caracterizara la acción de Las Casas: la acción del clero
español en favor de los indios coincidía con la de los protestantes que luchaban por aislar sus estados de la influencia corruptora del clero. Así se dio como resultado de las
misiones del Paraguay que los jesuitas que en Europa eran
el instrumento de la obediencia papal y católica, en América se opusieron al poder constituído español cuando éste
quiso apoderarse de los indios. Su expulsión resolvío la
contradicción en favor del poder constituído, mas el precio
fue la destrucción de la organización política y social colonial más adelantada en aquellos tiempos.

II Parte.
Siglos XVI-XVII.
Los fundamentos teóricos
de la utopía
hispanoamericana

❧ I ❧

El humanismo cristiano de Erasmo y su acción en la evangelización de las Indias

Marcel Bataillon ha afirmado que el *Enquiridion* representa la etapa en que, a partir de 1499, de su viaje a Inglaterra y de su encuentro en Oxford con John Colet, Erasmo concibe una religión puramente espiritual.[1] En San Pablo Erasmo hallaba la primitiva religión del espíritu que con el transcurso de los siglos "había degenerado en un nuevo judaísmo, con un sin fin de ceremonias" (p. 9). Esta revelación de las *Epístolas* de San Pablo implicaba un cambio radical de actitud hacia la concepción de Cristo, un renacimiento místico que destruyera para siempre las cavilaciones teológicas y los formalismos exteriores en los que había quedado estancado el mundo cristiano, sobre todo, la Europa cristiana: "Era San Pablo quien daba el santo y seña a cuantos caminaban a tientas hacia

Dios: incorporarse a Cristo, hacerse miembros del cuerpo
místico cuya cabeza es Cristo. Nacer a vida nueva, como par-
tícipe de lo divino, era la única manera de superar la sofística
de los teólogos profesionales, acabando al mismo tiempo con
el farisaísmo avasallador de la moral y de la religión" (p. 9).
De este momento de revelación espiritual el *Enquiridion* es "la
primera y más sentida expresión" (p. 10).

El éxito del *Enquiridion* fue fulminante y europeo porque
"coincidía profundamente con las aspiraciones del momento
por su anhelo de llevar a la práctica social e internacional los
preceptos evangélicos" (p. 14). En España la trayectoria del
libro apunta a la curva del erasmismo "desde su irrupción en
amplias esferas hasta su definitivo aplastamiento" (p. 15). El
fervor por el pensamiento y las obras de Erasmo experimentó
una alza en 1522, cuando Carlos V volvió a España, pues la
corte imperial "con su séquito de señores, letrados, clérigos y
frailes, acababa de vivir dos años en contacto íntimo con la
revolución luterana" (p. 15). Lutero representaba al mismo
tiempo la división de la cristiandad y su urgente necesidad de
reformas. Muchos españoles sintieron entonces el ansia de
renovar la religión remontándose a sus fuentes y hallaron en
Erasmo su natural guía e inspirador (p. 16). El primer libro de
Erasmo, cuya publicación fue autorizada por los teólogos
complutenses, fue el *Enquiridion*, que salió en el original en
latín en la primavera de 1525 de las prensas de Eguía. La primera traducción española de una obra de Erasmo fue la *Que-
rela Pacis*, traducida en 1520 por el arcediano de Sevilla, Diego
López de Cortegana. El *Enquiridion* en español salió en 1526,
obra de Alonso Fernández de Madrid, y alcanzó "un éxito
popular que no tenía precedente en la historia de la imprenta
española" (p. 18). El éxito del *Enquiridion* se explica con la previa preparación que en España había logrado el movimiento
de vuelta a las fuentes del cristianismo primitivo promovido
por el cardenal Cisneros entre 1495 y 1517, que había culmi-
nado con la fundación de la Universidad de Alcalá y en la
compilación de la *Biblia Políglota*. De la acción reformadora
promovida por Cisneros y por la difusión de la literatura mística íntimamente relacionada con la misma reforma se originó
el movimiento de los *alumbrados*, condenados por la Inquisición
en 1525. Según la interpretación de Bataillon los *alumbrados*,
con su ansia de unirse con Dios por la "vía iluminativa", o sea

el éxtasis, "ya llevaban dentro la idea central del *Enquiridion*, antes de haberlo leído" (p. 26). Uno de los discípulos más entusiastas de Erasmo iba a ser Juan de Valdés (p. 27).

Bataillon define el *Enquiridion* "un manual de cristianismo interior" (p. 27). En la conclusión del Cap. III ("Que lo principal de la sabiduría es conocerse a sí mesmo, y de dos maneras de sabiduría, una falsa y otra verdadera") Erasmo afirma: "Assí que, pues, la guerra no se excusa estando ya travada contigo mismo y el principal punto de la vitoria está en que tengas muy buen conocimiento de ti mismo" (p. 157). Según Erasmo, la sabiduría antigua y el cristianismo tienen como base común el tema de "conocerse el hombre a sí mismo." Más aún, toda la filosofía antigua es para Erasmo una introducción a la antropología cristiana y el *Enquiridion* es una glosa a la metáfora de San Pablo de que, mediante el Espíritu, somos miembros de un mismo cuerpo cuya cabeza es Cristo (pp. 27-28). En el Cap. II ("De las armas necessarias para la cavallería y guerra christiana"), entre las armas del caballero cristiano, Erasmo prescribe la oración mental y la ciencia de la ley y palabra de Dios (p. 127). Para entender la ciencia divina pueden ser de gran ayuda aún autores paganos, porque "no se deve desechar ni menospreciar lo bueno, aunque sea gentil pagano el que lo enseña" (p. 133). Esta concepción heredada de Petrarca de la cultura clásica como propedéutica a la cristiana constituye el motivo central del humanismo cristiano de Erasmo. El pensamiento contenido en el *Enquiridion* fue combatido por la "inmensa mayoría de los españoles" (p. 42). Pero la corte de Carlos V acogió entusiásticamente los preceptos de Erasmo. El 14 de diciembre de 1527 Alfonso de Valdés despachó una carta firmada por el mismo Emperador en que le aseguraba a Erasmo que "en su presencia no se podía determinar cosa alguna contra Erasmo, de cuya cristiana intención estaba muy cierto" (p. 50). Pero con la muerte de Valdés en 1532 se acaba la protección oficial de Carlos V a Erasmo (p. 52). A la oposición monacal y frailuna se unió en 1536 la condena de la Inquisición de los *Coloquios*. Los procesos inquisitoriales contra los alumbrados y los más fervorosos erasmistas, que tocan su ápice en 1532,[2] enfriaron el entusiasmo erasmista: "Afirmar su preferencia por el culto en espíritu sobre las ceremonias, criticar las devociones vulgares, era correr riesgo de ser delatado, es decir, encerrado por

meses o años en una cárcel, interrogado de vez en cuando con
o sin aplicaciones del tormento, y por fin condenado a abjurar
de levi o *de vehementi* en un auto de fe, amén de las confiscacio-
nes de bienes y otras penalidades: cuanto se resumía para un
español de entonces en estas palabras fatídicas: *ser infamado en
el Santo Oficio*."³ En 1559 el Indice del Inquisidor General Valdés incluye el *Enquiridion*, tanto en latín como en romance,
juntamente con casi todas las obras de Erasmo (p. 64). Además ese mismo Indice prohibe en absoluto la lectura de la
Biblia en romance.

Es interesante observar cómo ambas prohibiciones constituyen una grave ruptura con respecto a la política española
perseguida en América hasta entonces, pues tanto la acción
de religiosos como Las Casas o Quiroga, cuanto las traducciones efectuadas de la Biblia a la lenguas indígenas se veían
afectadas por el Indice de 1559.

El caso del obispo Zumárraga y de los franciscanos observantes en México es un episodio que ilustra este cambio radical de actitud dictado por la Inquisición. El arzobispo
Zumárraga fue un franciscano observante riguroso, discípulo
de Erasmo y Tomás Moro.⁴ El humanismo erasmista de
Zumárraga dio en México la *philosophia Christi*.⁵ Este era el
espíritu heredado por Fray Jerónimo de Mendieta (1525-
1604). Bataillon afirma que del erasmismo español "se derivó
hacia América una corriente animada por la esperanza de
fundar con la gente nueva de tierras nuevamente descubiertas una renovada cristiandad. Corriente cuya existencia no
llegó a imaginar Erasmo" (*Erasmo y España*, p. 816). El franciscano Mendieta había llegado a México en 1554, en el
momento en que los franciscanos que habían concebido para
México la iglesia primitiva de los Apóstoles iban encontrando
una resistencia siempre mayor por parte del obispado. Los
franciscanos querían proteger a los indios contra la prepotencia de los españoles y proclamaban que sólo los padres franciscanos mendicantes podían cumplir ese cometido, pues el
clero seglar que pretendía prebendas y rentas no podía inspirar a los indios. Mendieta había heredado también el principio
de Fray Toribio de Motolinía de que hasta los obispos de la
Iglesia Primitiva en América deberían ser pobres y humildes.⁶
Según Mendieta, tanto desde el punto de vista numérico, del
número de conversos, como de la intensidad de la fe y el fer-

vor de los nuevos cristianos, la iglesia indiana de América era digna heredera de la Iglesia Apostólica primitiva de los primeros cristianos, la iglesia de antes de Constantino (Phelan, *Ibid.*, p. 48). Al descubrir la mansedumbre e inocencia innatas de los indios Mendieta se convenció de que en América sería posible y realizable el paraíso terrenal (Phelan, p. 49). Es más, en su afán por presentar la analogía entre la iglesia indiana y la iglesia cristiana primitiva Mendieta se refirió a la concepción agustiniana de la Ciudad de Dios, afirmando que los *hijos del siglo* que se hallaban envilecidos por los intereses materiales eran los habitantes de la Ciudad del Hombre, mientras que aquellos que habitaban la Ciudad Celestial eran todos los sirvientes de Dios que se habían consagrado a la más estricta y absoluta pobreza. Así que Mendieta concluía comparando la iglesia primitiva de los frailes y de los indios con la Ciudad de Dios sobre la tierra (Phelan, *Ibid.*, p. 53).

Mas hacia mediados del siglo, y paralelamente a la acción inquisitorial contra el erasmismo en España, en las Indias el obispado comenzó a oponerse con energía siempre mayor a los privilegios territoriales y sacerdotales de los frailes franciscanos. El conflicto entre el clero seglar y el clero regular había estallado a raíz de la imposibilidad en que los obispos se habían encontrado de recoger el diezmo de los indios. Los obispos habían acusado a los frailes de influenciar a sus feligreses para que no pagasen. El obispado pronto consideró intolerable que los frailes ejercieran sus funciones sacerdotales independientemente del control del obispo. Los concilios de la iglesia mexicana en 1555, 1565, y 1585, que fueron dominados por los obispos, gradual, paulatina e indefectiblemente aplicaron el decreto del Concilio de Trento que ningún clérigo podía tener ni la jurisdicción ni el cuidado de las almas de personas seglares, a menos que estuviese bajo la autoridad del obispo.

En 1574 una cédula dispuso que los frailes mendicantes se pusiesen bajo la supervisión del virrey y de la diócesis por lo que se refería a sus nombramientos, su número y sus movimientos. En 1583 llegó el golpe decisivo contra los franciscanos con una cédula en que se daba preferencia al clero seglar en lo que se refería al nombramiento de los beneficios. Antes de fines del siglo los frailes no tenían más que una alternativa: o retirarse pacíficamente a sus monasterios, o transfe-

rirse en las misiones de las fronteras, entre los indios menos
civilizados (Phelan, *Ibid*.,p. 54). En una carta escrita a principios de 1570 a Juan de Ovando que llegaría a ser Presidente
del Consejo de Indias, Mendieta declaró las razones del conflicto entre el obispado y los frailes: los obispos deseaban
aumentar sus rentas y el poder de sus cargos, mientras que
los frailes querían solamente ayudar a los pobres y salvar
almas. De manera que de acuerdo a esta carta podríamos pensar que según Mendieta los obispos pertenencían a la Ciudad
del Hombre y los frailes a la Ciudad de Dios (Phelan, *Ibid*.,p.
55). Mendieta quería obispos pobres para las Indias, que no
recibiesen ni rentas ni diezmos, ni que gastaran sus haberes y
energías en la construcción de templos monumentales. Al
contrario, Mendieta quería que estos obispos fuesen elegidos
de entre los frailes mendicantes y que se consacraran a la
pobreza apostólica (Phelan, p. 55).

De manera muy similar a Las Casas y a Quiroga, Mendieta quería que el derecho canónico se modificara para adaptarlo a las nuevas condiciones de los indios del Nuevo Mundo,
pues él pensaba que no eran los hombres hechos para las
leyes, por más santas que éstas fueran, sino al contrario, eran
las leyes hechas para los hombres (Phelan, *Ibid*.,pp. 55-56). La
historia de la orden franciscana en México en el siglo XVI es
una prueba elocuente de las consecuencias de la acción inquisitorial de la monarquía. Tanto en España como en América
se llega a una ruptura entre la acción del gobierno y de la
iglesia encaminados a afianzar por todos los medios su dominio temporal, por un lado, y de los reformistas, por el otro,
que deben renunciar a sus ideales erasmistas de renovación
espiritual.

❧ II. ❧

Los tres momentos del erasmismo: 1526-1616

Desde 1559, FECHA DEL Índice del Inquisidor Valdés, los ideales reformistas no se pudieron expresar libremente. De esta
nueva actitud oficial e inquisitorial surgió un nuevo género
de literatura de ficción, en que los ideales de renovación interior se encubrieron con el hábito aparentemente inocuo de
los pastores y las pastoras o de la ironía socarrona del *Quijote*.
No creo que sea una coincidencia que la *Diana* de Montemayor haya visto la luz en 1559. La *Diana* constituye el primer
libro representativo de la literatura de evasión, en que el
tema de la edad de oro, transportado a una mítica Arcadia
greco-latina, provee el motivo de la reforma espiritual, sin
tocar los elementos religiosos, mientras el tema del amor cortés, a ella entrelazado, salva las apariencias de la cultura renacentista con sus implicaciones didácticas.

Así como la obra de Alfonso de Valdés, Juan de Valdés, y
Antonio de Guevara representa la expresión de la corte eras-
mizante de Carlos V, la de Montemayor y Gil Polo representa
la expresión de la evasión de la reforma erasmista a temas
inocuos desde el punto de vista religioso. De este segundo
momento participarán también la *Galatea* de Cervantes y, en
cierta medida, sus *Novelas ejemplares*, mientras que el *Quijote* y
el *Persiles* ya representan una toma de conciencia por donde se
resquicia el erasmismo y el humanismo cristiano del autor.[1]
De este mismo estado de ánimo es expresión el *De Rege* del
Padre Juan de Mariana. De manera que en la literatura utó-

93

pica del humanismo cristiano tenemos tres momentos: 1) El
momento del erasmismo representado por la difusión del
Enquiridion y por obras como el *Diálogo de Mercurio y Carón* de
Alfonso de Valdés y del *Menosprecio de Corte y alabanza de aldea* de
Antonio de Guevara; 2) el momento del enfriamiento ideológico del erasmismo bajo la presión de la acción inquisitorial de
1532 hasta 1559. A pesar de esta reducción, el anhelo reformista persiste y adquiere la forma de los libros de pastores en
que el tema del amor como ennoblecedor del alma, de la edad
de oro como vida al contacto de la naturaleza en espíritu de
hermandad cristiana apuntan también a una reforma interior
y espiritual. Este carácter reformista no pasó desapercibido a
los ojos ortodoxos de algunos frailes, como el agustino Pedro
Malón de Chaide que consideró las obras pastoriles como
sumamente perniciosas en su *Conversión de la Magdalena* (1558).
Prueba ulterior del significado reformista y anti-inquisitorial
que estas obras tuvieron en su tiempo son las versiones "a lo
divino" que se hicieron de las mismas, como la que hizo en
1575 Sebastián de Córdoba de la poesía de Garcilaso o la de
fray Bartolomé Ponce que vertió a lo divino la obra de Montemayor en su *Clara Diana a lo divino* en 1582. 3) El tercer
momento está representado por una vuelta a los ideales erasmistas y de cristianismo primitivo, cuyas expresiones más
importantes son el *De Rege* de Mariana, donde se justifica la
supresión del tirano, y el *Quijote* y el *Persiles* de Cervantes,
donde se apunta a la crítica de una sociedad corrupta que no
solamente no entiende los ideales del Renacimiento sino que
se mofa de ellos, como los Duques o los barceloneses se
mofan de Don Quijote y de Sancho, símbolos del anhelo
reformador y utopista de Cervantes. Anhelo que fracasa en el
Quijote, mas que triunfa en el *Persiles*, concebido como la
novela cristiana. Veamos pues como estos tres momentos se
relacionan al tema de la utopía en España.

1. La reforma interior.

a) "El Diálogo de Mercurio y Carón.

Está probado que esta obra se debió comenzar en el
verano de 1528 y que su autor la finalizaría a principios de
1529.[2] Como reza el subtítulo, la obra trata de lo que aconte-
ció desde el año 1521 "hasta los desafíos de los Reyes de

Francia e Inglaterra hechos al Emperador en el año 1528"
(Montesinos, p. XXVII). En el "Prohemio al lector" Valdés
explica la estructura y el contenido de la obra. Mientras
Carón y Mercurio discuten sobre los desafíos que los reyes de
Francia e Inglaterra le hicieron al Emperador algunas ánimas
pasan e interrumpen el diálogo. Estas ánimas representan a
muchos "estados", es decir, miembros de diferentes clases y
oficios, que se van al infierno, y sólo una de un hombre
casado y de un fraile franciscano que van al cielo. El autor
declara haber imitado a Luciano, Pontano y Erasmo y se
declara deseoso de la "honra de Dios y el bien universal de la
república christiana."[3] Mas de esos autores el que constituyó
la fuente principal de Valdés fue Erasmo, como el mismo
Montesinos afirma en su introducción: "Lo que en el diálogo
tiene más interés, las ideas políticas, sociales y religiosas, proceden de Erasmo casi íntegramente."[4] En la *Institutio principis
christiani* Erasmo había declarado que los príncipes deben servir a las repúblicas y no las repúblicas a los príncipes y que
éstos son grandes por sus virtudes cristianas, su equidad, justicia y beneficiencia y no por la pompa, la gloria de las armas,
o la nobleza de su sangre. En su obra Valdés "transcribe a
Erasmo, con frecuencia lo traduce a la letra, pero, más frecuentemente aún, lo transpone a las circunstancias españolas
del momento, lo españoliza" ("Introducción", p. XI) En la obra
de Valdés el personaje de Polidoro encarna el ideal de Carlos
V que Valdés hubiese querido, es decir de un monarca que sin
violencia, sin guerras, sin sangre, ni muertes, supiese instau-
rar una monarquía cristiana universal, que supiese, en virtud
de sus cualidades personales, imponer una sola ley a todo el
orbe. En otras palabras, es el ideal de un monarca capaz de
constituir pacíficamente un estado ideal mundial (*Ibid.*, p. XI).

Por lo que se refiere al aspecto religioso Valdés distingue
dos tipos de religiosidad: la religiosidad exterior, imperfecta y
la religiosidad interior, perfecta. Según Valdés, la Iglesia
necesita de reformas que consistan en disciplina de costumbres y libertad interior de adorar a Dios sin el ceremonial
exterior y falso. También en esta concepción religiosa es visible el modelo erasmiano y la cercanía de Valdés con el movimiento de los "alumbrados". La obra fue prohibida por la
Inquisición que la incluyó en 1559 en el Indice de libros prohibidos del Inquisidor Valdés.

Mercurio aparece como un dios pagano de carácter diabó-
lico, que se alegra de las guerras y conflictos de Europa pues a
causa de ellos los hombres se perderán. Carón es el barquero
infernal y en el "Primer Libro" se queja de la paz concluída
por España ya que no podrá continuar su negocio ventajoso
de transbordar a las almas al infierno. Mas Mercurio le pide
albricias pues le trae la "buena" noticia del desafío de los
reyes de Francia e Inglaterra al Emperador. Ante las preguntas de Carón Mercurio le asegura que la situación en Europa
es tal que habrán que estallar contiendas sangrientas pues en
toda Europa los príncipes y el Papa no respetan sus promesas
de paz, sino que se están preparando para la guerra:

> Has de saber que yo dexo toda la christiandad en armas y
> en sóla Italia cinco exércitos que, por pura hambre, havrán
> de combatir; tu amigo Alastor, solicitando al papa que no
> cumpla lo que ha prometido a los capitanes del emperador
> que lo pusieron en su libertad, mas que en todo caso pro-
> cure de vengarse. Allende desto, el Vaivoda de Transilva-
> nia no ha dexado la demanda del reino de Ungría, el Rey de
> Polonia haze gente para defenderse de los tártaros, el Rey
> de Dinamarca busca ayuda para cobrar su reino. Toda Ale-
> mania está preñada de otro mayor tumulto que el passado,
> a causa de la secta lutherana y de nuevas divisiones que
> aún en ella se levantan. Los ingleses murmuran contra su
> Rey por que se govierna por un cardenal y quiere dexar la
> Reina su muger, con quien ha vivido más de veinte años, y
> mover guerra contra el Emperador. El Rey de Francia tiene
> sus dos hijos mayores presos en España; los franceses,
> pelados y trasquilados hasta la sangre, dessean ver princi-
> pio de alguna rebuelta para desechar de sí tan gran ty-
> ranía.[5]

El único país que parece gozar de la paz es España "porque
sola essa provincia está en paz y mantiene fuera de casa la
guerra" (*Diálogo*, p. 7) Pero Alastor, amigo de Carón, está tratando por todos los medios de provocar un conflicto en
España también, procurando que los frailes se levanten en
contra de Erasmo. Al oír el nombre de Erasmo Carón expresa
su antipatía "por que me dizen ser él muy enemigo de la guerra, y que no cessa de exhortar a todos los hombres que vivan
en paz" (*Ibid.*, p. 8). El juicio de Valdés sobre el mundo refleja

la ascendencia erasmiana, compartida por Moro, de la ausencia tanto en Europa como en el resto del orbe, de cristianos verdaderos. Mercurio cuenta haber recorrido todo el mundo sin ver nada más sino "vanidad, maldad, aflición y locura" (*Ibid.*, p. 11). No contento con ver tanta corrupción Mercurio quiso ver si un pueblo siguiese las enseñanzas de Cristo y "de buscar aquellos que se llaman christianos, pensando hallar en ellos lo que en los otros no havía hallado. Informándome, pues, de las señales con que Jesu Christo quiso que los suyos fuessen entre los otros conoscidos, rodeé todo el mundo sin poder hallar pueblos que aquellas señales tuviessen" (*Ibid.*, p. 12). Los así llamados cristianos son los que más se han apartado de las enseñanzas de Cristo y Alastor le declara a Mercurio: "Si tú buscas esse pueblo por las señales que Christo les dexó, jamás lo hallarás... y aquellos que, viviendo con más policía exterior que otros, viste vivir más contrarios a esta doctrina christiana, sábete que aquéllos son los que se llaman christianos y los que con tanto desseo tú andas buscando" (*Ibid.*, p. 12). Los cristianos se han olvidado de las enseñanzas de Cristo que les recomendó tener en cuenta las cosas del espíritu. Ellos viven enteramente dedicados a las cosas de este mundo. Lo que Valdés cirtica en estas páginas es el culto exterior que es lo mismo que otra actividad cualquiera porque impide la relación directa entre el creyente y Cristo:

> ...por saber si era verdad que no había cristianos verdaderos, atiné azia Europa donde me acordé haver visto ciertas provincias que por la mayor parte vivían derechamente contra la doctrina christiana, y llegado allá, por poderlo mejor comprehender, subíme a la primera spera y desde allí comencé a cotejar lo que veía en aquellos pueblos con la doctrina christiana, y hallé que donde Christo mandó no tener respecto sino a las cosas celestiales, estavan comúnmente capuzados en las terrenas; donde Christo mandó que en El solo pusiessen toda su confiança, hallé que unos la ponen en vestidos, otros en diferencias de manjares, otros en cuentas, otros en peregrinaciones... de manera que muy poquitos eran los que en sólo Jesu Christo tenían puesta su confiança. (*Ibid.*, pp. 12-13).

En breve, Mercurio observa que en Europa, no solamente los cristianos han renegado de Cristo, sino que se industrian en

hacer exactamente lo contrario de sus enseñanzas. Así que si
Cristo había ordenado menospreciar las riquezas ellos no
hacían más que robar, engañar y por cualquier medio ilícito
enriquecerse; si Cristo había prescripto que debían seguir la
sabiduría divina ellos se apartaban de ella y consideraban
necios los que a ella se allegaban; si según la doctrina cristiana el fuerte es el que domina sus apetitos y pasiones, ellos
consideraban poderoso al que impunemente podía hacer el
mal y se dejase llevar por todos sus vicios. Si ser cristiano
significaba tener siempre la mente y el corazón puestos en
Dios, los europeos consideraban bienaventurado al que, ocupado en las cosas mundanas, no tenía ningún respecto de
Dios. Y así Mercurio con este estilo antitético hace una larga
lista de los defectos que caracterizan a los europeos: la envidia, la lujuria, la blasfemia, el perjurio, la vanagloria, la soberbia, las injurias y violencias, las ofensas y venganzas, el
menosprecio y escarnio de los buenos, el desprecio por la
pobreza y el deseo de riquezas, concluyendo "siguen y adoran
las riquezas, prefiriéndolas a qualquier otra cosa y haziendo
su dios dellas" (*Ibid.*, p. 15). El texto contiene algunas referencias muy claras a la conquista de América y a la falta, en esa
empresa, del espíritu cristiano, la misma falta que hemos
visto reprochada en las obras de Las Casas y Quiroga. Mercurio pregunta a los europeos qué sentido tiene ganar nuevos
adeptos al cristianismo si habrán de ser como ellos: "¿Para
qué queréis conquistar nuevos christianos si los havéis de
hzaer tales como vosotros?" (*Ibid.*, pp. 16-17). Y la visita de
Mercurio a América es el modo en que Valdés declara su soli-
daridad con la doctrina de Las Casas: "Fuíme a un reino nuevamente por los christianos conquistado, y diéronme dellos
mill quexas los nuevamente convertidos, diziendo que dellos
havían aprendido a hurtar, a robar, a pleitear y a trampear"
(*Ibid.*, p. 19). Finalmente, los pocos cristianos que hay en el
mundo son perseguidos y deben vivir casi escondidos del
resto del mundo rogando continuamente a Jesucristo para
que ilumine la ceguera del mundo que los persigue (*Ibid.*, p.
20).

También el alma del fraile predicador que va al infierno
muestra la asimilación del criticismo erasmiano en la obra de
Valdés, pues, a la pregunta de Carón de qué arte de predicar
él tenía, contesta:

Fingía en público sanctidad por ganar crédito con el pueblo
y quando subía en el púlpito, procurava de endereçar mis
reprehensiones de manera qu.e no tocassen a los que esta-
van presentes, porque, como sabes, ninguno huelga que le
digan las verdades... si yo les dixera las verdades, quiça se
quisieran convertir y vivir como christianos, y fuera menester que de pura verguença hiziera yo otro tanto, y
desto me quería yo bien guardar... Yo no sé qué cosa es
predicar Jesu Christo ni jamás aprendí otra arte sino ésta.
(*Ibid.*, pp. 27-28).

La crítica de Valdés a los frailes sigue el molde de Erasmo en
la *Moría*. Y más aun Valdés, en los acontecimientos de la historia europea del tiempo que vió a menudo enfrentados a
papas y emperadores o reyes, expresa la actitud del partido
del emperador, acusando a los pontífices de ingratitud: "No es
cosa nueva que los romanos pontífices se muestren ingratos a
los que son causa de ponerlos en aquella dignidad" (*Ibid.*, p.
33). Hasta por lo que se refiere al Patrimonio de San Pedro
Valdés sigue la tesis de Lorenzo Valla, precursor de Erasmo:[6]
"Essa te digo yo, Mercurio, que es una gentil invención."[7] El
humanismo cristiano de estilo erasmista le inspira también la
visión democrática y niveladora. Cuando un "Anima" declara
ser duque Carón le contesta: "Pues mira, hermano: duques,
reyes, papas, cardenales y ganapanes, todos son iguales en mi
barca" (*Diálogo*, p. 53);

El saco de Roma por las tropas imperiales de Carlos V,
ocurrido en 1527, fue un hecho que conmovió a Europa. Valdés justifica la acción de las milicias imperiales sobre la base
de la corrupción papal que no podía evitar ese castigo merecido. Es más, Dios ha querido castigar al Papado de sus peca-
dos con ese saqueo memorable: "...estava aquella ciudad tan
cargada de vicios y tan sin cuidado de convertirse, que después de haverlos Dios combidado y llamado por otros medios
más dulces y amorosos, y estándose siempre obstinados en su
mal vivir, quiso espantarlos con aquel insulto y caso tan
grave, y como, aun con esto, no se quisieron emendar, víno-
les después otro más recio castigo" (*Ibid.*, p. 60).

La técnica del diálogo logra dramatizar muchas de las doctrinas erasmianas. Sabida es la crítica de Erasmo contra la
pompa y la riqueza exterior de los oficios religiosos y de los

prelados. Valdés comparte esta crítica contra el clero que se muestra demasiado apegado a las apariencias exteriores que perjudican el espíritu de la fe. Su crítica se expresa en la forma dramática del alma de un obispo el cual, preguntado por Carón, declara que ser obispo "es traer vestido un roquete blanco, dezir missa con una mitra en la cabeça y guantes y anillos en las manos, mandar a los clérigos del obispado, defender las rentas dél y gastarlas a su voluntad, tener muchos criados, servirse con salva y dar beneficios" (*Ibid.*, p. 61). A lo cual Carón contesta que de esa manera "ni San Pedro ni alguno de los apóstoles fueron obispos" (*Ibid.*). Es decir que de acuerdo a Valdés, que sigue el espíritu del erasmismo, el cristianismo debía volver a la iglesia primitiva de los apóstoles. Para ello había que deshacerse de la pompa y de todas las ceremonias exteriores que con el pasar de los siglos habían transformado la iglesia católica en un ceremonial sin espíritu. Es más, la acción de los soladados alemanes durante el saco de Roma respondió a un resentimiento justificado contra los papas que jamás habían querido satisfacer sus demandas por los agravios de los que habían sido objeto por parte de la Santa Sede, agravios que "los romanos pontífices nunca havían querido entender en ello por no perder su provecho" (*Ibid.*, p. 67). La prueba de ello está en que el mismo San Pedro piensa que la sede apostólica se lo tiene bien merecido porque, si se hubiese mantenido en el espíritu del cristianismo primitivo no hubiera padecido ese castigo: "Si ella [la sede aspostólica] perseverara en el estado en que yo la dexé, muy lexos estuviera de padescer lo que agora padesce" (*Ibid.*, p. 69). Otra prueba de la voluntad divina que guió el ejército imperial en el saqueo dice San Pedro que es el hecho de que ese ejército estaba compuesto enteramente de cristianos (*Ibid.*).

En vez de edificar templos de piedra y mármol los cristianos deberían leer los textos sagrados, en vez de edificar templos a San Pedro y a San Pablo deberían leer sus escritos y, en vez de adornar sus sepulcros, deberían honrar su espíritu, siguiendo sus enseñanzas. La aparición del alma de un cardenal es motivo para escarnecerle como ejemplo de mal prelado pues su oficio era buscar dinero para la guerra, poner más impuestos y vender oficios, rentas de iglesias, de monasterios y de hospitales (*Ibid.*, pp. 73-75). La carta del emperador Car-

los V al rey de Inglaterra sobre el saco de Roma, incluída en el
Diálogo de Mercurio y Carón y leída a Carón por Mercurio, tiene
como objeto presentar al Papa Clemente VII como al único
responsable de la guerra entre los cristianos y, por lo tanto,
del saqueo de Roma: "...en lugar de mantener como buen
pastor la paz que con el Rey de Francia havíamos hecho,
acordó de rebolver nueva guerra en la christiandad... hizo Su
Santidad con él y con otros potentados de Italia una liga contra Nos, pensando echar nuestro ejército de Italia y tomarnos
y ocuparnos nuestro reino de Nápoles" (*Ibid.*, pp. 77-78). Así
es el mismo Dios que, por intermedio de las tropas imperiales, castiga al Papa: "...y aunque veemos esto haver sido
fecho más por justo juizio de Dios que por fuerças ni voluntad de hombres, y que esse mismo Dios en quien de verdad
havemos puesto toda nuestra esperança, quiso tomar ven-
gança de los agravios que contra razón se nos hazían" (*Ibid.*,
p. 80). La crítica de Erasmo contra las sutilezas de los teólogos se expresa en el *Diálogo* de Valdés en la forma dramática
del alma de un teólogo que va al infierno porque en vez de
leer las Sagradas Escrituras y los Padres de la Iglesia leía a los
escolásticos "y sobre todos Aristóteles" (*Ibid.*, p. 127).

El alma del casado que se va al cielo es el símbolo del cristiano nuevo, del cristiano "alumbrado" que siguió los preceptos de Cristo sin las formalidades exteriores a que muchos
reducen el cristianismo y se burlan de los que siguen la vida
cristiana:

Anima: "Luego me alumbró Dios el entendimiento, y
conosciendo ser verdadera la doctrina christiana, me deter-
miné de dexar todas las otras supersticiones y los vicios, y
ponerme a seguirla según devía y mis flacas fuerças bas-
tassen, aunque para ello no me faltaron, de parientes y
amigos, infinitas contrariedades; unos dezían que me tor-
nava loco, y otros que me quería tornar fraile, y no faltava
quien se burlasse de mí...."
Carón: "No te metiste a fraile?"
Anima: "No."
Carón: "¿Por qué?"
Anima: "Porque conoscí que la vida de los frailes no se con-
formava con mi condición." (*Ibid.*, pp. 130-131)

A las otras preguntas, todas tendentes a desenmascarar la

hipocresía de los frailes y de las ceremonias del culto católico,
el alma contesta demostrando que Valdés había asimilado las
doctrinas de Erasmo, que había criticado las supersticiones
del culto y había exhortado a la oración. Por ejemplo, a la
pregunta de si había comido carne durante los ayunos dijo
que sí porque éste le convenía más que el pescado (*Ibid.*, p.
133). A la hora de su muerte, preguntado cuántos cirios,
misas, enlutados habría el día de sus funerales, había contes-
tado que él no quería hablar de esas cosas y que le dejaba al
sacerdote la libertad de elegir cómo le pluguiese, puesto que
él se quería entregar a Jesús. A la pregunta si quería morir
vestido del hábito de San Francisco contestó que no era ése el
momento de engañar a Dios, puesto que si había vivido como
San Francisco Cristo le acogería como tal y si no ¿qué provecho le haría dejar su cuerpo cubierto con el hábito del Santo?
Finalmente quiso que solamente le leyesen las Sagradas Escrituras y en especial el sermón de la última cena "y cada palabra de aquellas me inflamava y encendía con un ferventísimo
desseo de llegar a la presencia del que aquellas palabras havía
dicho" (*Ibid.*, p. 141).

En el "Segundo Libro" Valdés por intermedio del personaje de Polidoro, el alma del rey bueno que se va al cielo, nos
presenta su utopía cristiana de una monarquía regida por un
príncipe justo, cuyo ideal es la paz. El episodio de Polidoro,
que en la edición de Montesinos abarca las páginas 163-186,
es el más largo de la obra. Este carácter bien puede considerarse el símbolo del príncipe ideal de Valdés. Es decir que el
episodio de Polidoro constituye la utopía valdesiana, el estado
ideal, concebido aquí como posible, pues la referencia es a un
personaje histórico, el emperador Carlos V.

Polidoro comienza el relato de su conversión con la revelación que, por los labios de un criado, él tiene de su misión:
"¿Tú no sabes que eres pastor y no señor y que has de dar
cuenta destas ovejas al señor del ganado, que es Dios?" (*Ibid.*,
p. 166). El criado es en realidad la voz de la conciencia de
Polidoro, que desde ese momento comienza a reinar de acuerdo a los principios cristianos de la paz, la hermandad y la caridad. Así comienza a hacer las reformas necesarias comenzando a echar de la corte a los "viciosos, avaros y ambiciosos"
(*Ibid.*, p. 169) y escogiendo como consejeros "personas virtuosas y de buena vida" (*Ibid.*, p. 169). También los hijos e hijas

del rey deberán ser como los demás y deberán aprender un oficio para que no sean una carga inútil para la sociedad (*Ibid.*, pp. 169-170). En la reforma de Polidoro se verifica también la reforma religiosa, pues él obtiene del Papa la autorización para privar de su oficio a los malos obispos. Es decir que en el estado ideal concebido por Valdés el poder temporal es superior al espiritual. A la reforma religiosa, que permitió que pronto florecieran "la religión y piedad christianas en mis reinos" (*Ibid.*, p. 171), sigue la reforma legislativa, "de suerte que muy pocos pleitos duravan más de un año" (*Ibid.*, p. 171). Esta característica de la rapidez de las causas es una de las que Moro menciona en su descripción de la isla de Utopía y que el autor de *Sinapia* ha adoptado para su obra. Es un rasgo utópico, pues la complejidad del sistema legislativo y la lentitud de los pleitos era un rasgo conocido del imperio español, y no de este solo. El rey cristiano es amigo de los pobres, a los que prefiere por encima de los ricos: "...y con más dulce cara oía los pobres y pequeños que los ricos y grandes...." (*Ibid.*, p. 172). Su condena de la superstición es categórica, abarcando en este juicio también aquellos que utilizaban el hábito religioso para fines personales: "Aborrecía tanto los vicios y tractava tan mal los viciosos...especialmente aquellos que con hábito de religión y vanas supersticiones, se entremetían, pensando ganar crédito conmigo: a estos tenía yo por peores y tractava peor que a los viciosos públicos, aborreciendo en gran manera la superstición" (*Ibid.*, p. 173). Es clara en este pasaje la ascendencia erasmiana. Muy pronto la fama de la justicia, del amor fraternal y de la caridad del reino de Polidoro se difunde con tanto vigor que otros pueblos deciden entregársele espontáneamente y pacíficamente, sin necesidad de violencias ni de luchas armadas: "Y desta manera, sin armas, sin muertes de hombres y sin derramar sangre cristiana, conquisté muchos reinos, sojuzgué muchas provincias, assí infieles como cristianas, y convertí muchas gentes a la religión cristiana" (*Ibid.*, p. 174). Se puede observar que estas palabras constituyen una confirmación de la tesis de Las Casas, quien en toda su obra había abogado y luchado para que la conquista y colonización de las Indias se hicieran por medios pacíficos, con la predicación del evangelio, y no con las armas y la violencia.

En el momento de la muerte Polidoro le dice a su hijo que

continúe la obra comenzada. La situación y los consejos de
Polidoro recuerdan los de la *Ciropedia* de Jenofonte.[8] Los consejos de Polidoro están inspirados en principios opuestos a los
de Maquiavelo: "Procura ser antes amado que temido, porque
con miedo nunca se sostuvo mucho tiempo el señorío."[9] Así
la filosofía se vuelve maestra de buen gobierno, como los filósofos son los que enseñan a bien gobernar. La cita de Platón
confirma esta línea de pensamiento utópico, con esta referencia a la *República*: "No te cieguen las opiniones del vulgo, mas
abráçate siempre con las de los philósophos, acordándote de
lo que decía Platón: ser bienaventuradas las repúblicas que
por los philósophos son governadas o cuyos príncipes siguen
la philosophía" (Valdés, *Diálogo*, p. 179). Otro consejo antimaquiavélico es el siguiente: "Procura de parecer en todas tus
cosas christiano, no solamente con cerimonias exteriores,
mas con obras christianas" (*Ibid.*, p. 179). Entre los autores
que sirvieron de modelos a los humanistas, además de Platón,
Valdés cita también a Plutarco, dándole una característica
interpretación erasmiana al revelar su humanismo cristiano:
"El buen príncipe es imagen de Dios, como dice Plutarco, y el
malo figura y ministro del diablo" (*Ibid.*, p. 180). Los tres elementos que según Valdés hacen de un príncipe digno ministro de Dios son: el poder, el saber y la bondad (*Ibid.*, p. 180).
El rey debe amar la libertad (*Ibid.*, p. 181) y debe rehuir la
guerra. Valdés se inspira en Erasmo cuando le hace decir a
Polidoro que "más vale desigual paz que muy justa guerra"
(*Ibid.*, p. 183). Es claro que para Valdés el estado ideal es el
que está regido por el príncipe ideal y éste es el que Erasmo
había representado en su *Educación del príncipe cristiano*: "Reflex-
ione luego cuán deseable, cuán honesta, cuán saludable cosa
sea la paz. Y, por contraste, considere cuán calamitosa y abo-
minable sea la guerra, y qué secuela de males trae consigo,
aun la más justa, si es que, en puridad, existe guerra que
pueda llamarse justa."[10]

Otras referencias de Valdés en este *Diálogo*, y que también
hallamos en el pensamiento utópico hispánico, son: las traducciones del Nuevo Testamento en lengua vulgar (*Diálogo*, p.
199) y la oración mental preferida a la vocal (*Ibid.*, p. 210), que
además de confirmar la fuente erasmiana acerca a Valdés a
los "alumbrados", afinidad que no se le escapó al doctor
Vélez, el censor del *Diálogo*, quien observó esa afinidad (*Diálogo*, p. 243).

En conclusión, el *Diálogo de Mercurio y Carón* es una obra de inspiración erasmiana en la que su autor ha querido poner al desnudo los vicios del mundo así llamado cristiano, sobre todo del papado y del clero, considerado acaso el mayor responsable de la decadencia y corrupción moral. Sólo la vuelta al espíritu cristiano predicado por Erasmo puede hacer florecer de nuevo las condiciones ideales para un gobierno y un estado feliz.

b). *El "Menosprecio de corte*
y alabanza de aldea".

Entre los temas tratados en esta obra de Antonio de Guevara hay dos que se destacan por su contribución a la elaboración de la utopía: la vida ideal de la aldea y el sentimiento de que en ella se puede hallar un destello de aquellas cualidades que hicieron la superioridad de los antiguos sobre los modernos.

La referencia de Guevara al cónsul Marco Curio, alabado en el texto de Tito Livio, introduce el tema del hombre capaz de despreciar las riquezas y el dinero,[11] tema que abre la alabanza de la vida frugal contrapuesta a la pompa y el lujo de la corte. Para Guevara una de las razones de la ambición es la insatisfacción de muchos del estado en que se hallan. Ello proviene, según él, de no haber sido educados de acuerdo a su inclinación natural: "Al que es esclinado a ceñir espada muy mal se le assienta la estola" (*Menosprecio*, p. 39). Y la cita siguiente de Licurgo viene a reforzar esta concepción vocacional de la educación: "Licurgo, dador que fue de las leyes de los lacedemonios, mandó que sus padres pusiessen a sus hijos a officios, cumplidos catorce años, no en los que ellos quisiessen, sino en aquellos a que los hijos se inclinassen" (*Ibid.*, p. 40). Ante la falta de estos criterios todos se acostumbran a desear muchas cosas sin satisfacerlas jamás, y por eso bregan, engañan y adquieren otros vicios. De manera que la vida en la aldea ofrece un refugio de la existencia agitada y pecaminosa de la corte. En el Cap. VI Guevara apostrofa a la aldea de la manera siguiente:

> O bendita tú, aldea, a do la casa es más ancha, la gente más sincera, el aire más limpio, el sol más claro, el suelo más enxuto, la plaza más desembaraçada, la horca menos

poblada, la república más sin renzilla, el mantenimiento
más sano, el exercicio más contínuo, la compañía más
segura, la fiesta más festejada y sobre todo los cuydados
muy menores y los passatiempos mucho mayores. (*Ibid.*, p.
81).

La alabanza de la aldea tiende a presentarla como una isla
ideal de salud en medio de la podredumbre general. Y es que
Guevara sigue el modelo erasmiano de considerar corrupto el
mundo actual en comparación del anterior. Para Guevara en
las naciones contemporáneas hay pocos buenos y muchos
malos:

En las cortes y grandes repúblicas es tan pequeño el
número de los buenos y es tan grande el número de los
malos, que fácilmente cabrían los unos en media plana y no
cabrían los otros en una rezma... El que en las repúblicas
de nuestros tiempos es bueno, en más se ha de tener que a
ningún cónsul romano; porque en los tiempos passados
teníase a gran desdicha topar con un malo entre cien buenos, y agora es gran dicha topar un bueno entre cien
malos. (*Ibid.*, pp. 138-39).

Desde luego que se entiende que para Guevara los antiguos
eran superiores a los modernos y así el autor apostrofa a la
mítica edad de antaño: "O siglos dorados, o siglos desseados,
o siglos passados, la diferencia que de vosotros a nosotros va
es, que antes de nosotros veníase el mundo perdiendo, mas
agora en nuestros tiempos está ya del todo perdido" (*Ibid.*, p.
139).

Al siglo áureo ha sucedido el de hierro, mas ahora el
mundo se ha degradado aún más: "Gozaron nuestros passados del siglo férreo y quedó para nosotros míseros el siglo
lúteo, al qual justamente llamamos lúteo, pues nos tiene a
todos puestos del lodo" (*Ibid.*, p. 140). La codicia de nuestra
época se ve hasta en el afán con que se buscan las riquezas de
las Indias (*Ibid.*, 158-159). Esta referencia no es accidental,
pues algunas páginas más arriba Guevara piensa que se nota
la diferencia entre la época antigua y la moderna al leer a los
cronistas de una y de otra. Es claro que entre los cronistas de
su época Guevara había leído las *Décadas* de su pedagogo
Pedro Mártir. Hay por lo tanto en el tratado de Guevara una

crítica al presente como vida de la corte, mientras la vida de la aldea se identifica como un resto de un pasado superior, una edad dorada que ha muerto y cuyos restos ideales existen aún en la vida campesina. El paso de esta concepción de Guevara a las obras de pastores no es muy grande. Démoslo, para ver cómo lo pastoril interviene en la elaboración del pensamiento utópico español.

2). Utopía y evasión: lo pastoril.

Uno de los temas más frecuentes del género pastoril es el menosprecio de la corte y la alabanza de la vida en la aldea: "El número de pasajes alabando la aldea y menospreciando la corte es considerable: respondía a un auténtico y humano sentir a la vez que a una moda."[12] Este motivo es el que une el género pastoril al reformista, pues en la crítica contra la corte y el elogio de la aldea el autor quiere castigar los vicios y faltas del mundo civilizado en la misma forma en que hemos visto hacerlo a Erasmo y a los reformadores erasmistas o a los cronistas del siglo XVI como Las Casas o Quiroga. Esta crítica resultaba más eficaz porque el autor contraponía a ese mundo corrupto un mundo ideal y utópico, el de la aldea, de manera no muy diferente a la que los cronistas mencionados contraponían a los europeos maliciosos y corruptos los indios inocentes y puros. Las reminiscencias cultas heredadas de Sannazaro no impiden que el tema de la edad dorada en la arcadia española se tiña de anhelos reformistas y delate una embrionaria crítica social. En su *Orígenes de la novela* Menéndez y Pelayo afirma que el género pastoril tendió a satisfacer "la perenne aspiración de la mente humana a un mundo de paz y de inocencia o la hacían pensar en las delicias de la edad de oro y de la florida juventud del mundo"[13] y que este género substituyó la falsa idealización de la vida guerrera como se había representado en los libros de caballerías con "otra no menos falsa de la vida de los campos."[14] Aun reconociendo que el género dio obras maestras en las literaturas de Europa por obra de Shakespeare, Milton, Lope y Cervantes, Menéndez y Pelayo cree que su contenido fue quimérico y falso y se concibió en un momento en que la sociedad civilizada comenzaba "a sentir el tedio de los goces y ventajas de la civilización."[15] En otras palabras, el crítico santanderino piensa que el género pastoril es un género de evasión.

Un buen ejemplo de este juicio de Menéndez y Pelayo es la
Diana enamorada de Gaspar Gil Polo (?-1585), sin duda una de
las mejores del género y, a decir de Cervantes, la mejor.[16] En
las *Rimas provençales* incluídas en el "Libro Primero", Alcida y
Diana cantan un paisaje ideal, que bien podría definirse utópico: "Al dulce murmurar de la corriente, / de aquesta fuente-
, / mueve tal canto,... los bravos vientos, / el ímpetu furioso
refrenando, / vengan con manso espíritu soplando... Corrientes aguas, puras, cristalinas, / que haziendo todo el año primavera, / hermoseáis la próspera ribera / con lirios y trepadas
clavellinas... Verde y florido prado, en do natura / mostró la
variedad de sus colores / con los matizes de árboles y flores."[17]
Estos versos expresan una visión ideal de un mundo imaginado. Este mundo, o "locus amoenus," es el que Gil Polo quería contraponer al de la corte o de la ciudad, como en las
mismas *Rimas provençales* declara Alcida: "Aquí de los bullicios y
tempesta / de las soberbias cortes apartados, / los coraçones
viven reposados, / en sosegada paz y alegre fiesta" (*Diana enamorada*, citado, p. 33). El motivo de la naturaleza idílica apacible que sirve de refugio de las zozobras del mundo es
inequívoco. También Diana se une al canto de Alcida: "Aquí
el ruido que haze el manso viento, / en los floridos ramos
sacudiendo, / deleita más que el popular estruendo / de un
numeroso y grande ayuntamiento, / adonde las superbas
majestades / son vanidades; / las grandes fiestas, / grandes tem-
pestas; / los pundonores, / ciegos errores, / y es el hablar contrario y diferente / de lo que el corazón y el alma siente" (*Ibid.*,
pp. 33-34). Es claro que estos versos apuntan a un contenido
polémico que mira a contraponer la corte y la aldea e identifica a la primera con la soberbia, la vanidad, las tempestades
del alma sumergida en ciegos errores, y a la segunda con la
sencillez, sinceridad, espontaneidad, tal como canta Alcida:
"No tiene aquí ambición lazos y redes, / ni la avaricia va tras
los ducados, / no aspira aquí la gente a los estados, / ni ham-
brea las privanças y mercedes; / libres están de trampas y pas-
siones / los coraçones; / todo es llaneza, / bondad, simpleza, / poca malicia, / cierta justicia; / y hazer vivir la gente en
alegría, / concorde paz y honesta medianía (*Ibid.*, p. 34). Este
tema se repite en el "Libro Segundo" en que Diana y Marcelio
asocian la vida del campo a la libertad (*Ibid.*, 80-81).
    Al final del "Libro Cuarto" Arsileo celebra el casamiento

de los pastores y las pastoras con unos *Versos franceses* en que
se declara la bondad del amor puro que lleva buena intención
y que se concluye en casamiento. También este motivo de
carácter didáctico-moral se encuadra dentro de un paisaje de
bellos prados floridos, de aguas cristalinas y de fuentes sono-
ras, de dulces y apacibles aires en que se oye el gorguejo de
los pajarillos que parecen acompañar el canto de los pastores
(*Ibid.*, 208). Esta intención didáctico-moral que distingue el
amor malo y apasionado del bueno y racional se aclara aún
más a fines del "Libro Quinto" en que Felicia advierte a los
pastores y pastoras que deben atesorar la experiencia pasada
(*Ibid.*, 258). En su discurso conclusivo Felicia habla de dos clases de amor: el amor que nace de la pasión y ciega la razón, y
es el amor que pierde el alma, y el amor racional, que es el
verdadero amor, que es el que hay que seguir, mientras hay
que rechazar al primero (*Ibid.*, 260).

En conclusión podemos decir que la obra de Gil Polo se
inspira en los ideales que el platonismo había divulgado en el
Renacimiento por obra del *Cortesano* de Castiglione y de los
Diálogos de amor de León Hebreo (R. Ferreres, "Prólogo", pp.
XIXXXI) por lo que se refiere al amor, y que, por lo que se
refiere al motivo del elogio de la vida de aldea, se inspira en
los ideales de reforma erasmiana, que hemos analizado en
este estudio. Ya López Estrada había afirmado que los pastores representan "una secular reacción contra la vida cortesana. Fray Antonio de Guevara había publicado en 1539 el
Menosprecio de Corte y alabanza de aldea. La Diana de Montemayor
sigue esa misma orientación."[18] Además el mismo crítico
afirma que las costumbres de los pastores "representan el
siglo dorado" (*Ibid.*, p. LV).

3). La utopía humanístico-cristiana.

La utopía humanística constituye el momento en que en la
literatura española los varios géneros de la novela y la poesía
pastoril, de la novela de caballerías y de los diálogos como el
de *Mercurio y Carón* y de los tratados como el *Menosprecio de
Corte y alabanza de aldea* apuntan al hombre de la edad de hierro
para convertirle y rehacerle en el hombre de la edad de oro.
La tradición clásica, ya asimilada por el humanismo italiano y
por Erasmo, aporta el pensamiento platónico como un ingre-
diente esencial del idealismo en el que se quiere rehacer al

hombre. Jr elemento importante en este proceso es la experiencia del descubrimiento y de la conquista de América. El humanismo reformista y utópico se desenvuelve paralelamente a la conquista. Alfonso de Valdés, al resumir su programa de la reforma utópica del buen gobierno, dice que su intención es hacer un "mundo nuevo" y Vives exalta las virtudes sociales y morales que los indios americanos poseen naturalmente.[19]

El supremo esfuerzo de esta renovación ideal en España es la de Cervantes. En el *Quijote* este esfuerzo está destinado al fracaso.[20] Pero en la máxima obra cervantina culminan esas varias tendencias en la figura sublime de Don Quijote, aunque su autor, por la vertiente irónica o cómica, destruye la mera posibilidad de ese renacimiento humanístico porque Cervantes descree de la utopía. Lo que hace de Don Quijote el personaje más utópico de la literatura española y, yo creo, mundial. El ejercicio dialéctico que en Cervantes representa el binomio Don Quijote—Sancho deja un saldo reformista de procedencia erasmista: la renovación espiritual, la superación de los impedimentos materiales por un voluntarismo agónico y existencial.[21] El testimonio de ese saldo es Sancho que progresivamente piensa, actúa y habla como su amo. El punto más alto de ese saldo es el episodio de la ínsula Barataria.

El *Quijote* apunta, más y mejor que otras obras cervantinas, al tema de la libertad,[22] que nace de la exigencia sentida por Cervantes de superar las convenciones sociales y las imposiciones de la autoridad constituída por medio de una renovación interior, moral y religiosa. Por este motivo el *Quijote* puede a primera vista parecer obra de evasión, de puro entretenimiento, destinada a satisfacer ese deseo de aventuras y de casos peregrinos a los que el público lector de los libros de caballerías y de pastores estaban acostumbrados. Pero detrás del tinglado caballeresco y pastoril el autor hace aparecer el tema de la libertad y de la paz, esa exigencia universal que le hace exclamar:

> Dichosa edad y siglos dichosos aquellos a quien los antiguos pusieron nombre de dorados, y no porque en ellos el oro, que en esta nuestra edad de hierro tanto se estima, se alcanzase en aquella venturosa sin fatiga alguna, sino porque entonces los que en ella vivían ignoraban estas dos

palabras de *tuyo* y *mío*. Eran en aquella santa edad todas las cosas comunes; a nadie le era necesario para alcanzar su ordinario sustento tomar otro trabajo que alzar la mano y alcanzarle de las robustas encinas, que liberalmente les estaban convidando con su dulce y sazonado fruto.[23]

Cervantes sigue aquí las ideas de los primeros cronistas y de los reformistas que hemos venido estudiando. En Pedro Mártir hallamos varias veces esta expresión de lo *tuyo* y lo *mío* como un carácter distintivo de la diferencia entre la codicia europea y la generosidad de los indios (*Décadas*, citado, Tomo I, pp. 141, 231). Asimismo lo hemos hallado con la misma significación en Las Casas y en Quiroga. Por otra parte Tomás Moro en su *Utopía* utiliza la misma idea para criticar la codicia de los europeos. La misma expresión hallaremos en *Sinapia* (p. 1).[24] Pero el objeto de Cervantes es, como en los reformistas mencionados, contraponer la edad de oro del pasado con la corrupción presente:

> Todo era paz entonces, todo amistad, todo concordia; aún no se había atrevido la pesada reja del corvo arado a abrir ni visitar las entrañas piadosas de nuestra primera madre, que ella, sin ser forzada, ofrecía, por todas partes de su fértil y espacioso seno, lo que pudiese hartar, sustentar y deleitar a los hijos que entonces la poseían.... No había la fraude, el engaño ni la malicia mezclándose con verdad y llaneza. La justicia se estaba en sus propios términos, sin que la osasen turbar ni ofender los del favor y los del interese, que tanto ahora la menoscaban, turban y persiguen. (*Quijote*, I, 11, pp. 503-504).

A esta corrupción general Don Quijote agrega el temor de las doncellas honestas que ya no están seguras y para ello se ha instituído la orden de la caballería andante. Pero esta última parte es la que tiene por objeto distraer al lector de los motivos más serios de la corrupción del presente. El autor tiene mucho cuidado aquí en diferenciar su opinión de la de Don Quijote al decir en dos ocasiones que el discurso de Don Quijote "se pudiera muy bien escusar" y que su razonamiento era "inútil" (*Ibid.*, p. 504). Este doble plano por el cual Cervantes hace que un loco diga las verdades, sin hacerse responsable, es lo que da ambiguedad y profundidad a la utopía cervantina.

Porque la locura de Don Quijote es lo que, al fin de cuentas,
le permite mostrar su cordura. Innumerables son los pasajes
en que el caballero deja a los oyentes pasmados con sus razones discretas y sus consejos atinados hasta el punto que los
mismos se preguntan si el que así habla es un loco-cuerdo o
un cuerdo-loco, pues sus acciones desmienten sus palabras. Y
esta manera de Cervantes de insinuar la cordura de Don Quijote en el ánimo de sus lectores produce un efecto análogo en
los que le escuchan: "De tal manera y por tan buenos términos iba prosiguiendo en su plática don Quijote, que obligó a
que, por entonces, ninguno de los que escuchándole estaban
le tuviese por loco" (*Quijote*, I, 27, p. 788).

El episodio en el que se nota mejor esta situación paradó-
jica del personaje es el de la ínsula Barataria, en el que Don
Quijote aconseja a Sancho cómo habrá de gobernar. Estos
consejos, junto con otros párrafos y páginas de la obra en los
que Don Quijote alude al gobierno y los gobernados podrían
constituir el aspecto utópico del *Quijote* relacionado con la
utopía hispanoamericana. Es claro que Don Quijote se vuelve
loco por su excesiva frecuentación de los libros de caballerías,
y esto se ve bien al final. Pero es cierto también que su locura
pone de manifiesto también sus grandes cualidades, a las que
Cervantes se refiere muy encarecidamente. No me parece
enteramente acertada la interpretación unilateral de Maravall que ve en el *Quijote* sobre todo la actitud antiutópica de
Cervantes. Según Maravall, en el *Quijote* Cervantes recoge y
sistematiza su crítica de la crisis de la sociedad española, evidente en sus otras obras, "pero poniendo un final a cada episodio que nos haga comprender el fracaso a que van los
utopistas que en el XVI han pululado en el mundo español, y
que en las Indias o en la Península han soñado, fuera de toda
medida razonable, con el mito de la Edad dorada."[25] En los
capítulos XLII y XLIII de la "Segunda Parte" Don Quijote
muestra su cordura en los consejos que le da a Sancho
cuando éste se apresta a ir a gobernar su ínsula. Hay constantes alusiones a las islas de las Indias, con una clara referencia
al oficio de Sanco, guardián de puercos, el mismo de Francisco
Pizarro, el conquistador del Perú (*Quijote*, II, 42, p. 1236). En
estos consejos Don Quijote expresa su ideal humanístico de
la virtud individual: "Mira, Sancho: si tomas por medio la virtud, y te precias de hacer hechos virtuosos, para qué tener

envidia a los que los tiene príncipes y señores; porque la sangre se hereda, y la virtud se aquista, y la virtud vale por sí sola lo que la sangre no vale" (*Ibid.*, II, 42, p. 1237). Esta superioridad de la virtud sobre la nobleza de la sangre es uno de los temas clásicos que el humanismo español hereda del italiano, que ya lo enuncia en los poetas del *Dolce Stil Nuovo* y que aparece de nuevo en el *Cortesano* de Castiglione y se da en los autores españoles, desde Antonio de Guevara hasta Alfonso de Valdés y en las obras de pastores. Tan atinados son los consejos de Don Quijote que al comienzo del capítulo XVIII de la "Segunda Parte" el autor pregunta: "¿Quién oyera el pasado razonamiento de don Quijote que no le tuviera por persona muy cuerda y mejor intencionada?" A lo que el mismo autor contesta explicando que Don Quijote solamente "disparaba en tocándole en la caballería" porque en todo lo demás "mostraba tener claro y desenfadado entendimiento" (*Ibid.*, II, 43, pp. 1238-1239). Y es ésta la manera que Cervantes tiene de decirnos que no todo lo que dice Don Quijote es un disparate. De hecho el autor afirma que por ese motivo de su locura caballeresca y andantesca "a cada paso desacreditaban sus obras su juicio, y su juicio sus obras" (*Ibid.*) y por ende el lector debe saber percibir, dentro de las palabras y los actos de Don Quijote, aquellos que responden a un "claro y desenfadado entendimiento" y aquellos que no. Por supuesto que en este discernimiento nada fácil estriba la dificultad y complejidad del *Quijote* y su actualidad, su modernidad. El punto central de este discernimiento es el utopismo.

La actitud de Sancho como gobernador responde a los ideales de la docta ignorancia erasmiana, del buen sentido. Al prescribir su dieta Sancho advierte que de nada valdría darle de comer suculentos manjares a él, porque su estómago está ya acostumbrado "a cabra, a vaca, a tocino, a cecina a nabos y a cebollas, y si acaso le dan otros manjares de palacio, los recibe con melindre, y algunas veces con asco" (*Ibid.*, II, 49, pp. 1283-1284). En el lenguaje de Sancho esto significa también otra cosa. No hay que olvidar que Sancho habla metafóricamente, ensartando proverbios, cuya finalidad es precisamente la de aludir a un doble sentido. Si tenemos en cuenta la lengua de Sancho tendremos que dar a estas palabras el significado metafórico de alimento no solamente material, sino de alimento intelectual, de naturaleza indivi-

dual, tal como su origen y educación campesina dejaban ver.
Lo que Sancho quiere decir aquí es que así como no se pueden modificar las costumbres alimenticias, tampoco es aconsejable pretender ser distinto de lo que se es, aunque se llegue a ocupar cargos importantes, como es el suyo de gobernador.

La actuación de Sancho deja admirados a todos, primeramente a los que creyeron burlarse de él con darle un cargo ficticio. El mayordomo del Duque, que sabe del engaño urdido por los Duques para burlarse de Sancho, ante el buen sentido y acierto desplegado por éste, confiesa estar "admirado de ver que un hombre tan sin letras como vuesa merced, que, a lo que creo, no tiene ninguna, diga tales y tantas cosas llenas de sentencias y de aviso, tan fuera de todo aquello que del ingenio de vuesa merced esperaban los que nos enviaron y los que aquí venimos. Cada día se veen cosas nuevas en el mundo: las burlas se vuelven en veras y los burladores se hallan burlados" (Ibid., II, 49, pp. 1284-1285). Estas últimas palabras revelan el sentido paradójico que el episodio de la ínsula Barataria tuvo en las intenciones de Cervantes. La ínsula debía ser una broma, como las salidas del caballero, mas las bromas se han vuelto de veras y, aunque el final resulte siempre cómico y grotesco, el episodio encierra siempre su parte de verdad, la lección moral que Cervantes siempre deja caer con una sonrisa en los labios, sin pedantería ni pesadez, con sus donaires y bromas, mas con una intención reformadora indiscutible, sin la cual se pierde el sentido del Quijote. El carácter artístico de esta obra excluye cualquier intento de sistematización que tienda a desvirtuar su carácter metafórico y su estructura libre, mas su profundidad de pensamiento nos obliga a percibir detrás de la ironía cervantina la intención reformista. Esta se ve en los momentos en que Cervantes, entre bromas y veras, nos hace ver que un loco—cuerdo tiene muchas veces razón y un simple guardián de puercos tiene suficiente buen sentido como para administrar la justicia y conservarse incorrupto. Esta finalidad educativa se observa también al soslayo, en las palabras que Cervantes atribuye al imaginado autor del manuscrito árabe, Cide Hamete Benengeli, de quien en el Cap. LIII de la "Segunda Parte" Cervantes cita un pensamiento sobre la mudanza continua de la vida humana hasta la muerte y la nueva vida ultraterrena: "sola la vida humana corre a su fin ligera más que el tiempo, sin esperar renovarse si no es en la otra, que no tiene términos que la limiten" (*Ibid.*, II, 53, pp. 1318-1319). Y Cervantes comenta que "esto de entender la ligereza e instabilidad de la vida presente, y la duración de la eterna que se espera, muchos sin lumbre de fe, sino con la luz natural, lo han entendido" (*Ibid.*, p. 1319).

Es decir que la sabiduría natural ya nos hace entender de por sí la existencia de la vida eterna, sin necesidad de la revelación cristiana. Es ésta naturalmente la interpretación humanística de Cervantes, implícita en la concepción tolerante hacia los moriscos, en los episodios de Ricote y de Ana Félix (*Ibid.*, II, 54 y 63). Por otra parte la experiencia como gobernador le ha enseñado a Sancho a "despreciar todos los gobiernos del mundo" (*Ibid.*, II, 62, p. 1385). Para el hombre honrado el gobierno representa una experiencia negativa porque la mayoría de los hombres son ingratos y murmuradores, como el estudiante que se goza de ver al pobre Sancho hundido en la sima (*Ibid.*, II, 55, p. 1337): "Desta manera habían de salir de sus gobiernos todos los malos gobernadores." A lo que Don Quijote ruega a Sancho que no se enoje pues "es querer atar las lenguas de los maldicientes lo mesmo que querer poner puertas al campo. Si el gobernador sale rico de su gobierno, dicen dél que ha sido un ladrón, y si sale pobre, que ha sido un parapoco y un mentecato" (*Ibid.*).

La intención reformadora que hemos visto en el *Quijote* se acentúa en el *Persiles*, pues en esta obra Cervantes se concentró en la renovación interior, en la purificación del alma de acuerdo con la doctrina cristiana. La utopía humanística del *Persiles* se entiende mejor si se estudian las referencias que Cervantes hizo en esta obra al material de Indias.

Desde que Schevill y Bonilla por primera vez fijaron su atención en ciertas analogías entre el texto cervantino y los *Comentarios reales* de Garcilaso de la Vega, el Inca, otros han intentado el estudio de la posible utilización de las crónicas de Indias en el *Persiles* por parte de Cervantes.[26] Sin embargo, después de más de cincuenta años del primer intento de Schevill y Bonilla, la crítica aún no ha resuelto este problema: ¿Leyó Cervantes las crónicas de Indias y, si las leyó, qué efecto tuvo esta lectura en el *Persiles*, y en las obras cervantinas? Estas cuestiones se relacionan íntimamente con el pre-

sente estudio. El influjo de las crónicas en Cervantes, en par-
ticluar en el *Persiles,* se inscribe en el tercer momento del utopismo hispánico, el del erasmismo y del humanismo cristiano
contrarreformista, cuyo representante más ilustre es Cervantes. Ambos aspectos están relacionados a cierta tradición crítica que desde hace tiempo ha estudiado la obra de Cervantes
en particular el *Persiles.*

Veamos primero la cuestión de las lecturas de las crónicas
de Indias por parte de Cervantes. Varios críticos han afirmado que Cervantes leyó las crónicas de Indias. Sin embargo,
se podría objetar que estas afirmaciones se basan casi exclusivamente en la autoridad de Schevill y Bonilla, antes que en
una comparación textual entre el *Persiles* y las crónicas. Quizá
sea éste el motivo por el cual en años más recientes algunos
críticos, interesados en establecer las fechas de composición
del *Persiles,* han rechazado la posibilidad de que Cervantes
leyera las crónicas de Indias.[27] Hay que tener en cuenta que,
desde el punto de vista estrictamente cronológico, Cervantes
pudo haber leído algunos de los más importantes relatos del
descubrimiento y de la conquista de América. De hecho,
muchos de estos relatos, crónicas o poemas de la conquista,
habían sido publicados más de ochenta años antes de que
Cervantes publicara su primera novela, *La Galatea,* en 1538.[28]
Otras referencias cervantinas indican que Cervantes conoció
algunos poetas cuyos trabajos, hoy perdidos, pudieron lle-
garle en forma manuscrita. Desde el "Canto de Calíope",
incluido en *La Galatea,* hasta *El viaje del Parnaso,* Cervantes se
refiere a estos poetas.[29]

El *Persiles* muestra analogías no solamente con los *Comentarios reales* de Garcilaso de la Vega, el Inca, sino también con
otros relatos de Indias. Las referencias al material de Indias
no ocurren en un orden prestablecido. Cervantes parece
recordar un tema y adaptarlo a su intento narrativo sin un
plan preconcebido. Esto podría explicar en parte la dificultad
en identificar una fuente determinada. He elegido aquí algunos ejemplos que demuestran que Cervantes conocía muy
bien el material de las crónicas y que recordaba las noticias
que de una forma oral debió casi seguramente recoger, sobre
todo durante su estadía en Sevilla.

En el capítulo primero del tercer libro el grumete grita:
"¡Albricias, señores, albricias pido, y albricias merezco! ¡Tie-

rra, tierra!",³⁰ grito que obviamente nos trae a la memoria otro mucho más famoso, el del marinero Rodrigo de Triana.³¹ El texto del *Persiles* dice que "al amanecer" el grumete descubrió la tierra. En el *Diario* de Colón se dice que se avista la tierra desde el barco del Almirante a la madrugada: "A las dos horas después de media noche pareció la tierra, de la cual estarían dos leguas."³²

En el primer libro del *Persiles* y en los primeros seis capítulos, hallamos pasajes comos los siguientes: "Partieron todos los bárbaros a la isla y en un instante volvieron con infinitos pedazos de oro y con luengas sartas de finísimas perlas" (I, 3, pág. 63). Otro pasaje dice: "En veces le truje alguna cantidad de oro, de lo que abunda esta isla, y algunas perlas que yo tengo guardadas" (I, 6, págs. 82-83). Un tercer fragmento dice: "Fue Ricla a su cueva, y en pedazos de oro no acuñado, como se ha dicho, pagó todo lo que quisieron" (I, 6, pág. 85). Estos tres pasajes nos traen a la memoria pasajes análogos de las crónicas de Indias, como el siguiente de la *Relación* del cuarto viaje de Colón: "A 6 de febrero, lloviendo, invié setenta hombres la tierra adentro; y a las cinco leguas fallaron muchas minas; los indios que iban con ellos los llevaron a un cerro muy alto, y de allí les mostraron hacia toda parte cuanto los ojos alcanzaban, diciendo que en toda parte había oro y que hacia el Poniente llegaban las minas veinte jornadas."³³ Esta misma idea de riquezas fabulosas se lee en el pasaje siguiente de la *Crónica del Perú* de Pedro Cieza de León, que se refiere al cerro del Potosí: "...y si hubiese quien lo sacase, hay oro y plata que sacar para siempre jamás; porque en las tierras y en los llanos y en los ríos, y por todas partes que caven y busquen, hallarán plata y oro."³⁴

Los naufragios constituyen un acontecimiento importante dentro de la trama del *Persiles*. Más aún, las alusiones al comienzo de la novela a los naufragios y a los náufragos, a las islas habitadas por nativos que poseen grandes cantidades de oro y perlas y los relatos de los sobrevivientes, son todas reminiscencias del material de Indias, y en particular de los primeros capítulos del primer libro de los *Comentarios reales*. En el tercer capítulo de esta obra Garcilaso cuenta el naufragio del piloto Alonso Sánchez de Huelva, quien en 1484 fue sorprendido por un temporal "tan recio y tempestuoso que, no pudiendo resistirle, se dejó llevar de la tormenta y corrió veinte y ocho o veinte y nueve días sin saber por dónde ni adónde, porque en todo este tiempo no pudo tomar él altura por el sol ni por el Norte."[35] La naturaleza novelesca del episodio se adaptaba bien a la técnica digresiva del *Persiles*. Como veremos en el episodio de Pedro Serrano, la digresión constituirá una verdadera novela en la que también será posible individuar matices que debieron inspirar a Cervantes. Por lo pronto en el *Persiles* hallamos varios naufragios. Antonio, el bárbaro español, dice que cuando el barco inglés le abandonó en un esquife anduvo navegando durante seis días y noches y luego durante varios días y noches "que anduvo vagamundo por el mar" (I, 5, págs. 76-77), hasta llegar a una isla habitada por lobos que hablan. Rutilio, a su vez, sobrevive a "una borrasca que nos duró cerca de cuarenta días, al cabo de los cuales dimos en esta isla" (I, 8, pág. 94).

El segundo libro del *Persiles* también comienza con un naufragio que culmina con el episodio del rey Policarpo. Uno de los primero episodios del *Persiles* es una descripción de un naufragio al que sólo Periandro logra sobrevivir porque está atado a la balsa de los nativos. En los *Comentarios reales*, unos capítulos más adelante, después de la descripción del naufragio de Alonso Sánchez de Huelva, Garcilaso hace una larga digresión para contar la historia del naufragio de Pedro Serrano. El carácter novelesco de este personaje real, más concebido como personaje de ficción por Garcilaso, está magistralmente subrayado por el narrador cuando nos dice que Serrano "era grandísimo nadador, y llegó a aquella isla, que es despoblada, inhabitada, sin agua ni leña, donde vivió siete años."[36] Todo el episodio adquiere un cariz de ficción al describir Garcilaso las enormes tortugas que Serrano mata, cuya sangre bebe para quitarse la sed y cuyas carnes come para quitarse el hambre y cuyas caparazones secadas al sol le sirven para recoger el agua de lluvia. El narrador también describe cómo Serrano logra encender el fuego y mantenerlo encendido durante años para atraer la atención de los barcos que navegaban en la zona y cómo se encuentra con otro náufrago y el rescate final de ambos por parte de un barco español. El relato de Garcilaso culmina con los dos náufragos recitando el Credo para asegurar a sus salvadores de su origen civilizado y cristiano y quitarles el temor que su aspecto les ha infundido: "Pedro Serrano y su compañero, que se había puesto de su mismo pelaje, viendo el batel cerca, porque los marineros que iban por ellos no entendiesen que eran demonios y huyesen dellos, dieron en decir el credo y llamar el nombre de nuestro Redentor a voces, y valióles el aviso, que de otra manera sin duda huyeran los marineros, porque no tenían figura de hombres humanos."[37]

Hay aquí dos aspectos que hay que destacar y ambos interesan para entender el interés que un texto como el de Garcilaso pudo suscitar en un lector ávido y sutil como Cervantes. El primer aspecto es el carácter de la narración que se presenta con visos de fantasía, mas apañada del realismo del historiador. En la narración de Garcilaso la fantasía, lejos de forzar la naturaleza la sigue paso a paso, y el resultado es aún más eficaz que si la historia fuera inventada de sana planta. Es precisamente la técnica cervantina seguida en todas sus obras, también en el *Persiles*, cuyas situaciones y personajes excepcionales nunca violan las leyes de la naturaleza, sino que obedecen a una naturaleza excepcional, la que el material de Indias iba revelando a la sensibilísima visión cervantina. Volveré sobre este punto más adelante, al referirme al dualismo de "historia" y "poesía" en Cervantes. El segundo aspecto del episodio de Serrano es la presencia de un elemento expresivo muy importante en el *Persiles*: la plegaria de Serrano y su compañero para ganar la voluntad de los marineros. El uso de la plegaria en el *Persiles* también sirve para que el que la recita logre ganarse la confianza, esto es, la *cum fede* del interlocutor. En el capítulo cuarto del primer libro del *Persiles*, Ricla, la nativa convertida al cristianismo, cuenta cómo Antonio la desposó y le enseñó la doctrina cristiana:

Llamo a esposo a este señor, porque, antes que me conociese del todo, me dio palabra de serlo, al modo que él dice que se usa entre verdaderos cristianos. Hame enseñado su lengua, y yo a él la mía, y en ella asimismo me enseñó la ley católica cristiana. Diome agua de bautismo en aquel arroyo, aunque con las ceremonias que él me ha dicho que en su tierra se acostumbran. Declaróme su fe como él la sabe, la cual yo asenté en mi alma y en mi corazón, donde le he dado el crédito que he podido darle. (I, 6, pág. 82).

Luego Ricla declara su fe cristiana con palabras que se basan en el Credo, logrando que los interlocutores participen de su entusiasmo. Tenemos aquí una analogía muy profunda y que sugiere hasta consideraciones de carácter teológico, si tenemos en cuenta que ambos episodios concluyen con una ceremonia de sencilla y sincera confesión de fe, una plegaria en la que una comunidad de cristianos halla paz y confianza.

Más que una imitación de la fuente, a Cervantes le interesa aislar una actitud, un gesto, a menudo invirtiendo el significado del episodio contenido en la fuente. Al comienzo de los *Comentarios reales* el autor explica el origen del nombre *Perú* y cuenta que una de las naves de Vasco Núñez de Balboa que exploraba las costas del Perú cerca de 1513 avistó a un indio que pescaba en la desembocadura de un río. Mientras los del navío entretenían al indio, admirado por la visión inusitada para él del navío, cuatro españoles desembarcaron y le capturaron. Con gestos le pidieron noticias de la tierra y el indio, asustado, "respondió a prisa (antes que le hiciesen algún mal) y nombró su propio nombre, diciendo Berú, y añadió otro y dijo Pelú."[38] En el *Persiles* un nativo apunta con el arco a Periandro, mas, conmovido por su belleza, se acerca a él y "por señas, como mejor pudo, le dio a entender que no quería matarle" (I, 1, pág. 53). Es una situación muy especial en el *Persiles* en que los caracteres, aunque pertenecientes a nacionalidades distintas, todos se hablan y se entienden, pero en este episodio Cervantes ha querido aislar una actitud, común por otra parte en las crónicas de Indias, donde son innumerables las situaciones en que españoles e indios comunican con la ayuda de gestos.

A veces el *Persiles* ofrece analogías con episodios que, aún sin ser esclusivos del material de Indias, aparecen en las crónicas como hechos notables o costumbres deplorables. Tal es el caso de los episodios de Taurisa y Mauricio. Taurisa cuenta a Periandro que los nativos acostumbran realizar sacrificios humanos, pues un brujo les ha ordenado "que sacrificasen todos los hombres que a su ínsula llegasen, de cuyos corazones, digo, de cada uno de por sí, hiciesen polvos, y los diesen a beber a los bárbaros más principales de la ínsula" (I, 2, pág. 57). En la *Crónica del Perú* de Cieza de León leemos: "...de lo alto del tablado ataban los indios que tomaban en la guerra por los hombros y dejábanlos colgados, y a algunos de ellos les sacaban los corazones y los ofrecían a sus dioses."[39]

Mauricio describe de la siguiente manera las costumbres

nupciales de los nativos de la isla: "Está la desposada en un rico apartamiento esperando lo que no sé cómo pueda decirlo sin que la vergüenza no me turbe la lengua. Está esperando, digo, a que entren los hermanos de su esposo, si los tiene, y algunos de sus parientes más cercanos, de uno en uno, a coger las flores de su jardín y a manosear los ramilletes que ella quisiera guardar intactos para su marido. Costumbre bárbara y maldita, que va contra todas las leyes de la honestidad y del buen decoro" (I, 12, pág. 112). Y en *La crónica del Perú*, Cieza de León dice: "Casábanse como lo hacían sus comarcanos, y aun oí afirmar que algunos o los más, antes que casasen, a la que había que tener marido la corrompían, usando con ella sus lujurias."[40]

En otro pasaje Taurisa le dice a Periandro que los nativos suelen comprar esclavas pagándolas con "pedazos de oro sin cuño y en preciosísimas perlas, de que los mares de las riberas destas islas abundan; y a esta causa, llevados deste interés y ganancia, muchos se han hecho corsarios y mercaderes" (I, 2, pág. 57).

Las referencias a los sacrificios humanos, a los mares esparcidos de islas, a la abundancia de perlas y oro, al comercio intenso de esclavos y a la piratería son claros indicios, si no exclusivos, de las analogías con el material de Indias. No es, por tanto, de extrañar que en el tercer libro del *Persiles* aparezcan caracteres con los nombres de Francisco Pizarro y Juan de Orellana, homónimos de los conquistadores del Perú.

Cuando Arnaldo desembarca en una isla una nativa le sirve de intérprete con los habitantes. La situación recuerda distintamente a Cortés y a Doña Marina durante la conquista de México.

Sin embargo, uno de los pasajes más sugestivos es el que se lee durante el relato del primer encuentro entre Antonio y Ricla. Sorprendida por el español, la muchacha trata de huir: "Pasmóse viéndome, pegáronsele los pies en la arena, soltó las cogidas conchuelas, y derramósele el marisco...." (I, 6, pág. 9). Antonio logra tranquilizar a Ricla, quien le ofrece un pedazo de pan:

Ella, pasado aquél primer espanto, con atentísimos ojos me estuvo mirando, y con las manos me tocaba todo el cuerpo, y de cuando en cuando, ya perdido el miedo, se reía y me

abrazaba, y sacando del seno una manera de pan hecho a
su modo, que no era de trigo, me puso en la boca, y en su
lengua me habló, y a lo que después acá he sabido, en lo
que me decía me rogaba que comiese. (I, 6, págs. 9-10).

La historia, contada con la delicada sensibilidad cervantina,
parece evocar idealmente el primer encuentro entre el español y la mujer india. Pero más importante aún es un detalle
objetivo que parece indicar sin lugar a dudas la fuente de
Cervantes. Me refiero al pasaje que dice que la muchacha
ofreció a Antonio un "pan hecho a su modo, que no era de
trigo", lo que nos permite imaginar que sería pan de maíz, el
alimento principal de las Indias al tiempo de la conquista y, en
muchas regiones, aún hoy.[41]

Estos son sólo unos ejemplos, mas en mi opinión son suficientes para afirmar que Cervantes conoció el material de
Indias, sea por sus lecturas de las crónicas o poemas que trataron el tema, sea por sus probables conversaciones con los
que volvían de sus viajes a las Indias, y que tuvo en cuenta
este conocimiento para elaborar episodios y personajes del
Persiles. ¿Qué consecuencias pudieron tener este conocimiento
y estos "préstamos" para la teoría de la novela de Cervantes?
Si se considera la importancia que críticos y teóricos del renacimiento como Tasso y El Pinciano asignan a la historia, se
verán fácilmente las implicaciones teóricas de la asimilación
del material de Indias por parte de Cervantes.[42] En esta asimilación percibimos la presencia de una dimensión estética en
que realidad y ficción se proyectan a un plano estilístico y
utópico.

Será necesario comenzar la discusión con una reseña de
los planteos más importantes de la crítica cervantina al respecto. Me parece que cualquier estudio relacionado con las
lecturas de Cervantes debe referirse a la cuestión más general de la cultura literaria de Cervantes. El primero en estudiar
la cultura literaria de Cervantes fue Marcelino Menéndez y
Pelayo en un estudio escrito hace casi ochenta años.[43] Aunque éste sea un estudio superado en muchos aspectos, es históricamente muy importante porque en él Menéndez y
Pelayo expresó dos ideas que luego tuvieron una gran difusión. La primera, que la fuente del *Persiles* es la novela bizantina, es aún un dato incontrovertible para la crítica cervan-

tina. La segunda, que el *Quijote* es de alguna manera responsable de la extinción del género de los libros de caballerías, no ha sido refutada aún. Al desarrollar sus ideas Menéndez y Pelayo se refiere también al influjo de las crónicas en Cervantes, limitando sus referencias a las crónicas españolas de la Edad Media y sólo al pasar a las del descubrimiento y conquista de América. Menéndez y Pelayo también se refiere al problema de la relación entre historia y novela en Cervantes.[44] El nudo de la cuestión debatida por Menéndez y Pelayo es el realismo del *Quijote*, tesis defendida por el ilustre erudito santanderino. Es más, en su opinión el realismo del *Quijote* continúa la tradición del realismo de las crónicas medievales y de la conquista de América, mientras que los libros de caballerías se alejan de esa tradición con sus tramas inverosímiles: "La poesía de la realidad y de la acción; la gran poesía geográfica de los descubrimientos y de las conquistas, consignada en páginas inmortales por los primeros narradores de uno y otro pueblo, tenía que triunfar, antes de mucho, de la falsa y grosera imaginación que cambiaba torpemente los datos de esta ruda novelística."[45] La mejor definición de los personajes del *Quijote* para Menéndez y Pelayo es la de "insuperables héroes de carne y hueso",[46] y con su vuelta a las fuentes originarias del realismo de las crónicas medievales, de las *gestas* puntualmente documentadas en los romances y baladas de la Edad Media, el *Quijote* purificó los libros de caballerías: "La obra de Cervantes...no fue de antítesis, ni de seca y prosaica negación, sino a transfigurarle y enaltecerle."[47] Ahora bien, estudios recientes han demostrado que ni la historia del descubrimiento y de la conquista, ni las crónicas de Indias, pueden enmarcarse en lo que Menéndez y Pelayo define como "realismo".[48] Es más, las invenciones de los libros de caballerías constituyen aún una parte importante del *Quijote* y, más aún, del *Persiles*, que, según Menéndez y Pelayo, tiene todos los defectos de los libros de caballerías.

Sobre la importancia de la invención en Cervantes veamos lo que el mismo escritor nos dice. Recordemos aquí el famoso terceto puesto casi al comienzo del *Viaje del Parnaso*: "Yo siempre trabajo y me desvelo/por parecer que tengo de poeta/la gracia que no quiso darme el cielo."[49] En el "capítulo cuarto" dice: "Yo soy aquél que en la invención excede/a muchos, y, al que falta en esta parte,/es fuerza que su fama falta quede"

(I, pág. 1511). Al comenzar la descripción del sueño del "capítulo sexto" Cervantes se detiene a considerar la materia que
se dispone a tratar y, con ello, da una definición de su estilo
que por su claridad y brevedad merece un comentario, pues
creo que nos ayudará a entender en qué sentido podemos
hablar de "realismo" en Cervantes. Estos son los versos: "Pal-
pable vi... mas no sé si lo escriba, / que a las cosas que tienen
de imposibles / siempre mi pluma se ha mostrado esquiva; / las
que tienen vislumbre de posibles, / de luces, de suaves y de
ciertas, / explican mis borrones apacibles. / Nunca a disparidad
abre las puertas / mi corto ingenio, y hállalas continuo / de par
en par la consonancia abiertas" (I, pág. 1535). Siguiendo el
orden de estas citas parece que Cervantes estaba persuadido
de que no podía hacer versos, pero que tenía un excepcional
don de "invención" y que esta invención suya era enemiga de
cosas "imposibles" y aficionada a las "posibles". Además, Cervantes parece precisar que lo que rige esta "invención" no es
la "disparidad", sino la "consonancia".

Yo creo que para poder llegar a un concepto de realismo
en Cervantes hay que tener en cuenta su propia definición de
"invención". Por lo pronto, la misma idea de "invención"
excluye la imitación. Lo que Cervantes debió entender como
"invención" podría ser también "originalidad", en el sentido
de "novedad". Pero la originalidad y la novedad pueden fácilmente exagerar y salirse de las manos del escritor y degene-
rar en arbitrariedad y excentricidad. Esta es la razón por la
cual Cervantes creyó necesario precisar que su invención
había producido "borrones apacibles", con cosas que tenían
"vislumbre de posibles, / de luces, de suaves y de ciertas".
Ahora bien, ¿cómo conciliar esta definición de su estilo con la
trama del *Persiles*? Si las situaciones y personajes del *Persiles* no
tuviesen una "vislumbre de posibles" la definición de Cervantes no podría aplicarse al *Persiles*. Tampoco es admisible que
Cervantes haya cometido una "distracción" y no se haya
acordado de la novela, pues en el "capítulo cuarto" cita al *Persiles* en términos muy positivos anunciando su próxima salida:
"Ya estoy, cual decir suelen, puesto a pique / para dar a la
estampa al gran *Persiles*, / con que mi nombre y obras multipli-
que" (I, pág. 1512). Queda una sola posibilidad: que también
en el *Persiles*, como en todas las obras cervantinas, su autor
había tenido en cuenta lo verosímil. Y esto se explicaría mejor

si esa verosimilitud estuviese constituida por el material de Indias, que pudo proveer las situaciones y los personajes para que la novela adquiriese "vislumbre de posibles". La definición de su estilo en el *Viaje del Parnaso* encaja con la trama del *Persiles*, tan varia y múltiple, tan compleja y rica como los sucesos de América que aún iban en la boca de todos en tiempos de Cervantes y estaban documentados en las crónicas y los poemas que los relataban.

El realismo en Cervantes no siempre tiene el cariz popular y jocoso de *Rinconete y Cortadillo*, sino también la alusiva y fina ironía del *Licenciado Vidriera* o del *Coloquio de los perros*. La "consonancia" que según Cervantes rige su invención está dada precisamente por un orden de relaciones internas de la obra, relaciones que el autor percibió naturales e inmediatas y que para el lector de unos siglos más tarde puede resultar difícil y hasta imposible de percibir, tan alejado y extraño parece a veces el ambiente histórico, social y cultural en el que el autor vivió y concibió sus obras. Si de hecho miramos atentamente a la situación histórica de España a principios del siglo XVI nos percataremos que las fechas de la súbita popularidad de los libros de caballerías y las del descubrimiento y conquista de América son muy cercanas. Lo mismo podríamos decir, quizá con menos exactitud, de la fecha de la extinción gradual del género y del final de la expansión española en América.

Los años de fines del siglo XVI y comienzos del XVII marcan la crisis del poder militar y político de España, después de la derrota de la *Armada Invencible*, la muerte de Felipe II y las guerras con Holanda. Si debemos creer a estudios recientes[50] que muestran que no todo el material de las crónicas de Indias pude considerarse "realista", si la muerte de los libros de caballerías se debió no solamente al realismo predominante en la literatura española sino también al desengaño de los españoles por la situación política, militar y económica, entonces el *Persiles* es un trabajo mucho más significativo. Este planteo es aún más correcto si admitimos que Cervantes haya utilizado el material de Indias para la composición del *Persiles*. Bien había visto Menéndez y Pelayo que el *Quijote* había purificado los ideales de los libros de caballerías. Sin embargo el *Persiles* persigue con distintos medios, el mismo fin idealizador. Menéndez y Pelayo subrayó los defectos del *Persiles* porque no vio en él más que un remedo de la novela bizan-

tina y de los libros de caballerías.[51] Mas la obra tenía mucho
valor para Cervantes, que se refirió repetidamente a ella.[52]
¿Cómo explicarnos este entusiasmo de Cervantes por el *Persiles* si éste se hubiese limitado a ser obra de imitación? La verdad es que el *Persiles* continúa el *Quijote*, pero en clave cristiana
y contrarreformista. Bien lo vio Forcione, quien habló para el
Persiles de "novela cristiana".[53]

Pero ¿dónde pudo Cervantes en sus tiempos ver en la
realidad histórica española una epopeya cristiana sino en
América? Su confianza en la pervivencia de su fama también
como autor del *Persiles* se debe precisamente al hecho de que
en la obra su autor pensó haber logrado la armonía inventiva
de la que habla en el *Viaje del Parnaso*: la originalidad de la
invención, la verosimilitud de los personajes y de las situaciones, teniendo en cuenta el material de Indias, con su mezcla
de historia y de fábula y de sucesos excepcionales, y el espíritu cristiano que constituye el elemento unitario de la obra,
precisamente la "consonancia" mencionada en el *Viaje del Parnaso*. Pero la epopeya cristiana de América ya en tiempos de
Cervantes había adquirido un cariz polémico a raíz de la difusión de los escritos del padre Las Casas, muerto en 1566,
cuando Cervantes contaba diecinueve años. ¿Pudo un hombre como Cervantes quedar extraño al drama moral de la
conquista, desencadenado por los escritos acusatorios de Las
Casas? Las acusaciones del dominico estaban inspiradas por
su celo cristiano. Uno de los resultados de sus escritos fue el
origen y la difusión de la llamada "leyenda negra",[54] precisamente por la época en que Cervantes reside en Sevilla.[55] Por
la época de la publicación del *Persiles* las crónicas de la conquista han menguado sensiblemente.[56] En el *Persiles* Cervantes concibió como motivo inspirador su sincero cristianismo.
Su visión doble de la realidad a veces deja entrever la crítica
de la sociedad, pero sin animosidad o pasión polémica, con el
estado de ánimo advertido en el capítulo XVI del tercer libro:
"Cosas y casos suceden en el mundo, que si la imaginación,
antes de suceder, pudiera hacer que así sucedieran, no acertara a trazarlos; y así muchos por la raridad con que acontecen, pasan plaza de apócrifos, y no son tenidos por tan
verdaderos como lo son" (III, 16, pág. 381).

Si aplicáramos estos conceptos al material de Indias enten-
deríamos el concepto de "verosimilitud" en Cervantes.

Muchos sucesos de las Indias parecen inverosímiles, pero han ocurrido. En el mismo capítulo Cervantes nos presenta el episodio de la esposa de Ortel Banedre, quien va como cautiva de un soldado español que la quiere llevar a Italia. La desdichada mujer pide a Periandro y a Auristela que la liberen de su esclavitud: "Por quien Dios es, señores, pues sois españoles, pues sois cristianos, y pues sois principales, según lo da a entender vuestra presencia, que me saquéis del poder deste español, que será como sacarme de las garras de los leones" (III, 16, pág. 383). La súplica de la mujer, invocando el nombre de Dios y el ser español y cristianos los suplicados, contra la tiranía de otro español, soldado, encaja bien con la realidad de las Indias, donde españoles cristianos como Las Casas defendían a los indios contra la prepotencia de otros españoles. Y esto es tanto más significativo por cuanto el episodio ocurre en tierra de Francia y la mujer hubiera podido ser esclavizada por un francés. La sutileza de la alusión cervantina nos obliga a entrever esta transparencia de significados. De hecho, la naturaleza intensamente reflexiva de Cervantes le impedía toda otra forma de criticismo que no fuera la alusión soslayada y equilibrada, pues sobre la impulsividad de los poetas Cervantes advirtió en el *Viaje del Parnaso*: "Suele la indignación componer versos,/pero si el indignado es algún tonto,/ellos tendrán su todo de perversos" (I, pág. 1511).

América Castro fue el primero en llamar la atención sobre el dualismo de "historia" y "poesía" en Cervantes.[57] Según las teorías poéticas del siglo XVI, el poeta debía decir las cosas de la forma en que deberían haber ocurrido y no cómo realmente ocurrieron.[58] La interpretación de Castro nos permite decir que en el *Persiles* Cervantes expresó su concepción de las fuentes históricas, como serían las crónicas de Indias. En otras palabras, en el *Persiles* Cervantes trató el material de Indias de la misma manera en que había tratado la tradición literaria culta del Renacimiento en el *Quijote*.[59] Las crónicas de Indias le dieron a Cervantes la oportunidad de imaginar lugares nuevos e inusitados, y de ejercitar su hábito de "darse el gusto de echar a volar la fantasía, placer literario para él de orden eminente."[60]

En su análisis del discurso del canónigo toledano en *Quijote*, I, 47 y su relación con el *Persiles*, Castro concuerda con la interpretación de Schevill y Bonilla que ven en este pasaje un

esbozo de la trama del *Persiles*.⁶¹ En *Quijote*, I, 49, Don Quijote
contesta al conónigo que él no duda de la existencia de los
caballeros andantes y de sus acciones heroicas, enumerando
estas acciones y mencionando los libros de caballerías junto
con las crónicas medievales, los héroes ficticios con los caballeros españoles de carne y hueso. El canónigo toledano se
asombra al oír la "mezcla que Don Quijote hacía de verdades
y mentiras." En *Quijote*, I, 47, el canónigo describe el argumento del modelo del libro de caballerías "que era el sujeto
que ofrecían para que un buen entendimiento pudiese mostrarse en ellos, porque daban largo y espacioso campo por
donde sin empacho alguno pudiese correr la pluma, descri-
biendo naufragios, tormentas, reencuentros y batallas, pin-
tando un capitán valeroso con todas las partes de sus
enemigos, y elocuente orador." Y concluye su formulación del
modelo diciendo: "Porque la escritura desatada destos libros
da lugar a que el autor pueda mostrarse épico, lírico, trágico,
cómico, con todas aquellas partes que encierran en sí las dul-
císimas y agradables ciencias de la poesía y de la oratoria; que
la épica también puede escribirse en prosa como en verso." La
primera parte de la descripción del canónigo, donde habla de
"naufragios, tormentas, reencuentros y batallas", encaja con
el material de Indias, mientras lo que sigue es una referencia
a la prestigiosa tradición clásica de la literatura e historia
griegas y latinas: "Puede mostrar las astucias de Ulises, la piedad de Eneas, la valentía de Aquiles, las desgracias de Héctor,
las traiciones de Sinón, la amistad de Euríalo, la liberalidad de
Alejandro, el valor de César, la clemencia y verdad de Tra-
jano, la fidelidad de Zopiro, la prudencia de Catón, y, finalmente, todas aquellas acciones que pueden hacer prefecto a
un varón ilustre, ahora poniéndolas en uno solo, ahora divi-
diendolas en muchos." Si nos fijamos un momento en esta
serie de héroes veremos que son héroes clásicos y paganos.
Pero el héroe del *Persiles* es un héroe cristiano.⁶² Cuando Cervantes concibió el pasaje de *Quijote*, I, 47, aún no había concebido a un héroe cristiano para su modelo del *Persiles*. Por
tanto, el pasaje de *Quijote*, I, 47, es, como ya habían dicho
Schevill y Bonilla y A. Castro, un esbozo del *Persiles* y no un
resumen, como recientemente se ha intentado demostrar.⁶³
En esta concepción del héroe cristiano es muy posible que el
material de Indias inspiró a Cervantes.⁶⁴ De hecho el conquis-

tador español es un conquistador cristiano, pues es el Papa que, a través de la persona del monarca, embiste al conquistador de la autoridad y facultad de difundir el Evangelio en las Indias.[65]

Otro aspecto relacionado con el material de Indias es el carácter épico—histórico de la teoría de la novela de Cervantes. Según Riley, la conclusión del canónigo de Toledo expresa claramente lo que Cervantes quería que fuera el *Persiles*: "What we have here is not so much a theory of the Novel—as a theory of a certain type of novel—a type, however, which specially appealed to Cervantes. It is certainly not the sum of his theory and still less a description of his own achievements. It accounts well enough for the *Persiles*."[66] Además Riley cree que el pasaje del canónigo toledano sigue las ideas de El Pinciano y de "certain Italian theorists".[67] Aparentemente el teórico italiano al que Riley se refiere es Tasso, que en sus *Discorsi del poema eroico* había expresado sus preferencias por los temas históricos.[68] Es más, él creía que el poeta debía ubicar la acción en lugares inusitados, como lo eran las Indias, por él mencionadas: "Pero di Gotia e di Norvegia e di Svezia e d'Islanda o de l'Indie Orientali *o di paesi de nuovo ritrovati nel vastissimo oceano oltre le colonne d'Ercole*, si dee prender la materia de' si fatti poemi."[69] Alban K. Forcione observa que entre los críticos del renacimiento "historical subject is to be preferred in tragedy and epic, as its acceptance and documentation guarentee both grandeur and verisimilitude; nevertheless, it is conceivable that an invented subject could have both qualities."[70] Forcione también indica que Tasso no solamente influyó en Cervantes en su convicción de renovar la épica clásica incorporando ciertos aspectos propios de los libros de caballerías, sino también en la idea de ubicar la acción en lugares alejados e inusitados: "Moreover, he may have been following contemporary literary theories concerning the legitimate marvelous and specifically Tasso's suggestion that the poet describe the realities of the new world, which, although strange and wonderful, are verified by the historians and accepted as true by the reading public."[71] Siguiendo la sugestión de Forcione, no excluiría la posibilidad que hasta la variedad de motivos en el pasaje del canónigo toledano hayan sido inspirados por Tasso, quien dice:

...così parimente giudico che da eccelente poeta (il quale
non per altro è detto divino, se non perché, al supremo
artefice ne le su operazioni assomigliandosi, de la sua divi-
nità viene a partecipare) un poema formar si possa, nel
quale, quasi in un picciolo mondo qui si leggano ordinanze
di eserciti, qui battaglie terrestri e navali, qui espugna-
zioni di città, scaramucce e duelli, qui giostre, qui descri-
zioni di fame e di sete, qui tempeste, qui incendi, qui
prodigi; là si trovino concilii celesti ed infernali, là si veg-
giano sedizioni, là discordie, là errori, là venture, là incanti,
là opere di crudeltà, di audacia, di cortesia, di generosità, là
avvenimenti d'amore, or felici, or infelici, or lieti, or
compassionevoli.[72]

Tasso observa también que la mezcla de verdad y mentira
como un recurso estilístico se da en Homero, Virgilio, Ovidio
y otros.[73] La asimilación del material de Indias debe considerarse también teniendo en cuenta la constante preocupación
de Cervantes por la verosimilitud y por la doble perspectiva
de realidad y fantasía común a Cervantes y al material de
Indias. Debemos concordar con Esteve Barba quien, al tratar
de justificar la tendencia de muchos cronistas a dejar correr
su imaginación se pregunta: "Si Menfis o Babilonia hubieran
permanecido ignoradas, vivas e intactas y hombres de otras
edades hubieran podido sorprenderlas en plena vida, su
asombro sería comparable al de los soldados de Cortés o de
Pizarro al penetrar Tenochtitlán o el Cuzco. ¿Qué imaginación no habría de desbordarse?"[74] El mismo Cervantes nos da
la pauta de este dualismo en el *Persiles*, cuando al comienzo del
capítulo XIV del tercer libro dice: "La historia, la poesía y la
pintura simbolizan entre sí y se parecen tanto, que cuando
escribes historia, pintas, y cuando pintas, compones. No
siempre va en un mismo paso la historia, ni la pintura pinta
cosas grandes y magníficas, ni la poesía conversa siempre por
los cielos. Bajezas admite la historia; la pintura, hierbas y
retamas en sus cuadros; y la poesía, tal vez se realza cantando
cosas humildes" (III, 14, pág. 371).

Hay otra relación entre el material de Indias y Cervantes,
más sutil y profunda y aun más difícil de rastrear con una
mera comparación textual. Para ver esta relación hay que
tener en cuenta el idealismo de ciertas crónicas, como los

Comentarios reales. La obra de Garcilaso de la Vega, el Inca, fue una idealización de la sociedad incaica en la tradición de las crónicas primitivas y de las utopías del Renacimiento. Garcilaso siguió en esto el modelo ya elaborado por Colón, Pedro Mártir, Quiroga y Las Casas., aunque su obra se haya inspirado en un pasado reciente en el que el mismo historiador ahondaba sus raíces. Mientras la tradición utópica anterior, desde Platón a San Agustín y Tomás Moro, miró a presentar un modelo ideal de sociedad, Garcilaso se inspiró en un pasado reciente. Al mismo tiempo él se convirtió en modelo de otros utopistas posteriores: "Es innegable que la narración de Garcilaso ha impulsado el genio imaginativo de Campanella y de Harrington: ha inspirado la *Alzira* de Voltaire o *Los Incas* de Marmontel; ha suscitado algunas creaciones de Rousseau y hasta *El Falansterio* de Fourier", afirma Carlos Manuel Cox.[75]

En el *Quijote* Cervantes había asimilado los ideales del Renacimiento para un mundo mejor; él había soñado con una sociedad más pura, sin egoísmos ni prejuicios, animada por el espíritu de la "Arcadia", por la independencia del *Pedro de Urdemalas*, por la inocencia de *La gitanilla*, por la espontaneidad de *La Galatea*. La attracción por las Indias había sido grande y en el año 1590 Cervantes había deseado ir allí. En las crónicas de Indias, América ofrecía el primer modelo de una sociedad verdaderamente inocente, al estado natural. Junto con Tenochtitlán y Cuzco las Indias ofrecieron sociedades al estado más natural que el hombre hubiese podido contemplar. El Nuevo Mundo, como se llamó, se convirtió en objeto del esfuerzo de espíritus humanitarios que quisieron presevar su pureza e inocencia, como Bartolomé de Las Casas o Vasco de Quiroga. El *Persiles* muestra evidencias de la concepción de una sociedad ideal, inspirada al sentimiento cristiano en la "peregrinación" hacia Roma, la ciudad de Dios.

Desde el punto de vista estrictamente literario podemos comprender cómo la cultura y el genio de Cervantes no le permitían la imitación del material de Indias; éste fue "filtrado" por la sensibilidad de Cervantes; los temas de las crónicas y de los poemas inspirados en la conquista de América fueron incorporados al *Persiles* disimuladamente, envueltos en el ropaje culto y barroco de la novela bizantina y organizados de acuerdo a un plan moral y religioso de purificación espiritual basado en la doctrina cristiana.

III Parte.
La Edad de Oro
y la utopía en América

✲ I ✲

Naturaleza y cultura:
La cuestión de antiguos
y modernos
en las crónicas primitivas

Hemos visto cómo los textos de los primeros cronistas del descubrimiento de América nos revelan la idea central de dos motivos relacionados con la elaboración de la utopía moderna: la interpretación del encuentro entre los europeos corruptos y decadentes con los habitantes inocentes y felices de las islas nuevamente halladas por Colón; de este encuentro surge la comparación entre el indio y el europeo, favorable al primero. En estos textos, por primera vez, dos mitos seculares de origen clásico se funden en uno solo como consecuencia de la experiencia que la cultura del Renacimiento tuvo del Nuevo Mundo.[1]

El interés que este motivo tiene para entender cómo dos mitos clásicos adquieren significación en la Edad Moderna, es polifacético. De hecho, estos dos mitos representan al mismo tiempo, en primer lugar, el proceso por el cual, después del largo paréntesis medieval, el Humanismo y el Renacimiento recuperan la cultura clásica y, en segundo lugar, y a diferencia de otros mitos clásicos, recobrados y elaborados por la cultura del Renacimiento, cómo estos dos mitos se unifican para hallar su justificación empírica.

Los datos de la realidad contemporánea escrupulosamente analizados por los humanistas, reforzaban en ellos la opinión que la civilización se estuviese corrompiendo y que se haría necesaria una renovación, la "renovatio" a la que se refieren en sus obras Leonardo Bruni, Pico della Mirandola, Marsilio Ficino, León Bautista Alberti y Fra' Girolamo Savonarola en los decenios que preceden el descubrimiento del Nuevo Mundos hasta los años en que el mismo ocurre. Durante el humanismo del "Quattrocento" italiano, frente a la civilización corrupta y decadente, se yergue como ideal el del hombre al estado natural. Una primera elaboración de este mito había sido hecha por Poggio Bracciolini en una carta escrita desde Baden en 1416. Este texto se inspira en la *Germania* de Tácito, una obra escrita para contraponer la decadencia romana a la derechura de costumbres de los pueblos germánicos. Es precisamente ésta la idea retomada por Bracciolini.

El descubrimiento del Nuevo Mundo sirvió de confirmación empírica a una actitud mental ya difusa entre los humanistas italianos del siglo XV. El acuerdo siempre mayor que se observa sobre este punto entre los humanistas europeos debería constituir el verdadero motivo unificador del pensamiento humanístico cristiano, es decir, de ese pensamiento que auspicaba a una "renovatio", como puede verse en las obras de autores tan distintos como Lorenzo Valla, Leonardo Bruni, Pico della Mirandola, Marsilio Ficino, Fray Girolamo Savonarola, Erasmo de Rotterdam y Tomás Moro.

Las crónicas del descubrimiento ofrecen un punto de referencia y, en cierto sentido, de confirmación definitiva de la validez de esta interpretación potencialmente apocalíptica de la "renovatio". Es claro que una renovación podía verificarse solamente por la interpretación de un hombre nuevo, un hombre que no estuviese contaminado por la corrupción europea. Este hombre apareció con el descubrimiento del Nuevo Mundo. Entre los humanistas que teorizaron más y mejor sobre este tema, Montaigne y Campanella entendieron el descubrimiento en este sentido, con una insistencia en el aspecto moral en Montaigne y apocalíptico-religioso en Campanella.

El mito clásico se presenta como una alegoría de la decadencia y de la corrupción de las costumbres y de las virtudes del hombre. Este motivo se relaciona en los textos clásicos al de la edad de oro, concebida como aquel estado feliz de la virtud moral y del bienestar físico. La edad de oro es la "plenitudo temporum", auspiciada por los humanistas, la época del triunfo de la virtud, de la ciencia y de la sabiduría, de la verdad cristiana, mientras la corrupción se identifica como la edad de hierro, la época del triunfo de los vicios y de la violencia, la hipocresía, la mentira y la avaricia, características de una civilización en decadencia.

En la *Odisea* Homero había evocado los pueblos de la Libia "donde los corderos tienen cuernos desde el nacimiento y donde, desde el príncipe al pastor todos tienen lo suficiente de queso, víveres y leche fresca, porque las ovejas dan a luz tres veces al año...." (IV, v. 85-89)[2] y se había referido a la isla de Syros, "una isla que se halla sobre Ortigia, del lado de poniente. No está muy poblada, mas es un país rico; vacas, montones y vino en abundancia y trigo en cantidad. Jamás se conoce el hambre, jamás las enfermedades, estos flagelos de los hombres infelices; mas cuando los ciudadanos han llegado a la vejez, el dios del arco de plata, Febo, acompañado por Artémides, los mata con sus flechas más dulces. Hay dos ciudades que se dividen el territorio; sobre ambas reina mi padre Otesios, uno de los hijos de Oremenos, que se asemeja a los dioses inmortales" (XV, v. 403-414). Estas referencias demuestran que ya en Homero se da el mito de la felicidad del hombre en un país fabuloso, en el que las poblaciones tienen abundancia de todo, como los habitantes de Syros, y están libres de las plagas que azotan a la humanidad, del hambre, de las enfermedades y de las guerras, o como los habitantes de la Libia que gozan todos de la misma abundancia de alimentos.

En *Las obras y los días* Hesiodo representa las distintas edades de la raza humana, concebidas como cinco momentos sucesivos—la edad de oro, de plata, de bronce, de los semidioses y de hierro—de una involución que revela la decadencia del hombre. En la edad de oro los hombres constituyeron una "raza de oro" y vivieron como dioses, sin tristeza en su corazón, libres de sufrimientos y dolores. Cuando morían parecían entregarse a un sueño feliz y profundo. La tierra entregaba frutos en abundancia sin que fuese necesario trabajarla (v. 109-118).[3] Pero la raza siguiente, la que Hesíodo llama de plata, no era más noble como la de oro. Estos hom-

bres eran infelices a causa de su propia estulticia, además de
ser grandes pecadores y ultrajadores de los otros hombres. Al
no ofrecer los sacrificios debidos a los dioses, Zeus los borró
de la faz de la tierra. La tercera raza, que Hesíodo llama de
bronce, "terrible y muy fuerte", era inferior a la de plata.
Estos eran muy crueles y violentos y se aniquilaron mutua-
mente hasta que no quedó ni uno. Entonces Zeus creó una
cuarta generación de hombres, que Hesíodo llama de los
semidioses, más nobles y justos de los otros. Las guerras los
exterminaron en parte, y a los demás Zeus dio como demora
estable una isla lejana de los hombres, en los confines de la
tierra. De manera que éstos viven sin sufrimientos en las
islas felices, en medio de mares profundos, como héroes a
quienes la tierra da trigo y frutos tres veces por año.

Después de estos semidioses felices que habitan las islas
en los confines de la tierra, Zeus creó una quinta raza, la de
hierro, y los hombres de esta raza "jamás cesan de sufrir los
trabajos y los dolores diarios, ni de perecer durante la noche: y
los dioses los condenarán a sufrir continuamente. Pero no
obstante ello, también éstos tendrán algo de bueno mezclado
con algún mal. Y Zeus destruirá esta raza de mortales cuando
ellos mostrarán desde el nacimiento los cabellos grises en las
sienes. El padre no irá de acuerdo con sus hijos, ni los hijos
con el padre, ni el huesped con sus invitados, ni el compañero
con el compañero; ni el hermano querrá al hermano como en
los primeros tiempos. Los hombres deshonrarán a sus padres
y envejecerán pronto y se lamentarán, reprochándoles con
palabras amargas, con corazón cruel desconocedores del temor de los dioses. Ellos no demostrarán su gratitud para los
padres ancianos por el alimento recibido en la infancia porque
tendrán muchas pretensiones y saquearán las ciudades aje-
nas. No reconocerán al que mantendrá la fe del juramento, ni
al que es justo, ni al que es honesto; al contrario los hombres
alabarán al malo y a su maldad. La fuerza será el derecho y no
habrá más respecto por nada ni por nadie; y los fraudulentos
dañarán a los hombres honestos acusándoles falsamente, per-
jurando en contra de ellos. La envidia, con su lenguaza,
gozándose en el mal, con la cara alterada por la cólera, se
presentará con los hombres depravados. Entonces la Virtud y
la Némesis, con su aspecto dulce, envueltas en sus túnicas
inmaculadas, abandonarán los senderos amplios de la tierra y

prohibirán a los hombres de unirse con los dioses inmortales; y dolores amargos serán sembrados entre los mortales y no habrá ayuda contra el mal" (v. 176-201).

En esta parte de *Las obras y los días* en que trata de las cinco edades del hombre Hesíodo ha concebido tres ideas que serán constantes en el pensamiento occidental: 1) la idea de la edad de oro; 2) la idea de una existencia feliz en las islas en los confines del mundo; 3) la idea de la edad de hierro como la de la corrupción y del mal. También resulta claro por estas referencias que Hesíodo concibe la historia del hombre desde el punto de vista moral. En esta concepción la caída o decadencia del hombre ocurre en un mundo que había conocido edades mejores, mientras que la felicidad, si existe, está en los confines de la tierra y, prácticamente, es inalcanzable. El Humanismo, ya en Petrarca y en Salutati, había auspicado la integración de la caridad cristiana con la moral de los clásicos.

Ovidio en *Las Metamorfosis* trata también el motivo de las edades diferentes del hombre, pero, en vez de distinguir cinco edades, distingue cuatro: la de oro, de plata, de bronce y de hierro. En Ovidio no hay la raza de los semidioses de Hesíodo, ni los Libios o la isla de Syros de la *Odisea*. Mas también Ovidio, como Hesíodo, tiende a indicar la decadencia y la corrupción del género humano, de un estado de inocencia donde el hombre vivió feliz sin ciudades, ni propiedad, ni armas, ni leyes, ni trabajos:

La misma tierra, sin que nadie la obligara, ni la tocara con un arado o con la azada, daba de sí todo lo que fuese necesario al hombre. Y los hombres, contentos por el alimento recibido sin esfuerzo, cogieron los frutos de los árboles, fresas de las lomas de las montañas, cerezas de cornejo, membrillos nacientes en abundancia de las ramas espinosas de las matas y bellotas caídas de las amplias ramas del árbol de Zeus. La primavera duraba entonces para siempre y los zéfiros agradables con sus soplos tibios se deleitaban con las flores que nacían sin que nadie los plantara. Entonces la tierra, sin ser cultivada, daba sus cosechas de trigo y los campos, sin arar, se volvían blancos de espigas llenas de trigo. Riachuelos de leche y de néctar dulce fluían y miel rubio se destilaba de las encinas verdes. (*Metamórfosis*, Lib. I, v. 101-112).[4]

La cuarta y última edad, "la dura edad del hierro", es
anunciada antes de todo por la pérdida de las virtudes y por la
afirmación universal de los vicios:

> ...la modestia, la verdad y la fe abandonaron la tierra, y
> en su lugar llegaron los engaños, las intrigas y las trampas,
> la violencia y la maldita avaricia...y la tierra, que antes era
> común como la luz del sol y como el aire, fue cuidadosa-
> mente dividida por los intendentes con largas separaciones
> que marcaban los límites...Y ahora el hierro dañino había
> llegado, y el oro, aún más dañino del hierro; y vino la gue-
> rra, que se combatió con ambos estos metales, y esgrimió
> en sus manos ensangrentadas las armas chocantes. Los
> hombres vivieron del saqueo. Los invitados no se sintieron
> amparados de sus huéspedes, ni el suegro del cuñado;
> hasta entre hermanos fue difícil hallar el afecto. El marido
> procuró la muerte de la mujer y ésta la del marido; suegras
> asesinas prepararon sus brebajes letales y el hijo inquirió,
> antes de tiempo, por la edad de los padres. La piedad cayó
> vencida y la virgen Astrea, la última de los inmortales,
> abandonó la tierra impregnada de sangre. (*Ibidem*, v. 129-
> 150).[5]

En Tácito, por primera vez, este motivo de la edad de oro
y del buen salvaje sirve para presentar una situación históricamente verdadera, en su descripción de la vida y las costumbres de los pueblos germánicos. En su *Germania*, el historiador
romano expone la virtud viril, el valor, el coraje, la rectitud y
las costumbres sexuales de estos pueblos para oponerlos
obviamente a la corrupción de la sociedad romana de su
tiempo. El no deja de poner en relieve las costumbres y los
excesos, como la propensión a la ebriedad, al juego y a la violencia de los Germanos, pero resulta claro del texto que el
historiador quiere presentar un claro contraste entre Germanos y Romanos. Esta oposición adquiere valor moral, como
puede verse en ciertos pasajes, como aquel en que Tácito
refiere que los guerreros germanos "Retiran los cuerpos de
sus camaradas hasta en las batallas inciertas. Abandonar el
escudo es la verguenza máxima y se prohíbe la asistencia a las
ceremonias y la entrada a las asambleas al hombre que se ha
cubierto de esta ignominia; muchos supérstites de las guerras
han puesto fin a su infamia ahorcándose" (VI).[6] El mismo fin

moralístico y didáctico se percibe en la descripción de la elección de los jefes germanos: "Eligen a los reyes por su nobleza y a los generales por su valor" (VIII).[7] El coraje de los antiguos germanos se basaba en su amor por sus mujeres y por sus hijos:

> ...lo que acucia de manera singular su coraje no es ni el caso, ni un ordenamiento accidental de los órdenes o de la falange, sino la familia y los parientes; y sus seres queridos están tan cerca que desde allí le llegan los gritos de sus mujeres y el llanto de los niños. Estos son para cada uno los testigos más sagrados y los mejores alabadores; ellos se llegan con sus heridas a sus madres y a sus mujeres y ellas no se amedrentan de contarlas y examinar las llagas, y también llevan a los combatientes alimento y exhortaciones (VII).[8]

Es tanta la fuerza de este amor para sus mujeres y para la libertad que a menudo la visión de sus pechos desnudos y sus lamentos les han hecho hallar el coraje para vencer una batalla que ya parecía perdida (VIII). Las costumbres matrimoniales de los Germanos son también ejemplares, entre todos los otros bárbaros: "He aquí entonces que sus esponsales son castos y no hay nada en sus costumbres que merezca más elogios. Porque, casi únicos entre los bárbaros, se contentan de una sola mujer...." (XVIII).[9] La intención moralística de Tácito es implícita y es evidente en el capítulo XIX donde dice:

> Ellos viven muy virtuosamente y no conocen por su parte ni las seducciones de los espectáculos, ni la excitación de los banquetes. Hombres y mujeres por igual ignoran los secretos de la literatura.

> En una nación tan numerosa los adulterios son extremamente raros, el castigo es inmediato y está reservado al marido. Él le corta los cabellos, la desviste desnuda en presencia de sus parientes y la arroja fuera de su casa dándole con el látigo a lo largo del camino que atraviesa el pueblo; la virtud que no supo defenderse no halla ninguna indulgencia: ni la belleza, ni la juventud, ni las riquezas le harán hallar jamás un marido. Porque entre ellos nadie se mofa de los vicios y nadie dice que es "el signo de los tiempos" de

corromper y ser corrompido...Limitar el número de los
hijos o matar a uno de los que nacen después del primogé-
nito se considera un delicto infame, y entre ellos las buenas costumbres tienen una fuerza mayor que las buenas
leyes en otras partes (XIX).[10]

Tácito elogia también la sabiduría de los Germanos cuando
describe las deliberaciones en las que antes beben abundantemente para revelar mejor sus intenciones en público y, al día
siguiente, deciden lo que deben hacer: "Este pueblo que no
conoce ni la astucia, ni la malicia, revela aún mejor los secre-
tos de su corazón en la libertad de la intención sin fines
secundarios; de manera que el pensamiento de cada uno se
revela en su integridad. El día siguiente se vuelve a considerar el asunto y se respetan las convenciones de cada ocasión:
ellos deliberan cuando no saben fingir y deciden cuando no se
pueden equivocar" (XXII).[11] Se podrían interpretar estas palabras de Tácito como un comentario sobre la infalibilidad del
instinto natural, en oposición a la política elaborada y llena de
astucias del Imperio Romano porque estaba basada en las
convenciones civiles, que en Tácito, por oposición a la espontaneidad de los Germanos, se sienten como maniobras di-
simuladas y calculadas para engañar al prójimo. De hecho en
otras partes de la obra se puede percibir esta admiración
implícita de Tácito por la derechura alcanzada por los Germanos en una sociedad que no conoce ni los vicios ni las convenciones propias de los pueblos civiles. De los atletas que en las
fiestas hacen volteretas desnudos entre espadas bien afiladas,
él dice: "El ejercicio ha hecho nacer el arte y ésta la belleza,
pero sin una finalidad de provecho o compensación. De este
pasatiempo, por otra parte temerario, el único premio es el
placer de los espectadores" (XXIV).[12] Los Germanos ignoran
la codicia de la ganancia y la usura: "La actividad de la ganancia y del préstamo a interés les son desconocidas; y así están
excluídos mejor que si fueran prohibidos" (XXVI).[13]

En la conclusión de su descripción de los Germanos Tácito
advierte a sus conciudadanos del grave peligro que los amenaza porque los Romanos aún no han vencido a este pueblo
indomable, "porque en tiempos recientes los hemos derro-
tado, pero no vencido" (XXXVII).[14]

En su diálogo *Saturnalia* Luciano evoca la edad de oro por

boca de Cronos, la divinidad que reinaba durante la semana
de las celebraciones:

> ...y yo reino nuevamente para recordar al género huma-
> no como era la vida bajo mi dominio, cuando cada cosa
> crecía de por sí sin necesidad de tener que cortar, ni de
> arar—no solamente espigas de trigo, sino pan cocido y car-
> nes preparadas. El vino corría como un río y había fuentes
> de miel y de leche, porque todos eran buenos, de oro puro.
> Esta es la razón de mi dominio breve, el motivo por el cual
> doquier que golpean las manos y cantan y se entretienen
> en juegos y cada uno, esclavo u hombre libre, se considera
> tan bueno como su vecino. Ves, no había esclavitud en mis
> tiempos.[15]

El interlocutor de Cronos, el sacerdote, imagina cómo sus
contemporáneos recibirían a uno de los hombres de oro de los
tiempos de Cronos: "...supongamos que uno de tus hombres
hechos de oro batido llegara a este mundo para que todos lo
vieran, ¡qué momento desagradable pasaría el pobre hombre
en manos de la gente! Ellos ciertamente acudirían a él para
desgarrarle los miembros...."[16] Un personaje del diálogo,
Cronosolon, imagina las leyes que deberían promulgarse durante la semana de las Saturnalias. La primera ley sería que
"cada uno debe ser tratado igual que los otros, esclavos y
hombres libres, pobres y ricos."[17] Además el autor imagina
que él mismo escribe a Cronos para confesarle su propia
pobreza y la injusticia de la existencia de pocos ricos y de
muchísimos pobres y que por ello sería necesario redistribuir
la riqueza para que hubiese una sociedad más justa.[18] No obstante el tono irónico, este diálogo logra expresar una preocupación auténtica de reforma social.

Los cinco textos citados hasta ahora constituyen una
buena selección del pensamiento clásico sobre el tema del
buen salvaje concebido como el hombre bueno porque aún al
estado de natura y, por lo tanto, modelo de virtud, en oposición a una sociedad corrupta, como en Hesíodo, Ovidio y
Tácito, o a veces como arquetipo de una sociedad feliz porque
desconoce la pobreza, la enfermedad y los dolores que siempre acompañan la vida de los mortales, como en Homero y en
Luciano. Además en Hesíodo, Ovidio, Tácito y Luciano se distingue el motivo social de la codicia como el vicio típico de la

sociedad contemporánea y la ausencia de la misma en la sociedad de natura. Pero es en Tácito que por primera vez se verifica la aplicación de un tema literario a un grupo humano real, es decir, los germanos. Es éste el motivo que prevalecerá en la literatura del descubrimiento y de la conquista del Nuevo Mundo. El motivo de la edad de oro y de la decadencia coexisterá con el del buen salvaje y en ciertos cronistas, como en Quiroga, constituirá el motivo inspirador de su obra de reformador.

Antes del Humanismo este motivo de la edad de oro aparece en Dante: "Quelli ch'anticamente poetaro/l'eta dell'oro e suo stato felice,/forse in Parnaso esto loco sognaro" (*Purgatorio*, XXVIII, v. 139-141). En los versos de Dante la referencia ilumina la tradición clásica, de la que es parte Virgilio, presente allí cerca de Dante, desde un punto de vista místico-cristiano y se relaciona a su vez a una realidad que supera la vida terrena. Como hemos anticipado, el humanismo italiano no podía quedar extraño a este motivo de la edad de oro y del buen salvaje como el hombre bueno porque vive al estado de natura. Mas, a diferencia de Dante, el Humanismo ve en este motivo una perspectiva terrena e histórica, la posibilidad de aplicar sus consecuencias teóricas a una nueva interpretación de la vida y del hombre, ni mística ni religiosa, sino laica y científica. Hemos recordado ya el texto de Bracciolini. En la concepción del Humanismo hay una confianza en la enorme capacidad y bondad de la naturaleza guiada por la razón humana. Por este motivo algunos de los humanistas más grandes examinaron con gran interés los pueblos de Europa, porque los consideraban como sociedades al estado natural, y, por lo tanto, más cercanos a la sabiduría y potencia de la naturaleza.

Ya hemos recordado la carta escrita por Bracciolini a su amigo Niccolò Niccoli desde Baden en 1416.[19] En este texto la fuente de Tácito no solamente constituye el material de información sobre el tema de los Germanos, tradicionalmente concebidos así como "buenos salvajes", sino como inspiración para continuar la oposición ya concebida por Tácito, Germanos-Romanos, con la nueva oposición Alemanes-Italianos. Esta nueva oposición es tanto más significativa porque los Alemanes de Poggio se conciben como los habitantes ideales del estado ideal del Humanismo, es decir la *República* de Platón, el modelo clásico de la utopía, el género que más y mejor de cualquier otro encierra los ideales del Humanismo. Como ha demostrado Garin, el

Renacimiento a menudo concibió al hombre ideal y a su residencia perfecta en la tierra con una visión que superó la cruda realidad contemporánea: "Le regne de Saturne, l'age d'or occupent les esprits avec d'autant plus de force qu'ils semblent plus éloignés de la terre. Le chancelier de la République florentine Leonardo Bruni, mort en 1444, nous raconte lui-meme qu'il recherchait les textes de Platon alors que le choc des luttes civiles secouait les murs des palais solennels."[20] El texto de Poggio anticipa la visión humanística de las crónicas del descubrimiento en autores tan diversos como Colón, Pedro Mártir, Las Casas, Quiroga, Montaigne y Campanella.

En Colón se verifica una novedad importante: el mito clásico de la edad de oro y del buen salvaje está decididamente asimilado a la tradición bíblica de la caída del Paraíso Terrenal y del redescubrimiento del mismo en el Nuevo Mundo. En este sentido Colón está más cerca de Dante que de Bracciolini o de Leonardo Bruni, con la diferencia que, mientras el viaje dantesco es de carácter místico-religioso y es posible por la intervención milagrosa de Beatriz, el de Colón tiene un carácter decididamente empírico, pero el navegante lo siente como la realización de una misión religiosa que no le abandonará jamás.[21]

En *La Araucana* de Ercilla, poema épico compuesto entre 1569 y 1580, e inspirado en las guerras que los españoles sostuvieron contra los Araucanos de Caupolicán en Chile, hacia 1558, el tema del buen salvaje y el debate entre antiguos y modernos tiene su primera manifestación artística en la literatura española. Ello es tanto más significativo por cuanto este planteo se inspira directamente en la realidad americana, vista por un testigo ocular. Ercilla sigue el planteo lascasiano en su interpretación de la revuelta, cuya responsabilidad él identifica con el poderío español y la corrupción que ha causado entre los indios: "Crecían los intereses y malicia//a costa del sudor y daño ajeno,//y la hambrienta y mísera codicia//con libertad paciendo iba sin freno://la ley, derecho, el fuero y la justicia//era lo que Valdivia había por bueno,//remiso en graves culpas y piadoso//y en los casos livianos riguroso.//Así el ingrato pueblo castellano//en mal y estimación iba creciendo,//y siguiendo el soberbio intento vano//tras su fortuna próspera corriendo;//pero el Padre del Cielo soberano//atajó este camino, permitiendo//que aquél a quien el mismo puso el yugo//fuese el cuchillo y áspero verdugo."[22] En estas dos octavas del Canto I de la Parte

Primera, Ercilla sigue el método lascasiano. Esto se ve más claramente aún en la octava en que los indios, que habían creído que los españoles fueran semidioses, después que vieron su conducta, se percataron de su error y se rebelaron contra el dominio de otros hombres: "Por dioses, como dije, eran tenidos / / de los indios los nuestros; pero olieron / / que de mujer y hombre eran nacidos, / / y todas sus flaquezas encendieron; / / viéndolos a miserias sometidos / / el error ignorante conocieron, / / ardiendo en viva rabia avergonzados / / por verse de mortales conquistados" (Parte I, Canto II, 7). La fuente de este pasaje de *La Araucana* es el de la *Destrucción de las Indias* donde Las Casas dice: "Antes siempre los indios los estimaban por inmortales y venidos del cielo, e como tales los rescebían, hasta que sus obras testificaban quién eran y qué pretendían" (*Destrucción*, 175). Como Las Casas, Ercilla acusa a los españoles de codicia, arbitrio y violencia y que estos fueron la causa de la guerra: "Codicia fue ocasión de tanta guerra / / y perdición total de aquesta tierra. / / Esta fue quien halló los apartados / / indios de las antárticas regiones; / / por ésta eran sin orden trabajados / / con dura imposición y vejaciones / / pero rotas las cinchas y apretados, / / buscaron modo y nuevas invenciones / / de libertad, con áspera venganza, / / levantando el trabajo a la esperanza" (Parte I, Canto III, 3-4). La comparación entre indios y europeos, ya establecida por Las Casas en favor de los indios, se repite en *La Araucana*. En Ercilla el motivo del "buen salvaje" no se limita a la comparación entre indios y europeos, sino que abarca la cuestión entre antiguos y modernos. Los indios representan a los modernos y resultan superiores a los antiguos griegos y romanos en el personaje del paje indio que servía a Valdivia y que se arroja a la batalla animando a los suyos para que combatan con más valor y logra cambiar el resultado de la lucha en favor de su gente. Ante su valor, el autor le proclama superior a los héroes de la antiguedad greco-romana (Parte I, Canto III, 43-44). Caupolicán, el jefe araucano, se destaca por encima de todos, como hombre prudente, valeroso y sagaz. Su muerte es la prueba conclusiva y sublime de su coraje, nobleza, dignidad, que se destacan ante la crueldad inútil con que los españoles le ejecutan sin lograr abatir su fibra moral (Parte III, Canto XXXIV, 23-30).

En el plano teórico, los textos analizados hasta ahora constituyen las fuentes de la literatura utópica. La utopía moderna es la formulación más original del humanismo cristiano en su deseo de reforma. El Nuevo Mundo le ofreció a Tomás Campanella la solución a uno de los problemas más graves enfrentados por el Renacimiento: como rescatar el espíritu original del cristianismo de la corrupción de la iglesia. El intento de reanimar la pureza del espíritu del cristianismo primitivo se remonta a fines del primer milenio después de Cristo, cuando se creyó que el fin del mundo fuera inminente. Joaquín de Fiore es el que mejor representa esta visión apocalíptica. El redescubrimiento de la cultura clásica que tuvo lugar durante el Renacimiento complicó aún más esta aspiración a la renovación. El fracaso de la utopía florentina de Savonarola y la muerte del predicador dominico por orden del Papa Alejandro VI fue sólo un ejemplo del conflicto entre los que hubieran querido restituir el cristianismo a su pureza primitiva, por un lado, y el Papado, por el otro. Pero el Nuevo Mundo estaba libre de la corrupción y estaba habitado por hombres dóciles y pacíficos que vivían en una edad de oro de pureza y sabiduría natural. Por eso el Nuevo Mundo era la sede ideal para construir la Nueva Jerusalén. La Iglesia de Cristo habría dejado Roma, la sede de su corrupción, y se habría restablecido en el Nuevo Mundo donde, restaurada a su pureza original, habría nuevamente reinado suprema.

El mito del buen salvaje en las crónicas del Nuevo Mundo es inseparable de la formulación de la utopía moderna. De la tradición clásica los tiempos modernos han asimilado un mito en que el nuevo sentido de la justicia y de la igualdad pudiese inspirar el hombre a la renovación de una sociedad envejecida. El mito influyó posteriormente sobre otros autores, desde Montaigne hasta Rousseau. Pero, como a menudo ocurre, la nueva sensibilidad sabría hallar en el mito clásico una nueva fuente de especulación, confirmando su ilimitada vitalidad y validez. La utopía sistemática española, la *Sinapia*, es una síntesis feliz de la tradición clásica y de la nueva experiencia del descubrimiento y conquista del Nuevo Mundo. El debate entre antiguos y modernos, que recibirá nuevo impulso en el siglo de la Ilustración y, luego, durante la revolución romántica, halló su solución en el seno de la utopía cristiana. Este género, cuyo texto más importante para la cultura hispánica es la *Sinapia*, tiene sus raices en la temática del "buen salvaje" elaborada por los cronistas primitivos de Indias. Cuando la historiografía oficial rehusó el planteo que había prevalecido en estos cronistas y se empeñó en dar una versión oficial y, por lo tanto, profundamente falsa de la conquista, la literatura utópica, paradójicamente, conservó la semilla de la reforma y de la renovación. Esta fue la obra nueva para el mundo nuevo, mientras la versión oficial se limitó a repetir los errores viejos del mundo antiguo. Es en este sentido que el pensamiento utópico moderno es profundamente cristiano, por tener sus raices en la literatura de las crónicas primitivas del Nuevo Mundo.

✣ II. ✤

Del mito renacentista a la historiografía indiana: el carteo entre Bembo y Oviedo y sus implicaciones históricas

E<small>L EPISODIO</small> del carteo entre Oviedo y Bembo nos permite entender mejor el alcance que en la conciencia historiográfica del Renacimiento tuvo la llegada de noticias concernientes esos vastos territorios generalmente denominados como el Nuevo Mundo. Además es éste el episodio que mejor revela la vertiente por donde se deslinda el mito de la historia del Nuevo Mundo.

Ante los ojos de los humanistas europeos, las noticias que llegaban sobre los descubrimientos, navegaciones, viajes y naufragios obraban con la misma eficacia que tendrían para nosotros las noticias comprobatorias sobre el descubrimiento, hallazgo y conquista de otros mundos por parte de naves espaciales terrestres. Es decir, que por encima y paralelamente a los efectos geopolíticos y económicos de los descubrimientos, lo que nos interesa precisar aquí es el alcance puramente científico, incluso psicológico, que esas noticias tuvieron en un momento tan importante para el desarrollo de la ciencia histórica.

No deja de plantear problemas muy graves de resolver un hecho como el de la total ignorancia que un historiador del calibre de Maquiavelo mostrara para los descubrimientos geográficos. Pero esta contradicción es quizás una característica intrínseca de todo progreso y podemos decir que sin ella no existe ese clima de libre investigación y elección que garantiza la búsqueda y, a veces, el hallazgo de la verdad. Maquiavelo eligió la investigación del pasado en función del presente y creyó que su método aseguraba el hallazgo de verdades científicas en el campo de la historia y de la política.

Para entender las cosas del Nuevo Mundo, al poco tiempo de su descubrimiento, había que tener pasta de soñadores, además de historiadores, aunque fuera por breves momentos y aunque, luego de ese momento de debilidad, el humanista o el historiador recobraran su postura científica, esto es, la de comprobar con la experiencia las verdades enunciadas en teoría.

Sobre el carteo entre Bembo y Oviedo se ha escrito poco, pero lo suficiente como para enterarnos de las circunstancias históricas, objetivas de este carteo. Mientras no se descubran otras cartas, que el Profesor Eugenio Asensio supone que "acaso duerman en el polvo de los archivos",[1] los documentos de este carteo consisten, siguiendo el orden cronológico, de las siguientes cartas:

(1) Una carta de Bembo a Oviedo, fechada en Venecia el 20 abril de 1538.

(2) Una carta de Bembo a Ramusio, fechada en Roma el 10 de mayo de 1540 en la que habla de Oviedo.

(3) Una carta de Oviedo a Bembo con el relato de la navegación del Marañón por Orellana, fechada en Santo Domingo el 20 de enero de 1543.

(4) Una carta de Bembo a Ramusio en la que habla de Oviedo, fechada en Roma el 7 de mayo de 1546.

Sobre todo por esta última carta es probable que la suposición de Asensio sea correcta, pues en ella Bembo expresa el deseo de que Oviedo se halle ya en España para imprimir "su nueva y hermosa obra", como la califica Bembo, esto es, su *Historia General y Natural de las Indias*, dando la impresión de que el humanista italiano estaría al corriente de las actividades de Oviedo, directamente por alguna misiva de éste, o indirectamente por intermedio del amigo común, Giambattista Ramusio, secretario del Consejo de los Diez de Venecia y docto publicista. El Profesor Asensio tuvo el mérito de desentrañar del Archivo de la Biblioteca Vaticana el original de la carta de Oviedo en español y de transcribirlo. Antes del trabajo del Profesor Asensio sólo se conocía la versión italiana que Ramusio había incluido en el tercer volumen de sus *Navigazioni e Viaggi*, publicado en Venecia en 1556, y una versión española de la misma hecha por Gabriel de Cárdenas que poseía Andrés González Barcia. Pero unos años antes, el Profesor Emiliano Jos se había ocupado brevemente de la carta de Oviedo en su largo artículo sobre la expedición de Orellana,[2] afirmando que el relato de Oviedo publicado por Ramusio fue conocido por varios historiadores quienes se refirieron a él de manera poco precisa (p. 690). En especial el Profesor Jos objeta contra la noción de Toribio Medina que Ramusio abrevió el original de Oviedo, pues de su lectura saca la conclusión de que "el compilador itálico no abrevió a Oviedo, y que fue éste quien, al comunicar epistolarmente al Cardenal el extraordinario suceso de Orellana, sintetizó, como era natural, lo mucho que sabía del asunto.... " (p. 690). El Profesor Jos aprecia esta carta pues en ella ve que Oviedo declara que le fue imposible a Orellana volver al campamento de Gonzalo Pizarro (p. 691). Basándose en este juicio, el Profesor Asensio luego publicó el original que confirma la opinión de Jos, de que Ramusio vertió fielmente al italiano el original español, sin resumir el escrito de Oviedo. Además el Profesor Asensio indica dos razones del interés de Bembo en la carta de Oviedo: primero, el hecho de haber sido nombrado cronista oficial de la República de Venecia en 1530 y, segundo, el interés que un humanista debía sentir por un hecho heroico, como demuestra la primera carta de Bembo a Oviedo, escrita en 1538. Más recientemente el Profesor Antonello Gerbi en su amplio estudio sobre los cronistas de Indias,[3] en el que dedica amplio espacio a la figura y a la obra de Oviedo, indica las relaciones de éste con el humanismo veneciano y el influjo que su estada de cinco años en Italia (de 1497 a 1502), tuvo en sus escritos.

En resumen, hasta ahora se ha comprobado que la versión italiana de Ramusio sigue bastante fielmente el original español de Oviedo y se ha subrayado la importancia del docu-

mento en relación con los problemas planteados por la expedición de Orellana. Nada se ha hecho, que yo sepa, hasta
ahora, para aclarar las fuentes americanas que la carta de
Bembo a Oviedo supone y las otras dos referencias a Oviedo,
en sendas cartas de Bembo a Ramusio y en las que se dan
juicios historiográficos de cierta importancia. Nadie se ha preguntado, que yo sepa, el por qué estos dos hombres, cercanos
en el tiempo (Bembo, 1470-1547; Oviedo, 1478-1557), pero
alejados en el espacio, estuvieron en correspondencia episto-
lar hacia el fin de sus vidas.

Como bien apunta Asensio, Bembo había sido nombrado
en 1530 historiógrafo oficial de la República de Venecia para
escribir la historia de esa nación. El mismo Bembo, en la carta
a Oviedo de 1538, se encarga de comunicárselo, agregando
que había utilizado desde hace tiempo su obra para incluir las
noticias sobre las Indias contenidas en la misma. Es interé-
sante observar a este respecto que en la carta a Ramusio de
1540 le pide a éste el primer libro del *Sumario* de Oviedo, cuya
traducción italiana se publicó en Venecia en 1534:

> Quanto al libro del Sig. Ouiedo: qui trouo la seconda parte
> delle su historie stampata del 1534, come dite, laqual è inti-
> tolata Libro secondo delle Indie Occidentali et incomincia.
> La nauigatione, che di Spagna comunemente si fa uerso
> l'Indie. La prima parte non ci è; s'ella fosse in Vinegia; state
> contento mandarmela. Starò con desiderio aspettando ris-
> posta dal detto Sig. Ouiedo.[4]

Esta carta es importante porque nos muestra que Bembo,
diez años después de haber emprendido a escribir la historia
de Venecia, aun estaba interesado en leer la obra de Oviedo.
Por otra parte la mención de que Bembo estuviese esperando
respuesta de Oviedo indica que estaban en correspondencia,
pues es difícil de imaginar que esta carta se refiriera a la de
Bembo de dos años antes. En primer lugar por el tiempo
transcurrido y, en segundo lugar, porque en esa carta no le
pedía nada a Oviedo. En la otra carta a Ramusio fechada en
1546 Bembo recuerda a Oviedo y le desea que se halle de
vuelta en España para imprimir su obra.

Según se lo había comunicado a Oviedo en la carta de
1538, Bembo le había utilizado para su *Istoria Veneziana*,[5] y precisamente para el Llibro VI de la obra, en la cual Bembo relata

cómo los descubrimientos geográficos y las navegaciones de los portugueses y de los españoles redundaron en una disminución del comercio veneciano.[6] De entre estos descubrimientos se propone relatar "il maggior e il più bello", es decir, el descubrimiento del Nuevo Mundo por obra de Colón (IV, pp. 348-359). Bembo se refiere sucintamente a los hechos sobresalientes del descubrimiento: el viaje de Colón, el error de los filósofos antiguos en creer que las antípodas no se podrían habitar, las islas pobladas por hombres desnudos y de "mite ingegno", es decir de carácter apacible, la abundancia de oro, y la ausencia del dinero. Del segundo viaje de Colón Bembo recuerda a los caníbales, la templanza y apacibilidad del clima de la Española, la vegetación siempre floreciente y la profecía entre los indios de la llegada de los españoles. Y, sobre todo, describe a los indios como si viviesen en la edad dorada: "...la età viveano dell'oro: nessuna misura de' campi conosceano; non giudicii, non leggi, non uso di lettere aveano, non di mercatantare: non in lungo tempo, ma di giorno in giorno viveano" (IV, pp. 353-354). Entre otras casas Bembo proclamaba que esta hazaña de los españoles superaba por la grandiosidad y magnitud todas las de los hombres antiguos: "...nessuna fatica per avventura degli antichi uomini pari alla loro industria fia stata" (IV, p. 359).

Por lo pronto debemos observar que algunas noticias producen en Bembo impresiones no solamente distintas, sino opuestas a las de Oviedo. En un pasaje del Libro VI de su *Historia General* Oviedo enumera las mismas características de los indios referidas más arriba por Bembo. Pero mientras éste las considera como distintivas de la edad de oro, Oviedo las estima como razgos inequivocables de la barbarie de sus portadores:

> Estos indios de la provincia de Guacayarima en la isla Española vivían en cavernas ó espeluncas soterrañas é fechas en las peñas é montes: no sembraban ni labraban la tierra para cosa alguna, é con solamente las fructas é hiervas é rayzes que la natura de su proprio é natural oficio produçia, se mantenían y eran contentos, sin sentir neçessidad por otros manjares, ni pensaban en edificar otras casas, ni aver otras habitaçiones más de aquellas cuevas, donde se cogían. Todo quanto tenían, eso que era de cualquier

género   que fuese, era común y de todos, exçepto las
mugeres, que éstas eran distintas, é cada uno tenía consigo
las que quería; é por cualquier voluntad del hombre ó de la
muger se apartaban, é se conçedían á otro hombre, sin que
por eso oviese çelos ni rençillas. Aquesta gente fue la más
salvaje que hasta agora se ha visto en las Indias.[7]

Es decir, que la ausencia de propiedad privada, de leyes, de
dinero, de jueces, de libros, de pesas y medidas, en una palabra, de todo lo que constituye la organización del hombre
europeo y civilizado, para Oviedo es signo de barbarie, mientras que para Bembo, que sigue en esto a Pedro Mártir, es
prueba de que esos hombres viven en la edad de oro. ¿Estaría
Oviedo en contra de la corriente *edadorista*, tan común entre
los historiadores primitivos de Indias como Colón, Vespucci,
Pedro Mártir, Pigafetta, Verrazzano, Quiroga y el mismo Las
Casas? A juzgar por su actitud para con los indios yo diría
que en Oviedo se percibe una visión opuesta a la de los *edado-
ristas*, mientras que Bembo claramente pertenece a este grupo.

A este mismo grupo pertenece Montaigne, que erróneamente pasa por el inventor del mito del buen salvaje en la
Edad Moderna, entre varios historiógrafos contemporáneos.
Uno de ellos, el Profesor Rosario Romeo de la Universidad de
Roma, ha dado esta interpretación del mito del buen salvaje al
afirmar que en el humanismo italiano del siglo XVI no hubo
conciencia de la magnitud del descubrimiento del Nuevo
Mundo. Al emitir este juicio sumario el Profesor Romeo no
parece haberse percatado de esta correspondencia entre Bembo y Oviedo.[8] A pesar de su erudición, el Profesor Romeo ha
dejado deslizar inadvertidamente una pieza fundamental de
su teoría, pues el carteo entre Oviedo y Bembo hubiese contribuido a hacer su estudio más completo. Fundamentalmente
la tesis del Profesor Romeo es que mientras Montaigne, y la
cultura francesa en general, interpretaron en el siglo XVI las
crónicas de Indias celebrando la aparición del buen salvaje, el
humanismo italiano contrapuso al buen salvaje y a su estado
natural la imagen de sociedades organizadas, esto es, civilizadas, pero más aún, y por influjo de la Contrarreforma, la imagen de sociedades cristianizadas en sentido contrarreformista:

Nel generale ripiegamento dello spirito italiano su se stesso nell'età della Controriforma, non potevano infatti avere sviluppo i motivi critici e polemici in cui quel mito trovava la sua più profonda giustificazione. L'ideale politico—sociale dell'Italia bacchettona e conformista del Cinque-Seicento non è quello anarchico, tendenzialmente aperto verso tutte le direzioni, dello stato di natura: ma l'altro, nettamente opposto, della regolamentazione autoritaria dall'alto, diretta a garantire ad ognuno la sua specifica funzione nel quadro di un corpo sociale e di un ordine morale i cui lineamenti si vorrebbero fissati una volta per sempre" (*Le scoperte americane*, p. 82).

Sería difícil discutir este punto de vista del Profesor Romeo, puesto que la Contrarreforma efectivamente representó un estancamiento de la fuerza especulativa del Renacimiento y afectó no sólo la historiografía, sino la literatura, las ciencias, las artes y la filosofía. Mas en este juicio sumario, cuya verdad fundamental aceptamos, se pierden los matices de las individualidades que, como Bembo y Oviedo, dejaron una obra que documenta sus intereses y también sus diferentes puntos de vista, pues, mientras Bembo pertenece a la corriente *edadorista* Oviedo, como Sepúlveda, se opone a la misma.

Recientemente el Profesor Romeo ha vuelto a su tesis en un escrito intitulado "The Jesuit Sources and the Italian Political Utopia in the Second Half of the Sixteenth Century".[9] En este escrito el Profesor Romeo insiste en su punto de vista, limitando aun más el período cronológico a la segunda mitad del siglo XVI, lo cual deja fuera el carteo entre Oviedo y Bembo, aduciendo que los utopistas italianos no hicieron más que interpretar el pensamiento de la Contrarreforma que se hallaba en acto después del Concilio de Trento y que para ello utilizaron los informes de los misioneros Jesuitas. Pero también en este escrito he observado algunas lacunas. Por ejemplo la afirmación del Profesor Romeo de que "The old thesis that utopian thought would have influenced the political *experiments* attempted in the new continent has been abandoned" (*The Jesuit Sources*, p. 178), no ofrece ninguna credibilidad pues ignora las investigaciones de Silvio Zavala, Marcel Bataillon y otros, que han demonstrado, sin lugar a dudas, que los experimentos utópicos en el Nuevo Mundo se inspiraron en el pensamiento utópico de Moro, Campanella y otros.[10] Este desconocimiento de contribuciones fundamentales al problema estudiado por el Profesor Romeo resta credibilidad a su estudio.

En los años de la correspondencia con Bembo, entre 1538 y 1543, Oviedo frisaba en los 60-65 años. Era la época en que estaba revisando su *Historia General y Natural de las Indias* para su publicación definitiva. En efecto, en 1546 Oviedo había viajado a España para imprimir su obra. Su intento fue malogrado, según Asensio, por la acción hostil de Las Casas "que le perseguía con obstinado rencor" (p. 13). La carta de Oviedo a Bembo contiene varios puntos de interés para entender la relación entre los dos historiadores, a saber: 1) El relato de la hazaña de Orellana y sus compañeros, de su heroísmo en superar todas las dificultades halladas en la navegación del río Marañón, ayudados en su viaje por el socorro de Dios que quiso salvarles para que el mundo conociera la hazaña. 2) El paisaje extraordinario, la magnitud del río y el encuentro con las amazonas. 3) La existencia del Dorado, el rey que se cubría de oro en polvo y se lavaba todas las noches cubriéndose de oro cada día. 4) La dificultad en imprimir su obra en la que el relato de la navegación del Marañón está mucho más detallado.

Si comparamos esta carta de Oviedo con los seis pasajes de su *Historia General* en los que el historiador se refiere a las amazonas,[11] observamos que, mientras que en los cinco primeros la existencia de las amazonas nunca se da por segura, en el relato final, el más largo, que está a cargo de Fray Gaspar de Carvajal, uno de los sobrevivientes de la expedición de Orellana, Oviedo, como en la carta a Bembo, no deja dudas sobre la existencia de las amazonas. Es más, salvo por el detalle de uno de los senos cortados de las amazonas de la antigüedad, el texto afirma que las amazonas del Nuevo Mundo "en lo demás no les es poco anexo el estilo de su vida" con las de la antigüedad clásica.[12] Si por otra parte consideramos la larga referencia a el Dorado, este texto se destaca por el estilo y por el contenido en comparación con el resto de la *Historia General*. De hecho, hasta el relato de Carvajal, Oviedo se mantiene muy circunspecto por lo que se refiere a las referencias sobre las amazonas, el Dorado y en general todos aquellos sucesos extraordinarios de los que abundan las crónicas de

Indias. El relato del Marañón está puesto en boca de un testigo ocular del mismo y Oviedo se limita a un breve comentario y a criticar los que escriben de Indias sin saber o sin haber estado allí, como los papagayos "que aunque hablan no entienden ninguna cosa de lo quellos mesmos diçen".[13] Según esto parecería que Oviedo titubeó ante las primeras noticias que le llegaban sobre las mujeres guerreras y que luego gradualmente decidió rendirse ante la abundancia de datos y ante la evidencia del relato de Carvajal sobre las amazonas del Marañón.

Cuando Oviedo le escribe a Bembo, ha alcanzado la certeza en la existencia de las amazonas. Para un historiador escrupuloso como Oviedo no habrá sido fácil aceptar lo extraordinario en la historia. Parafraseando un juicio de Cervantes, lo que Oviedo escuchó de boca de Carvajal bien podría comentarse con estas palabras del autor del *Persiles*: "Cosas y casos suceden en el mundo, que si la imaginación, antes de suceder, pudiera hacer que así sucedieran, no acertara a trazarlos; y así muchos por la raridad con que acontecen, pasan traza de apócrifos, y no son tenidos por tan verdaderos como lo son."[14]

Pero en la aceptación e interés por el mito debió influir la formación humanística de Oviedo. El mito que se vuelve realidad, la tradición clásica que adquiere cuerpo y forma en el Nuevo Mundo es uno de los aspectos que más influyeron en la elaboración de los mitos de la conquista. Oviedo no es excepción. El 1º de marzo de 1542 Oviedo había escrito al virrey de Nueva España, Don Antonio de Mendoza, mostrándose resuelto a no volver a las Indias "hasta dejarlo todo impreso".[15] Ya hemos visto que la carta a Bembo habla de la navegación del Marañón. Es decir, Oviedo en 1543, cuando escribe a Bembo, ha recogido, con intención de publicarlos en su *Historia General*, los sucesos más extraordinarios de su relato, como él mismo afirma con respecto al episodio del Marañón: "La qual navegaçión e acaesçimiento se prinçipió inesperadamente, é salió á tanto efetto, ques una de las mayores cosas que han acaesçido a hombres".[16] De manera que si consideramos que hacia 1541 Oviedo había concluido su obra, que en 1543 le escribe a Bembo quejándose de las dificultades encontradas en imprimirla y por fin la colocación en el libro final de la misma de esos sucesos extraordinarios, nos podemos formar la idea de que en Oviedo hubo un incremento gradual de su interés en el aspecto extraordinario de su historia.

El de las amazonas fue sin duda uno de los mitos más mentados y soñados del descubrimiento y de la conquista y que siempre se relacionó con riquezas fabulosas en metales y piedras preciosas.[17] Asensio está en lo cierto en creer que una de las razones que movió a Oviedo a escribirle a Bembo fue su deseo de comunicarle hechos relacionados con mitos clásicos, como el de las amazonas. Pero yo creo que Oviedo vio en este mito, cuyas noticias se multiplicaban día a día y al que se referían tantos cronistas, viajeros, soldados e indios, un símbolo de su propia obra. Sabido es como Oviedo se inspiró en muchas fuentes para escribir su historia.[18] Pero la fuente que le sirvió de modelo fue la *Historia Naturalis* de Plinio, como el mismo autor declara a principios de su obra: "Escribió Plinio treinta é siete libros en su *Natural Historia* é yo en aquesta mi obra é primera parte della veynte, en los quales como he dicho en todo quanto le pudiere imitar, entiendo façerlo" (*Historia General*, Lib. I, cap. II, Tomo I, p. 10). En el Libro I de su obra Oviedo cita a Plinio cuatro veces. Es decir, como buen discípulo de esa cultura humanística y renacentista a la cual se había formado y de la cual había bebido ávidamente durante sus cinco años en Italia, Oviedo parte de una fuente clásica. Pero en el Libro VI ya se siente el orgullo legítimo que le llena con la seguridad de haberse adentrado en un campo virgen, al narrar hechos inimaginados e inimaginables para los antiguos historiadores y poetas. Creo que es pensando en esa convicción de Oviedo, de pisar un sendero no hollado jamás por ningún historiador antes de él, que es como hay que leer aquel pasaje del Libro VI en que el autor afirma: "Solo una cosa quiero apuntar y no la olvide el que lee; y es que assi como á todos quantos en el mundo han escripto semejantes materias faltó el objeto, y no pudo ningún escritor hallar tanto que deçir, como el supiera relatar ó notificar en verdadera historia; así por el opósito es á mi historia la falta que tiene mi lengua y habilidad. E faltará el tiempo, é la pluma é las manos é la eloqueçia, no solamente a mí; mas aquellos famosos poetas, Orpheo, Homero, Hesiodo, Píndaro, no pudieran bastar á tan encumbrada labor. Ni allende de los poetas los más eloquentes oradores pudieran concluir una mar tan colmada de historias, aunque mill çiçerones se ocuparan en esto, a proporçion de la abundantissima é quassi infinita materia destas maravillas é riquezas que acá hay é tengo entre manos que escrebir" (*Historia General*, Tomo I, p. 181). Es significativo que casi a comentario de esta advertencia Oviedo haya puesto en el libro final, el L de su *Historia General*, todos los sucesos más extraordinarios. Además del relato de la navegación del Marañón, en ese mismo inserta el episodio del pájaro guía que les advertía a los españoles cantando "huir", "huir", cuando había algún peligro inminente y "buhio", "buhio", que quería decir "casa", cuando podían desembarcar en las orillas del Marañón y descansar seguros (Tomo IV, p. 566). En el mismo relato se incluye la referencia al Dorado. Siempre en el mismo Libro L, en los capítulos I, XI, XII, XIII, XVIII, XIX, XX, XXIV, XXV, XXVIII y XXIX, Oviedo cuenta distintos naufragios extraordinarios que resultan en la salvación milagrosa de los náufragos, después de increíbles peripecias por mares, islas, ríos y selvas desconocidos. Muchos de esos capítulos[19] tiene solamente el resumen inicial, pero carecen de texto.

En los capítulos finales del último libro de su obra Oviedo acumuló todos esos hechos más extraordinarios que en los tiempos antiguos sólo se creyeron como mitos, pero que nadie jamás había experimentado. Al concluir su obra con el relato de las amazonas por parte de Fray Gáspar de Carvajal Oviedo encerraba su obra, comenzada con las referencias a Plinio, en el marco elegante de la cultura clásica renacentista. En ese marco clásico Oviedo consignó su *Historia General*, en la que vertió el resultado de sus vigilias y que legaba a la posteridad la información más rica reunida hasta entonces sobre el Nuevo Mundo. La carta a Bembo de 1543 nos prove de un medio más para entender la metodología historiográfica de Oviedo y para puntualizar el momento en que tuvo la conciencia de su contribución a la historiografía renacentista. Con los materiales vírgenes y la técnica tradicional Oviedo creó una obra nueva e imperecedera, clásica también a su manera, en el sentido que damos a la idea de clásica, como un valor permanente, no caduco, que transciende no sólo sus modelos, sino las mismas circunstancias en que se compuso. Esa conciencia no se entiende sin la tradición clásica, es decir,

sin el esfuerzo para hacer encauzar la multiforme realidad de
América en la utopía del mito clásico. Es esta actitud la que
separa totalmente Oviedo de Las Casas para quien la realidad
americana adquiría, más que un significado cultural, un significado social y moral.

Es este aspecto social y moral el que separa más netamente la historia moderna de la antigua. Mientras para
Maquiavelo los principios cristianos constituyen un obstáculo
para la acción política, para los utopistas como Moro y Campanella y para los cronistas como Pedro Mártir, Las Casas,
Quiroga y los Jesuitas de las Reducciones del Paraguay, la
moralidad cristiana es una condición "sine qua non" para la
acción política. Mientras que algunos humanistas e historiadores del Renacimiento trataron de separar la moral de la
política y tomaron como modelos los historiadores de la antigua Roma y la filosofía griega, otros trataron de robustecer el
vínculo entre religión, moral y política, que se había perdido
con el nacimiento de los nacionalismos europeos. En este sentido, el descubrimiento y la conquista de América ocurren en
los límites de esa línea ideal que separa la historia del mito, la
historia social y moral de la historia abstracta, a menudo obra
de intelectuales brillantes, objeto de placer intelectual y, al
mismo tiempo, síntomo inconfundible de decadencia moral. El
episodio del carteo entre Bembo y Oviedo nos revela un
momento crucial en el que a la historia inspirada por principios ideales y morales sucede la historia oficial y política. El
edadorismo de Bembo refleja el de los cronistas primitivos, el
clasicismo de Oviedo, expresado en el episodio de las amazonas, pertenece al mito de la conquista. El primero, con las
consideraciones de la ausencia de lo "mío" y lo "tuyo", revela
una intención moral, el segundo limita y circunscribe lo ficticio para salvar el invólucro clásico y humanista de la obra.

❧ III. ❧

Popularidad de la utopía en las crónicas: la búsqueda de la Ciudad Encantada de los Césares

Eᴌ ᴀᴜᴛᴏʀ de *Sinapia* ha decidido abandonar definitivamente a España y a Europa y al mismo tiempo a Asia, pues los Sinapienses se han refugiado en una península cerca de América, la tierra austral. En el siglo XVI esa zona indicada por el autor de *Sinapia*, la tierra austral, es teatro de la leyenda más importante de carácter utópico de la tradición de las crónicas del Nuevo Mundo. Antes de tratar a la leyenda conviene considerar su carácter mítico en relación a la única zona de América del Sur aún poco conocida, además del Amazonas, es decir la tierra austral, el territorio que se extendía al sur, suroeste de Buenos Aires. En estas regiones al sur de Chile y de Buenos Aires en la Patagonia, se desarrolla esta leyenda que representa a mi parecer la tendencia utópica de la cultura colonial hispanoamericana después del fracaso de la utopía española representado por los fallidos intentos de Las Casas y Quiroga y luego confirmado con la elaboración de *Sinapia*, la utopía sistemática que abandona a España. La leyenda de la Ciudad Encantada de los Césares nace paralelamente a los primeros mitos de la conquista, como se verá, y subsiste a lo largo de los siglos XVI y XVII y hasta en el siglo XVIII, en el que, como veremos, aún tiene vigencia para los españoles de América. Los motivos utópicos de la Ciudad Encantada de los Césares anticipan en cierta medida las aspiraciones de poblaciones que sienten la diferencia con la Madre Patria, y en cierta medida esperan la ocasión histórica para declararse independientes. En este sentido la leyenda de los Césares se ubica en la misma perspectiva, pero pacífica, de la otra utopía violenta, la de la rebelión de Tupac Amarú, que ocurre al mismo tiempo en que se elaboran los textos que nos han consignado la leyenda de la Ciudad Encantada de los Césares. Al mismo tiempo, la Ciudad Encantada de los Césares constituye la utopía popular, o sea, se elabora sobre una tradición que, si bien tuvo su origen culto, se divulga por medio de relatos orales y de informes escritos por soldados, prelados, magistrados, exploradores o simples aventureros, es decir, es un mito al que participa la población en general y por eso se presenta como un mito popular.

Ya vimos cómo el descubrimiento del Nuevo Mundo vino a añadir, en un momento decisivo de la tradición utopista del Renacimiento, un motivo de especulación y de ensueño en que América no solamente ofreció modelos de sociedades ideales, a través de los relatos de las crónicas, sino que por su novedad se convirtió en el terreno ideal para algunos experimentos utópicos. Los descubridores y conquistadores llegaron a América con un bagaje cultural en el que, gracias a la reciente invención de la imprenta y a un incremento, en España, de los libros de caballerías, los mitos de la Edad Media y del primer Renacimiento coexistían junto con la ambición de adquirir riquezas y gloria. El descubridor y los conquistadores mezclaron desde el primer momento lo histórico y lo ficticio, la realidad y la ficción en América, asimilando muchas de sus experiencias a los mitos y las fantasías populares y cultas, de origen literario y de la tradición oral.[1] Los ejemplos de esta asimilación abundan, y se pueden rastrear desde el *Diario del primer viaje*, el documento mismo del descubrimiento de Colón, hasta las varias obras de los cronistas de Indias. En estos y otros textos que se mencionaron en este estudio hallamos los antecedentes y las analogías con la leyenda de la Ciudad Encantada de los Césares, cuyo nombre se debe a la exploración de la región del Río de la Plata por parte del capitán Francisco César, miembro de la expedición de Sebastián Caboto en 1526.[2] En su *Diario del primer viaje* Colón describe la

tierra americana con lujo de detalles y dice que vio a las sirenas y a una isla poblada solamente de mujeres,[3] mientras que
en la *Carta* del cuarto viaje menciona montañas de oro.[4] Ya
hemos visto en la obra de Colón las primeras páginas de la
obra utópica sobre América que repetidamente cronistas y
literatos, historiadores y soldados, o simples aventureros,
andarán escribiendo en el curso de los siglos y que de una
manera sutil algunos autores hispanoamericanos han renovado en nuestros días.

Analicemos ahora, a la luz de esta tradición utópica americana, la leyenda de la Ciudad Encantada de los Césares
(CEC), aun en las alusiones de textos posteriores al período
que este estudio nos ocupa. Aquí no me propongo rehacer lo
que otros ya han hecho. Hay una extensa bibliografía sobre
los mitos de América relacionados con la conquista. Tampoco
es el objeto de este estudio el de analizar el origen y desarrollo de la leyenda de los Césares, porque esto ya se ha hecho,
sino el de echar alguna luz sobre un nuevo aspecto de la
misma, surgido del análisis de los caracteres objetivos de la
leyenda: su aspecto utópico, que hasta ahora no se había
observado. A este respecto señalaré que las fuentes históricas
mencionadas son pura y simplemente material de referencia.
Recurriré a ellas en la medida en que su contenido me permita subrayar las características objetivas de la CEC que,
según pienso demostrar, corresponden a las de la ciudad ideal
del Renacimiento y de la Reforma Protestante. Cabe observar
que hasta ahora nadie ha intentado siquiera una reseña sistemática de la bibliografía esencial sobre la leyenda de los Césares, reseña que he tenido que incluir en parte para documentar mis afirmaciones y en parte para diferenciar mi trabajo de
todos los que se han hecho hasta ahora sobre la leyenda en
cuestión. Al estudiar la bibliografía sobre la leyenda se observan dos tipos distintos de trabajos: los que se limitan a un
estudio del origen histórico de la misma y los que tratan de
interpretar su significado y difusión. Creo que mi contribución debe inscribirse en este segundo grupo, aunque, como ya
dije, la interpretación utópica de la leyenda no se había efec-
tuado hasta ahora. La insistencia con la que a veces tendré
que citar de las fuentes se debe al hecho de que, como se
verá, casi todos los estudios sobre la leyenda en cuestión
datan de fines del siglo XIX y de la primera mitad del siglo

XX. Esta circunstancia cronológica quizás explique de por sí el hecho de que la leyenda, contrariamente a la de El Dorado en Venezuela o la Fuente de la Eterna Juventud en la Florida o de las Amazonas, no se divulgó en los estudios latinoamericanos. Su conocimiento se limitó a los pocos historiadores que estudiaron su origen y desarrollo desde fines del siglo pasado hasta el presente.[5]

La forma más característica en que la utopía popular se manifiesta en América es bajo los visos de un país fabulosamente rico en oro y plata y piedras preciosas y que responde a los varios nombres de El Dorado, Paitití, Trapalanda, Lin Lin, la Fuente de la Eterna Juventud y la CEC. Todas estas regiones fantásticas o imaginarias ya se mencionan durante el siglo XVI, a los pocos años del descubrimiento, y están directamente relacionadas con uno u otro conquistador. En verdad el mismo Colón creyó, al tocar Panamá, durante su cuarto y último viaje, haber llegado a la fabulosa tierra del oro: "A seis de febrero, lloviendo, invié setenta hombres la tierra adentro; y a las cinco leguas fallaron muchas ruinas: los indios que iban con ellos los llevaron a un cerro muy alto, y de allí les mostraron hacia toda parte cuanto los ojos alcanzaban, diciendo que en toda parte había oro...."[6] Gonzalo Jiménez de Quesada se internó en la selva venezolana en busca de El Dorado[7] y Juan Ponce de León murió en su intento de hallar en la Florida la Fuente de la Eterna Juventud.[8]

Muchas de estas leyendas, como la de El Dorado o de las Amazonas, desvanecieron con el pasar de los años. Mas entre las leyendas americanas, la de la CEC, nacida en los albores del XVI, como las otras ya mencionadas, persistió tercamente aun cuando todas las otras ya no eran nada más que un pálido recuerdo en las crónicas de América y durante más de dos siglos despertó el interés de abnegados misioneros y administradores coloniales. Aun en 1782 el fiscal de Chile escribe una larga relación de 50 párrafos para explicar al virrey su aprobación de una expedición de 1.500 hombres en busca de la misteriosa ciudad.[9] El primer impulso a la leyenda de los Césares, como a las otras leyendas de América, es también el de hallar oro y riquezas fabulosas, mas sólo el primer impulso. Una serie de acontecimientos históricos echará las bases para que la leyenda se alimente de relatos referentes a hechos reales y a su vez se convierta cada vez más en realidad.

Antes de analizar el carácter de esta leyenda y sus analogías con la tradición utópica de América será necesario referir las fuentes de la misma, en la medida en que estas fuentes concurren a mostrar objetivamente los caracteres utópicos de la leyenda en cuestión.

La primera obra en que se menciona la leyenda es *La Argentina* de Ruy Díaz de Guzmán, obra escrita en 1612 y publicada por primera vez por Pedro de Angelis en 1836 en su *Colección de obras y documentos relativos a la historia antigua y moderna de las Provincias del Río de la Plata* (Buenos Aires: Imprenta del Estado, 1836).[10] Guzmán refiere que Sebastián Caboto en 1526 envió al capitán Francisco César a explorar el interior del Río de la Plata. Después de dos meses y medio César volvió contando haber visto una tierra fabulosamente rica en oro y plata. De su nombre se originó el de la "Encantada Ciudad de los Césares". Estudios recientes han demostrado que la perduración de la leyenda se debe a otros hechos históricos.[11] Cuando César y sus compañeros volvieron al fuerte *Sancti Spiritu* fundado por Caboto lo hallarono destruido y desierto. Guzmán dice que por esta razón César y sus amigos cruzaron todas estas tierras y llegaron al Perú al tiempo en que Pizarro se adueñó del Inca Atahualpa y concluye su relato diciendo: "De forma que con este suceso atravesó este César toda esta tierra, de cuyo nombre comúnmente le llaman la conquista de los Césares...."[12]

La segunda obra en que se menciona la leyenda de los Césares es la *Historia de la conquista del Paraguay, Río de la Plata y Tucumán*, publicada por el padre Pedro Lozano en 1745.[13] En esta obra el padre Lozano menciona la expedición del gobernador de Tucumán, Gonzalo de Abreu, en 1578 para el "descubrimiento de la provincia de los Césares o de Trapalanda, cuya fama de opulenta ha empobrecido a muchos con el deseo de gozar sus riquezas, y entonces, y otras veces después, se intentó sin poderlo jamás conseguir" (pág. 326). La relación del padre Lozano es importante porque contiene la primera descripción de los pobladores de la misteriosa ciudad. El historiador explica que el motivo de la expedición de Abreu era el relato de Pedro de Oviedo y Antonio de Coba, dos sobrevivientes de uno de los navíos del obispo de Plasencia que, bajo el mando del capitán Sebastián de Argüello, había naufragado en el Estrecho de Magallanes hacia 1540 (págs. 326-327). La relación de los dos náufragos, transcripta por el padre Lozano (págs. 327-332), contiene la primera noticia detallada de cómo los sobrevivientes del naufragio encontraron a una tribu de indios con los que, después de un combate inicial, entablaron amistad casándose los españoles con las mujeres indígenas. En el año 1567 los dos marineros Oviedo y Coba mataron a un soldado y huyeron a un país cercano que ellos describen como muy rico y fértil: "La tierra era muy fértil, y por la calle principal que les fueron llevados, caminaron dos días poco a poco y que vieron grande multitud de oficiales plateros con obras de vasijas de plata gruesa y sutiles, y algunas piedras azules y verdes toscas que las engastaban, y la gente lucida y aguileña, en fin de la del Perú, sin mezcla de otra" (pág. 331). Más adelante veremos cómo esta descripción se ajusta a los caracteres de la tradición utópica.

Podemos decir que 1836 es una fecha decisiva para los estudios sobre la leyenda de los Césares. En ese año Pedro de Angelis publica por primera vez, además de *La Argentina* de Guzmán que ya mencioné, donde aparece la primera referencia a la leyenda en cuestión, una serie de nueve documentos sobre la misma que constituyen las fuentes principales sobre las que se fundan los estudios posteriores.[14] De entre estos nueve textos publicados por de Angelis mencionaré sólo aquellos que dan detalladas descripciones de la CEC. Hasta ahora estas descripciones se han estudiado desde el punto de vista histórico. Mi objeto es el de analizar sus analogías con la tradición utópica.[15]

El primero y más conocido de los textos de Angelis es el "Derrotero de un viaje desde Buenos Aires a los Césares ...."[16] escrito por Silvestre Antonio de Rojas en 1707 y enviado a la corte de Madrid. En su "Derrotero" Rojas distingue a los Césares indígenas de los Césares españoles: "Por el mismo rumbo, a las treinta leguas, se halla un río muy grande y manso, que sale a un valle muy espacioso y alegre, en que habitan los indios Césares. Son muy corpulentos, y éstos son los verdaderos Césares" (pág. 539). En el párrafo final de su "Derrotero" Rojas da su descripción de la ciudad: "El temperamento es el mejor de todas las Indias; tan sano y fresco, que la gente muere de pura vejez. No se conocen allí las más de las enfermedades que hay en otras partes; sólo faltan españoles para poblar y desentrañar tanta riqueza. Nadie debe creer exageración lo que se refiere, por ser la pura verdad, como que lo anduve y toqué con mis manos" (pág. 540).

En su "Carta" (págs. 548-58) al gobernador de Buenos Aires, fechada el 11 de agosto de 1746, el padre jesuita José Cardiel trata de explicar la existencia de la CEC deslindando lo fantástico de lo real. El padre Cardiel recuerda los muchos sobrevivientes de los naufragios ocurridos en la región patagónica meridional y en la zona del Estrecho de Magallanes y se pregunta: "¿Qué se hizo, pues, de toda esta gente, que en tantos navíos se perdió? ¿Se ahogó toda?" Y seguidamente contesta: "No por cierto, porque el Estrecho es muy angosto en parte...." (pág. 552). El padre refiere también un relato según el cual había en esta ciudad "un cerro de diamantes, y otro en otro paraje de oro" y que unos hombres sorprendieron a un corregidor y a sus acompañantes en la región patagónica y "los llevaron por tierra, y que llegaron a una gran laguna; que allí los metieron en una embarcación, y aportaron a una isla en medio de ella, en donde había una gran ciudad e iglesia, donde estuvieron tres días; que no entendían la lengua; y que al partir les dieron dos cajoncitos de perlas, que se cogían en aquella laguna" (pág. 555). Según el padre Cardiel los indios "están continuamente diciendo, que hay tales poblaciones, y muchos de ellos convienen en que, en medio de una gran laguna, hay una gran isla, y en ella desde la orilla se ve una gran población, en la cual descuella mucho una casa muy grande, que piensan ser iglesia...." (pág. 556).

En un "Capítulo"[17] el padre Lozano transcribe una relación fechada en 1711 en la que se da noticia de la existencia, al sur de la actual ciudad de Mendoza, de tres ciudades que están circundadas al norte por "una laguna de muchas leguas, la que les sirve de fortificación y muro contra las invasiones de los indios caribes...." (pág. 560). Estos indios, a los que el padre llama "Césares", "no tienen otro metal que el de la plata, de que gozan en abundancia, y de él fabrican rejas de arado, cuchillos, ollas, etc." (pág. 561). Con reservas, el padre Lozano admite que haya la posibilidad de que los Césares existan: "Y que no se hayan hallado en tanto tiempo los Césares, no es prueba de que no los hay.... Con todo eso yo no lo creo...." (pág. 562).

De singular interés por la descripción de la Ciudad de los Césares como una fortaleza es la "Relación" del capitán español Ignacio Pinuer, fechada en 1774 (págs. 570-85). En este relato la CEC se ubica, como en otros relatos, en una isla al pie de la Cordillera de los Andes meridionales y al sur de la ciudad chilena de Valdivia. El capitán Pinuer describe el sitio como impenetrable, por un lodazal que lo circunda "tan grande y profundo, de tal manera que un perro (como los indios se explican) que intenta pasarlo, no es capaz de desprenderse de él. Tampoco este lodazal hace total círculo de la isla; pues por el principal extremo, que es al norte, hay de tierra firme entre la laguna y el pantano hasta veinte y más cuadras (según dicen los indios), y es la entrada de esta grande población o ciudad, siendo la parte por donde se halla fortificado de un profundo foso de agua, y de un antemural rebellín; y últimamente de una muralla de piedra, pero baja. El foso tiene puente levadizo entre uno y otro muro, grandes fuertes puertas; y un baluarte, en donde hacen centinela los soldados. Según los indios, el puente se levanta todas las noches".[18] Pinuer observa también la abundancia y riqueza de los Césares y es él quien nos da la noticia de la presunta inmortalidad de los mismos: "Por lo que respecta al número de ellos claro está es muy difícil saberlo, aun estando dentro de la ciudad: no por eso dejé de preguntar repetidas veces a varios indios, los que respondieron, considerase si serían muchos, cuando eran *inmortales*, pues en aquella tierra no morían los españoles" (pág. 576).

Quizás el documento más revelador de la actitud del gobierno colonial español frente a la difusión de la leyenda sea el "Informe" (págs. 594-636) del fiscal de Chile, ya mencionado, en el que se aprueba una expedición de 1.500 hombres para la búsqueda de la Ciudad o Ciudades de los Césares.

En 1913 Ciro Bayo publica la primera monografía sobre la leyenda.[19] Bayo recuerda las expediciones enviadas al Estrecho de Magallanes con miras a descubrir y colonizar esas tierras: la expedición de Simón de Alcazaba de 1534, la del Obispo de Plasencia de 1539 y la de Sarmiento de Gamboa de 1581, todas terminadas en naufragios en las costas de la Patagonia o en el Estrecho de Magallanes. Bayo también menciona, en relación con el origen y desarrollo de la leyenda, la exploración del capitán César y a los sobrevivientes de la ciudad de Osorno, destruida en 1599 por los araucanos sublevados. En particular Bayo ve a los refugiados de Osorno como

héroes legendarios: "La circunstancia de no repoblarse la
primitiva Osorno hasta 1690, casi un siglo después de su destrucción, pudo contribuir a idealizar la retirada de los amigos
osornenses, convirtiéndoles en héroes legendarios, como una
expansión de la fantasía popular que poblaba de maravillas las
soledades patagónicas. Así, el éxodo de los españoles de Osorno, que fundan nuevo imperio entre los salvajes de Patagonia, forma el argumento de los *Césares osornenses*, distintos pero
similares a los Césares del Estrecho".[20] Bayo es también el
primero en relacionar las expediciones para hallar a la CEC
con el mito de las cruzadas de la Edad Media: "Los grandes
sacrificios, no menos que la fe ardiente con que se acometie-
ron esas expediciones para el rescate de una ciudad encantada
de cristianos perdidos, son de lo más singular que ofrece la
historia de esos países. Son las cruzadas de la Edad Media; es
la búsqueda del místico castillo de Monsalvat, transfiguradas
y redivivas en Indias".[21] Bayo analiza la expedición de 1604 de
Hernandarias de Saavedra, gobernador de Buenos Aires,
compuesta de 200 hombres, que se dirige al Sur y llega hasta
la desembocadura del actual Río Negro sobre el Atlántico. Allí
fue preso de los indios, consiguió evadirse y volvió a Buenos
Aires donde reunió un nuevo contingente para rescatar a sus
compañeros (págs. 75-92). La expedición de Hernandarias
había recorrido la costa desde Buenos Aires hasta el Río
Negro. La de 1662 del gobernador de Tucumán Gerónimo de
Cabrera con 400 hombres desciende desde Córdoba y llega
por el lado de la Cordillera hasta los límites de la actual Mendoza, donde comienza la planicie patagónica. Allí los indios le
hostilizaron y también esta expedición terminó en un desastre. Con esta intentona de Cabrera terminaron los esfuerzos
de los rioplatenses para ubicar a la misteriosa ciudad (págs.
93-111). Bayo describe en detalle la región que será teatro de
las hazañas del padre Mascardi, el lago Nahuel-Huapí y la isla
del mismo nombre que en la lengua indígena de la región
significa "Tigre blanco" (págs. 112-115). En el capítulo IX, sig-
nificativamente titulado "El Párcifal de los Césares", Bayo introduce al personaje casi legendario del jesuita italiano Nico-
lás Mascardi (págs. 115-78) con el que culmina la leyenda de
la CEC. Después de tres expediciones, durante las cuales se
convirtió en el primer ser humano en cruzar, acompañado
por sus amigos los indios Poyas, toda la Patagonia, desde la

Cordillera de los Andes hasta el Atlántico y hasta el Estrecho de Magallanes, Mascardi murió a manos de los indios hostiles que le masacraron a él y a sus acompañantes poyas. En el padre Mascardi Bayo ve la personificación del ideal de los paladines de la Edad Media: "No era el oro lo que impulsaba al héroe de los Césares sino el sentimiento y poético espíritu del romance, tal como le vemos en los paladines de la Tabla Redonda—y ajustándonos a la persona y al ideal de Mascardi—a los campeones del Santo Graal. Así parecían entenderlo los españoles de Chile y del Río de la Plata, entre los cuales el padre Mascardi venía a ser el Parcifal de los Césares" (págs. 173-74). Este elemento medieval adquiere una significación particular porque, como hemos visto, la tendencia a la utopía incluye un deseo de recobrar una unidad perdida en los albores de la Edad Moderna, y que el descubrimiento y conquista de América pareció hacer posible. A la fragmentación moderna la unidad temporal y espiritual de la Tierra Prometida se yergue como un ideal, no solamente deseable, sino posible, gracias a la conquista del Nuevo Mundo, que así adquiere un sentido religioso popular y no limitado a las bulas papales que repartieron esos dominios entre España y Portugal.

Hay otros estudios sobre el origen y desarrollo de la leyenda,[22] pero aquí me limitaré a mencionar al de R. E. Latchman que se relaciona más con el objeto de este estudio. El de Latchman es el trabajo más completo sobre la leyenda de la CEC.[23] Latchman observa que al tratar de los Césares "algunos de los datos que se han venido repitiendo por todos los autores son inexactos o erróneamente interpretados" (pág. 195), y concluye que "en sus orígenes, las tradiciones tuvieron un fondo verídico y que las expediciones organizadas durante el siglo XVI y principios del XVII eran justificadas, fundadas en razones prácticas y lógicas". Latchman somete las fuentes a cuidadoso análisis para demostrar que el relato de Guzmán en *La Argentina* sobre la exploración del capitán César contiene errores e inexactitudes. Guzmán hace llegar a César hasta el Perú, mientras que Latchman demuestra que la región por él visitada en 1529, y no en 1526, "no fue otra que la Sierra de Córdoba" (pág. 200). Otra contribución de Latchman es su observación de la importancia de la expedición de Diego de Almagro en 1535 y del éxodo de los incas hacia la región inexplorada de los Andes en relación a la tradición que dice que de este éxodo se originaron los llamados "Indios Césares" (págs. 201-206). De la documentación por él estudiada Latchman concluye que en el siglo XVI existían "tres grupos distintos de gente, alrededor de los cuales se forjó la leyenda de *los Césares*. El primero era el de los incas, radicados en la vecindad de la Cordillera entre los grados 35 y 42; el segundo era la gente española dirigida por el capitán Argüello y que se hallaba en la región andina en el grado 41-1/2; y el tercero lo formaba la gente del buque de la armada del obispo de Plasencia que se suponía náufrago en la costa del Atlántico y establecida cerca del litoral, entre los ríos Colorado y Negro" (págs. 218-19). Esto explica, según Latchman, las versiones aparentemente contradictorias que circulaban con respecto a los Césares y las diferentes rutas seguidas por las numerosas expediciones que partieron en su descubrimiento (pág. 219). A caso el aspecto más importante del estudio de Latchman estriba en la explicación científica de la leyenda. El cree, "después de un examen imparcial de toda la cuestión, que dichas entidades tuvieron una existencia verdadera, originalmente" (pág. 249). Latchman cree que estas colonias realmente existieron y que desaparecieron después de dos o tres generaciones porque los colonos "sin otros recursos que los que les proporcionaba la naturaleza circundante, tendrían que adaptarse a la vida de los indios, la única posible en aquellas condiciones" (pág. 250). Latchman piensa que los gobernantes españoles no encontraron a los sobrevivientes o a sus vástagos porque buscaron ciudades y riquezas que no podían existir y porque en vez de buscar entre los mismos indios a los sobrevivientes o a sus descendientes fueron en busca de montañas de oro y plata.[24]

En 1933 Ezequiel Martínez de Estrada incorporaba por primera vez la leyenda de la CEC en una obra orgánica de interpretación histórica: *Radiografía de la pampa*.[25] La primera parte del libro, desde el título *Trapalanda*, uno de los nombres que se habían dado a la CEC, claramente indica la inspiración en la leyenda. Más aún, Estrada cree que ese engaño inicial— la leyenda de una tierra fabulosamente rica—marcó para siempre la historia argentina (págs. 9-25).

En 1973 se publicó por primera vez *La Ciudad de los Césares* de Manueal Rojas,[25bis] obra de ficción que sigue de manera

muy libre el hilo histórico y admite los aspectos más legendarios, como el de los náufragos españoles que fundan las dos
ciudades, que él llama de los "Césares blancos" y de los "Césares negros", hasta que éstos, coadyuvados por un grupo de
aventureros, se rebelan y restablecen un estado feliz o utópico donde hay abundancia de todo, hasta de oro y un clima
ideal, donde los indios responden al esquema tradicional del
"buen salvaje" y donde europeos e indios viven en paz y armonía, a la espera de revelar su existencia al mundo: "Los
demás retornaron despacio a la ciudad, la pequeña y misteriosa Ciudad de los Césares, que un día asombrará al mundo con
su riqueza y su sencilla vida y que mientras llega ese día tra-
baja en silencio, perdida en un rincón imaginario de la cordillera del sur" (p. 423).

Entre los textos analizados hasta ahora y que abarcan cuatro siglos de documentos, noticias e investigaciones históricas, cabe distinguir cuatro posiciones:

1) la de los relatos fantásticos que culminan con el "Derrotero" de Silvestre Antonio Díaz de Rojas y con las expediciones de Mascardi,
2) la de los que analizan la leyenda desde el punto de vista
histórico y creen que se basa en hechos reales y que los
Césares fueron originalmente incas y españoles refugiados
en los Andes y en Patagonia, como Latchman,
3) la de los que interpretan la leyenda según la tradición
medieval, como Ciro Bayo,
4) la de los que creen que la leyenda es un engaño, como de
Angelis y Martínez Estrada.

Al estudiar los textos que describen a la CEC me llama la
atención que nadie hasta ahora haya observado ciertos caracteres objetivos de la misma, que se rastrean en más de una
descripción y que, analizados en conjunto, ofrecen una nueva
posibilidad interpretativa, la que, según pienso demostrar,
acercaría la leyenda en cuestión a la tradición utópica. En las
descripciones incluidas en los textos mencionados se observan las siguientes características:

1) La Ciudad Encantada está edificada en una isla, como la
Utopía de Moro. Su clima es el mejor y se repite siempre en
los relatos que sus habitantes viven en la riqueza y la

abundancia y que gozan de buena salud y son felices por su bienestar material.

2) La sociedad que vive en la Ciudad Encantada se compone de españoles e indios que viven en paz sin diferencias raciales ni religiosas. Los habitantes gozan de la felicidad que da la salud moral, el bienestar espiritual.

3) En la Ciudad Encantada los habitantes se sientan sobre sillas de oro y donan pedazos de este metal a los que se llegan a ellos. Las referencias a los Césares parecen indicar que entre ellos no se tiene muy en cuenta el valor del metal precioso que utilizan para forjar herramientas y enseres para quehaceres domésticos. Algo similar ocurre en la *Utopía* de Moro, donde sus pobladores usan el oro para fabricar utensilios muy humildes, aunque necesarios: vasos de noche.

4) El motivo de la fuente de la juventud, hallada por los que habitan en la Ciudad Encantada es un motivo frecuente en algunas utopías clásicas, como la *Ciudad del Sol* de T. Campanella y la *Nueva Atlántida* de F. Bacón.

Para quien conozca las condiciones materiales y espirituales de la América colonial española resultará muy claro que estas condiciones son suficientes para hacer, por contraste, de la CEC una ciudad utópica. Pero ¿qué clase de utopía? Creo que la respuesta a esta pregunta estriba en las condiciones de los indios americanos antes de la conquista y en las ideas que la cultura renacentista y protestante difundió directa e indirectamente en América. Por lo pronto la CEC no pertenece ni a la utopía experimental estudiada en la I Parte, Capítulo III de este estudio, ni a la literaria, estudiada en la II Parte, Capítulo II del presente trabajo. Tampoco ofrece el aspecto sistemático de la *Sinapia*, mas tiene en común con esta utopía el deseo de hallar una sociedad ideal lejos de Europa, en este caso en la región menos explorada, la misma tierra austral en la que el anónimo autor de la *Sinapia* ubica su estado ideal.

Si bien envuelto en un halo poético, el texto que mejor ha revelado la vida de los indios en América antes de la conquista son los *Comentarios reales* del Inca Garcilaso de la Vega. Marcelino Menéndez y Pelayo, en un juicio que halló acogida favorable, consideró los *Comentarios reales* como obra utópica: "...los *Comentarios reales* no son texto histórico; son una novela utópica como la de Tomás Moro, como la *Ciudad del sol* de Campanella, como la *Océana* de Harrington, el sueño de un imperio patriarcal y regido con riendas de seda, de un siglo de oro gobernado por una especie de teocracia filosófica".[26] Pero ¿no es natural que un descendiente de los incas y un testigo de la ruina cruel de su raza concibiese el deseo de honrar a sus mayores? La utopía del inca Garcilaso no es más que otra prueba de lo que vamos diciendo y constituye una reafirmación de la tradición utópica inaugurada por Vasco de Quiroga en la América colonial española.[27] Frente a la crueldad de la conquista, frente a la violencia y la codicia de los europeos, los americanos, indios, mestizos, criollos y los pocos europeos iluminados, como Vasco de Quiroga, soñaron con un pasado mejor y desearon un futuro que en alguna manera pudiese revivir ese pasado y perpetuarlo. Estudios recientes han subrayado la importancia de los *Comentarios reales* como texto histórico y social.[28] Ha ocurrido con el inca Garcilaso lo que con otros autores que fueron por mucho tiempo considerados literatos o poetas: su texto, aunque impregnado de sustancia poética y fantástica, nos ha dejado un rico testimonio histórico de una época. Aunque envuelto en lenguaje poético, el texto de Garcilaso es un documento imprescindible para conocer la civilización incaica: "La obra del inca Garcilaso es indispensable para el conocimiento de la vida social del antiguo Perú y de la sociedad incaica," afirma Carlos M. Cox (p. 42). Al mismo tiempo resulta bastante clara la recíproca influencia de la obra del inca Garcilso y de la tradición utópica renacentista y las analogías de ambos con las características de la CEC. El Renacimiento proveyó a Garcilaso con el idealismo neoplatónico, asimilado en profundidad durante la prolongada tarea de traducción de los *Dialoghi d'Amore* de León Hebreo, su primera obra literaria.

Por lo que respecta a la difusión de las ideas del Renacimiento, cabe observar que uno de los aspectos más importantes de las utopías renacentistas fue el de la ciudad utópica. Podríamos decir que durante el Renacimiento hay una ciencia "urbanística" utópica que tiende a concebir la ciudad ideal para el hombre ideal. Los que sueñan en recrear al hombre ideal sueñan también en darle una casa, una ciudad que se ajusten a la medida de esta recreación. Una variante importante a esta ciencia urbanística utópica es la que se desenvuelve en los centros de la Reforma Protestante. Aquí nace el deseo de crear centros-refugios donde los creyentes reformados pueden huir de las insidias de sus enemigos religiosos. También estas ciudades-refugios son ciudades ideales. La Reforma y el urbanismo utópico se acercan impulsados por una necesidad primordial: la de la supervivencia. La ciudad ideal de los reformados debe estar construida sobre una isla, así que el agua hará más fácil su defensa. Lo mismo pensaban los expertos militares del tiempo. Maquiavelo, entre otros, concibió la ciudad ideal en medio de lagunas para que fuera más difícil a la artillería acercarse.[29] Este parecer de Maquiavelo fue seguido por casi todos los teóricos del arte militar. Esta de la defensa es la característica principal de la ciudad ideal; así esta defensa constituye también un elemento de separación: la ciudad así concebida está aislada del resto del mundo. Dentro de este refugio ideal los habitantes lograrán constituir la sociedad perfecta de libres, iguales, hermanados en paz y concordia. En el utopismo del Renacimiento se concibe la ciudad ideal para formar al hombre nuevo. En el utopismo de la Reforma hay la convicción de que ese hombre nuevo ya existe y ha de ser acogido en la nueva ciudad. Aquellos que en América soñaron con una sociedad ideal estaban también convencidos de que el hombre nuevo ya existía en América, como explica Silvio Zavala: "La tarea del europeo no ha de consistir en trasladar sus valores a las Indias para reproducir aquella sociedad torturada y de hierro de que huye el humanista, sino en aprovechar la blanda masa humana de los indios para crear una república cristiana perfecta."[30] Así soñaron la CEC que prometía restituir una frescura primaveral, una inocencia feliz, una indomable pureza de alma.

En conclusión, la búsqueda de la CEC es la directa consecuencia de la búsqueda de la utopía en América. Aquí nació la sociedad ideal que, a través del relato de los cronistas y del Inca Garcilaso de la Vega, inspiró a los escritores del Renacimiento a concebir la ciudad ideal en Europa y América. Como hemos visto, las características principales de la misma concuerdan con las de la Ciudad Encantada de los Césares. El carácter popular de este mito revela la extensión de la mentalidad edadorista al nivel del cuerpo social de ideas elaboradas por los cronistas primitivos de Indias.

IV Parte

Siglo XVII.

La utopía sistemática:

Sinapia.

I.

Teoría y práctica de la utopía

LA TRADICIÓN de los estudios sobre la utopía data de unos cien años aproximadamente, si se considera que *Ideal Commonwealths* de Morely apareció en 1879 y que unos 27 años antes Thonissen había publicado *Le socialisme depuis l'antiquité jusqu'a la constitution française du 14 janvier 1852* en París, en dos volúmenes. R. Trousson, en su obra *Voyages aux pays de nulle part* (1975) ha reunido una lista de 37 títulos de trabajos introductorios sobre la utopía que cubren ese mismo período de tiempo, unos cien años.[1] A pesar de esta nutrida bibliografía sobre la utopía sólo en años recientes los estudios se han concentrado en dilucidar el significado real del género utópico y de la misma palabra "utopía". Los resultados preliminares ya han revelado puntos de vista opuestos. Veamos algunos ejemplos de los resultados obtenidos en la bibliografía sobre este problema del significado filosófico e histórico del genero utópico, publicada en los últimos 50 años, desde 1929 hasta hoy.

I.) En 1929 se publica el trabajo fundamental de Karl Mannheim, *Ideology and Utopia*.[2] Según Mannheim, la "ideología" es una idea política inspirada y sostenida por el sistema—el "establishment"—que está en el poder, mientras que la "utopía" es la idea que se opone a esa ideología particular. Por ello en Mannheim la definición de utopía es sinónima de progreso y revolución, mientras que para él la "ideología" es estática y reaccionaria. Finalmente Mannheim propone una distinción en cuatro grandes períodos en la historia: 1) la utopía quiliástica del siglo XVI; 2) la utopía liberal-humanitaria de la burguesía del Iluminismo; 3) la utopía pietista que según él es otra forma de utopía quiliástica y 4) la utopía comunista "la nueva definición de utopía en cuanto a la realidad".[3] De manera que Mannhem ve en la utopía un cambio dialéctico. Es importante observar que Mannheim ubica el origen de la utopía moderna en el Renacimiento.

II.) La concepción opuesta a la de Mannheim es la de Etienne Gilson, en su obra *Les métamorphoses de la Cité de Dieu*,[4] publicada en 1952. Después de reseñar el origen y desarrollo de lo que él llama la "sociedad universal", refiriéndose a las concepciones utópicas, Gilson concluye que el hombre no ha logrado hasta ahora la fundación de un organismo utópico en escala mundial. Y Gilson cree poder individuar este fracaso en la falta de un principio amalgamador, la fe cristiana: "Puede que exista la ciudad de los hombres, aunque no se pueda edificar sin los políticos, los legisladores, los hombres de ciencia y los filósofos, mas no se edificará jamás sin la Iglesia y los teólogos."[5] En esta definición está implícita la de nación de san Agustín, que Gilson adopta. La definición de San Agustín, basada en la de Cicerón, es la siguiente: "Un pueblo es un grupo de seres racionales, unidos entre ellos porque aman las mismas cosas."[6] Y Gilson cree que en la medida en que una nación quiere las mismas cosas es unida. En consecuencia Gilson cree que el cristianismo es el mejor valor que un pueblo puede tener en común. Gilson descarta el marxismo porque no lo considera espiritualmente atractivo.

III.) Partiendo de los resultados obtenidos por Mannheim, Roger Mucchielli en *Le mythe de la cité idéale*[7] descubre la función de la utopía en la rebelión. Según Mucchielli la utopía se origina de la oposición entre la tiranía del sistema—el "establishment"—y la nostalgia por un mundo mejor.

IV.) Una interpretación diferente es la de Raymond Trousson. En su estudio *Voyages aux pays de nulle part*,[8] Trousson considera el género utópico como ficción. Según Trousson el autor de utopías tiene como finalidad la de presentar un trabajo artístico, del que la realidad es una parte importante. En otras palabras, para que se dé el género utópico la obra tiene que tener una trama cuyo fin principal es presentar un estado ideal que sea completamente distinto de los estados existentes, mas que represente en sí una sociedad posible. A diferencia de Mannheim, Gilson, y Mucchielli, Trousson no aduce ningún significado ético, o moral o práctico al género utópico. Además distingue este género de los que él define los "genres apparentés", o sea, los géneros similares, como los que presentan los temas de la edad de oro, o de la Arcadia, ambos considerados por Trousson como mera expresión de la nostalgia por un pasado mítico o como una evasión y un rehusar a aceptar la organización social. En pocas palabras, la definición de utopía dada por Trousson es negativa: la utopía no es un tratado político ni moral, no es el mito de la edad de oro ni la Arcadia, ni tampoco las aventuras modeladas sobre el género de Robinson Crusoe. En su definición del género Trousson incluye también aquellos trabajos que satirizan a la utopía, como *Brave New World* de Huxley, *Animal Farm* y *1984* de Orwell. Trousson excluye del género aquellas utopías experimentales cuya finalidad es la de establecer un estado ideal.

V.) En *Seven American Utopias: The Architecture of Communitarian Socialism, 1790-1975*[9] Dolores Hayden ha optado por un criterio opuesto al de Trousson. Su estudio toma en consideración solamente los experimentos utópics efectuados en los Estados Unidos en el período entre 1790 y 1975.

VI.) Las historias del pensamiento utópico, como las de Hertzler, Eurich y Ferguson, no proponen otro criterio que la colección de trabajos que, según los autores, revelan lo que ellos conciben por utopías. Así por ejemplo en *The History of Utopian Thought*,[10] publicado por primera vez en 1922, Hertzler define el Utopismo ("utopianism") como "a conception of social improvement either by ideas and ideals themselves or embodied in definite agencies of social change."[11] Hertzler cree ver este espíritu utópico presente en los profetas bíblicos hasta los reformadores modernos como Cabet, Owen, Bellamy y Wells.

El trabajo de Nell Eurich, *Science in Utopia*,[12] sigue un criterio similar al de Hertzler, con la diferencia que Eurich concentra su atención en el interés que el utopismo siempre manifestó por la ciencia. Su estudio toma en consideración textos pertenecientes a distintas épocas, desde el poema de Gilgamesh, hasta el presente.

John Ferguson en su *Utopias of the Classical World*,[13] limita su análisis a la tradición clásica greco-latina, desde los textos homéricos hasta la *Ciudad de Dios* de San Agustín. En este análisis, como en los otros dos anteriores, el criterio es más bien enumerativo y no se distingue entre un texto poético como la *Odisea* de Homero, un diálogo filosófico como *La república* de Platón, los reformadores sociales como los hermanos Tiberio y Cayo Graco y un libro teológico como *La ciudad de Dios* de San Agustín.

VII.) Los estudios generales sobre la cultura hispánica no parecen aclarar el significado de la utopía española a la que algunos se refieren de pasada. Este es el caso de Otis Green que en su *Spain and the Western Tradition*[14] se refiere varias veces al descubrimiento como "a new dream, a new utopia".[15] Una vaguedad similar se observa en *Sons of the Shaking Earth*[16] de Eric Wolf en que el autor se refiere a la cristianización de los indios por obra de los Españoles como el "suceso de la utopía católica".[17] En su estudio sobre la utopía americana de España,[18] Silvio Zavala interpreta la utopía americana como la "visión humanística de América" inmediatamente después del descubrimiento. Como ejemplo Zavala cita al humanista español Juan Maldonado quien en 1532 soñó una América recientemente cristianizada desde su torre de Burgos: "Los nobles salvajes habían adquirido en diez años la fe más puramente ortodoxa. Ellos estaban maravillosamente predispuestos a ello por su existencia paradisíaca—benditos por la naturaleza, libres de los vicios del engaño y la hipocresía."[19] Zavala también se refiere a Vasco de Quiroga, el obispo de Michoacán, quien en su *Información en Derecho* anunció su intención de establecer un estado ideal basado en la *Utopía* de Moro.[20] Para todos estos autores la utopía española en América fue la evangelización de los indios, la nueva Iglesia fundada en América por los Españoles. Es la tesis de Lewis Hanke en relación a la obra del Padre Las Casas.[21] La difusión de la *Utopía* de Moro en España y en la América hispana ha sido estudiada por Marcel Bataillon, Silvio Zavala, y Francisco López Estrada.[22] Este último ha hecho referencia a la *Sinapia* en su obra *Tomás Moro y España*.[23]

El texto de la primera utopía sistemática española— *Sinapia*—permaneció oculto durante unos tres siglos en los archivos de Pedro Rodríguez, Conde de Campomanes, hasta 1975 en que yo publiqué el texto por primera vez.[24] Sería difícil ubicar a esta obra en uno de los esquemas mencionados

más arriba porque éstos tienen la desventaja de haberse concebido con miras a eliminar las dificultades que presenta la
utopía y no para resolverlas. Intentaremos por lo tanto ofrecer otro esquema, concebido para resolver las dificultades
teóricas planteadas por una utopía y un género ignorados por
los especialistas: la utopía española. De acuerdo a los textos
españoles aquí mencionados, y que van desde 1492, fecha del
"Diario del Primer Viaje" de Colón, hasta 1682, fecha de composición de *Sinapia*, podemos distinguir tres períodos:

I). El primer período va desde el descubrimiento en 1492
hasta 1553 y tiene en Las Casas y Quiroga las figuras centra-
les. En este período el sueño utópico de un estado cristiano
fracasó y la codicia y el orgullo triunfaron de la piedad y de la
justicia. El sueño tuvo sus momentos de realidad en los intentos de Las Casas, Quiroga y los Jesuítas del Paraguay. Lo que
hace de la utopía española algo único en su género es que por
un tiempo el gobierno español participó en ella, como bien ha
demostrado Hanke. Especialmente en la primera época del
reinado de Carlos V el gobierno español no solamente escuchó la defensa apasionada de los indios hecha por Las Casas,
sino que trató de llevar a cabo reformas ingentes de sus instituciones jurídicas y políticas. Fue éste el primero y único caso
en que una potencia colonial trató de introducir principios
jurídicos y morales inspirados en el Evangelio en sus tratos
con los pueblos conquistados. Este fue también el período de
Las Casas, Vasco de Quiroga, Fray Antonio de Guevara y
Alfonso de Valdés.

II.) El segundo período parte de 1553 y culmina en 1616, con
la muerte de Cervantes, el autor de la más importante utopía
literaria de España, el *Quijote*. Durante ese período se publica
el *De Rege* de Mariana (1599). Después del fracaso de la utopía
experimental del primer período, nació la utopía literaria. Los
siglos de oro de la literatura española no son sólo la expresión
del gran genio literario de España, sino también del anhelo
imposible de la utopía católica de España, ya debilitada por un
proceso irreversible de decadencia. Nunca este sentimiento de
decadencia espléndida se expresó mejor que en el *Quijote*. La
patética "Triste Figura" es la alegoría de la desilusión de lo
que pudo haber sido si no hubiese sido vencido por la codicia
y el orgullo. Don Quijote es un héroe patético de un sueño

medieval y universal que vuelve para obsesionar a sus descendientes degéneres con sus ambiciones mezquinas y sus intereses frívolos. La ironía esparecida en todas las obras de
Cervantes, y más evidente en *Don Quijote*, simboliza este criticismo social.

Un contemporáneo suyo, Juan de Mariana, es el autor del
tratado más famoso y elocuente sobre el buen gobierno y el
buen príncipe, *De Rege*. Cervantes y Mariana representan el
ápice de la utopía literaria de España, concebida después del
fracaso de la utopía experimental de América.

III.) Mas tampoco la utopía literaria pudo arrestar el curso
inexorable de la decadencia hispánica y las condiciones madu-
raron para la utopía propiamente dicha: *Sinapia*.[25]

✌ II. ✌

El género utópico y el
humanismo cristiano

Como hemos visto, el deseo de una sociedad ideal en que todos los hombres tengan lo suficiente para satisfacer sus necesidades ha perseguido la humanidad durante siglos, tanto en la antigüedad como en la modernidad.[1] Este deseo ha hallado su expresión tanto en las canciones y tradiciones populares como en los cuentos de hadas del hombre lego, mientras que una minoría culta ha tratado de dar cuerpo a sus sueños con una doctrina sistemática.

Este deseo de los hombres cultos ha tenido dos formas de expresión en literatura que pueden llamarse *poética* y *filosófica*. A la forma poética pertenecen pasajes innumerables que aluden a una sociedad ideal o a un mundo ideal y que se hallan en casi todas las literaturas, desde el poema de *Gilgamesh*[2] hasta las *Metamórfosis*[3] de Ovidio, desde las costumbres de los caníbales de Montaigne hasta las obras pastoriles de la Arcadia del Renacimiento.

La forma filosófica ha dado vida a relativamente menos obras en comparación con la forma poética. A este género pertenecen las descripciones sistemáticas de estados que, presentadas como sociedades ideales, difieren de manera radical de las sociedades del tiempo de los autores. A este género literario único pertenecen, entre otros, la *República* de Platón, el primero en orden temporal y en importancia, ya que llegó a ser el modelo de todos los otros que le siguieron; la *Utopía* de Moro, que dio su título al género; la *Ciudad del Sol* de Campanella; la *Nueva Atlántida* de Bacón; la *Océana* de Harrington y la *Sinapia* de autor anónimo.

la diferencia entre las dos formas estriba en el propósito. Mientras el autor de la utopía poética se propone sobre todo hacer obra de entretenimiento, el autor de la utopía filosófica mira a denunciar las injusticias sociales y a proponer una reforma radical.

Después de *La República* (389-369 a.C.) de Platón no se compuso ninguna otra utopía filosófica hasta 1516 en que Moro escribió la *Utopía*, unos diecinueve siglos más tarde. La *Ciudad de Dios* (400-430 d.C.) de San Agustín, a pesar de que posee muchas características comunes al género filosófico, no puede definirse propiamente una utopía porque es una exaltación mística de la Iglesia Cristiana existente y se ocupa de cosas terrenas sólo en la medida en que están relacionadas a las cosas celestiales. La vida terrena es solamente un período de preparación y prueba, un peregrinaje a cuyo fin se halla la vida celestial perfecta a la que tiende el alma. Un estudio de la *Ciudad de Dios* revelaría que la concepción de San Agustín del estado ideal es estática e inmóvil porque está fundada por la voluntad y la gracia de Dios que es perfecto y no puede ser igualado.[4] De acuerdo a esto podemos concluir que la utopía filosófica no sólo es rara sino que florece solamente en ciertos períodos y requiere la voluntad de aceptar cambios.

No es sorprendente que una nueva utopía, la de Tomás Moro, se escribiera en el umbral de los tiempos modernos (1516), poco después del descubrimiento del Nuevo Mundo[5] y en tiempos en que el mundo viejo experimentaba un cambio profundo. Como resultado de estos cambios de mentalidad la concepción de la vida personificada por San Agustín y luego por la Edad Media gradualmente fue substituida por una visión más moderada. El hombre comenzó a creer que sería posible lograr un estado justo y feliz en la tierra, un estado en que el régimen democrático y los cambios por éste introducidos podrían llegar a funcionar. En la *Utopía* de Moro se concibe una organización política dinámica, capaz de modificaciones y mejoras, puesto que el gobierno, como todo concepto humano, es falible y puede mejorarse. Moro adoptó el principio platónico de la propiedad en común y su creencia que la educación es la piedra angular del bien de la comunidad, el medio con que el estado formará los ciudadanos ideales. En la *República* de Platón el estado está gobernado por filósofos que también son educadores. Los elementos esenciales del estado ideal de Moro son las virtudes cristianas practicadas por sus ciudadanos y los principios altamente democráticos junto con la igualdad radical que gobiernan la sociedad. A pesar de que los Utopianos sean gentiles ellos practican las virtudes cristianas y Moro dice en forma muy explícita que ellos se convertirían fácilmente a la fe cristiana a causa de sus cualidades morales. Este concepto había sido influido en Moro por Erasmo, quien había rechazado el formalismo medieval y había bregado por una vuelta a las enseñanzas esenciales de Cristo. Se ha sugerido que Hythlodaeus, el prestigioso viajero de la *Utopía*, es la personificación de Erasmo, amigo y colega de Moro.[6] Pero estos principios de Moro nos recuerdan las afirmaciones de los primeros historiadores del descubrimiento, como Colón y Anglería y corren parejas con las de Las Casas y las de Quiroga, el discípulo de Moro.[7]

La creencia de Moro en la democracia como la cura de todos los males de la Europa contemporánea era el resultado de sus propios estudios humanísticos. De manera que, contra la injusticia moral, social y política de la Europa cristiana Moro concibió una sociedad pagana en la que se dieran las condiciones ideales para la paz, el amor y la justicia. Los Utopianos no cristianos tienen mucho más en común con las enseñanzas de Cristo que los Europeos cristianos porque carecen de la soberbia, la codicia y la indolencia, fuentes de todos los males. Con justificación de causa la *Utopía* se considera la obra iniciadora del género de la utopía moderna porque, a diferencia de la *República* o de la *Ciudad de Dios*, el estado de Moro se funda sobre una comunidad de ciudadanos muy instruidos y disciplinados, regidos por magistrados electos en forma democrática.

La utopía moderna nace dentro del pensamiento del humanismo cristiano de Moro y Erasmo. De hecho la antiutopía es, por esa misma razón, y por nacer en la misma época, pero de una concepción opuesta, esencialmente anticristiana.

La referencia al modelo de Roma y de la civilización clásica como un modelo insuperable les impidió a los humanistas italianos concebir una sociedad que, aun siendo distinta de la sociedad medieval, fuese también y sobretodo esencialmente distinta del modelo romano. No obstante la profundidad de su visión política, Maquiavelo se equivocó porque creyó que el remedio a los males políticos de Italia pudiese venir de un "superhombre" que renovara las "virtudes" antiguas.

En este sentido Moro y, más aún, Campanella, representan una ruptura con la tradición humanística italiana. Ambos concibieron su utopía mirando al presente y al descubrimiento y conquista de América y no al pasado. El Nuevo Mundo, la nueva ciencia, y Colón son los elementos que juegan en la concepción utópica de Moro y, más aún, de Campanella en quien actúa también la presencia del pensamiento de Galilei. En esta perspectiva la concepción de Maquiavelo apunta al polo opuesto dentro de los dos momentos decisivos del Renacimiento italiano. Momentos sucesivos en orden cronológico y fundamentalmente opuestos: el momento en que nace el *Príncipe* y aquél en que nace la *Ciudad del Sol*, que representan los dos polos de la especulación teórica de la ciencia política del Renacimiento. Esta ciencia había nacido de un impulso patriótico y nacionalista, que había hallado su expresión en el *Príncipe* y que se había luego resuelto en una superación del sentimiento nacional en la visión del gobierno universal de Campanella.

La evaluación histórica del descubrimiento de América no se verifica en el Renacimiento italiano hasta Campanella. Mas en el momento en que Campanella elabora su evaluación histórico-filosófica del acontecimiento la iniciativa política y científica ha pasado a los países atlánticos. El humanismo italiano permaneció esencialmente greco-romano y mediterráneo.

Los *Discursos* constituyen la obra en que Maquiavelo estudia la historia romana y en los que él expresa principios que él concibe como verdades universales. La tesis de la realidad "effettuale" expuesta en el *Príncipe* se contradice explícitamente en el *Proemio* de los *Discursos*, donde Maquiavelo afirma que el estudio de la historia romana a través del texto de Tito Livio puede y debe servir como enseñanza para los jóvenes por su futura conducta política. El paso decisivo es aquel en que Maquiavelo se declara convencido de la inmovilidad de las cosas humanas y por lo tanto de la necesidad de imitar los que mejores resultados lograron en política en el pasado, es decir los Romanos. Maquiavelo observa que los hombres no imitan más a los antiguos porque ya juzgan que "il cielo, il sole li elementi, li uomini, fussino variati di moto, di ordine e di potenza da quello che gli erono antiguamente. Volendo pertanto tarre gli uomini di questo errore, ho giudicato necessario

scrivere sopra tutti quelli libri di Tito Livio... quello che io,
secondo la cognizione delle antigue e moderne cose, indicherò
essere necessario per maggior intelligenzia di essi, a ciò che
coloro che leggeranno queste mie dichiarazioni, possino più
facilmente trarne quella utilità per la quale si debbe cercare la
cognizione delle istorie."[8] Así la historia de Roma se vuelve
un ideal superior, un término fijo de comparación al que el
político debe aspirar, para tratar de acercarse cuanto más a
este ideal, aun sabiendo que no puede lograrlo. En Maquiavelo esta idea del ideal de Roma tiene todas las características de
una idea platónica de la ciudad ideal. En el *Príncipe* ese ideal se
revela aún más lejano. El humanista soñador de los *Discursos*
se detiene en la "realidad efectual" italiana y ve las discordias
civiles, los ejércitos extranjeros invasores y los nuevos estados que emergen del nuevo orden de cosas. Por ello Maquiavelo piensa que para poder fundar un nuevo estado en Italia
el príncipe tendrá que poseer una "virtud" en la que el elemento moral no constituya el resorte de la acción. Para crear
este nuevo estado Maquiavelo presenta dos tesis que en parte
se contradicen: la primera es la del "Proemio" de los
Discursos—el político debe imitar las acciones de los antiguos,
en particular de los Romanos antiguos. La segunda es la del
Príncipe: el político debe imitar las acciones de César Borgia. Y
mientras en la primera tesis Maquiavelo expresa su admiración por las virtudes civiles y morales de los Romanos, en el
Príncipe se rehusa a considerar la justificación moral de la acción política. Aunque en contradicción, las dos tesis aspiran a
una conciliación, la de hallar los principios generales, las
leyes, que rigen el éxito político, sea en el pasado, la historia
de Roma, sea en el presente, las vicisitudes de César Borgia.
De hecho también en el *Príncipe*, como los *Discursos*, Maquiavelo expresa ideas a las que cree poder dar valor universal:
"...colui che è stato meno su la fortuna, si è mantenuto più"
(VI, p. 30); "...tutt'i profeti armati vinsono, e li disarmati
ruinorono" (VI, p. 30).[9] A menudo el principio general está
enunciado en el título de un capítulo: "Quantum fortuna in
rebus humanis possit, et quomodo illi sit occurrendum"
(XXV, p. 98).[10] También en el *Príncipe* Maquiavelo sugiere que
hay que seguir la lección de la historia: "...debbe uno uomo
prudente intrare sempre per vie battute da uomini grandi, e
quelli che sono stati eccellentissimi imitare, acciò che, se la

sua virtù non vi arriva, almeno ne renda qualche odore...."
(VI, p. 30).[11]

El estudio de la historia romana y de la "realidad efectual"
por él conocida le hizo concebir a Maquiavelo los principios
políticos que podríamos comprender bajo el término general
de anti-utopía, entendiendo por esto no solamente un concepto antitético al de utopía, sino un método de concebir la
realidad política independientemente de toda consideración,
sea moral, o religiosa, sea filosófica, social o económica. Esta
es la semilla fructífera que fecundó el pensamiento de Maquiavelo y con el que él pretendió dejar sentada una serie de
reglas que habrían permitido a un príncipe italiano la constitución de un estado italiano fuerte, unificado e independiente. La realidad política de la Europa del tiempo le mostraba a Maquiavelo que un grupo de personas se declaraba leal a
un individuo, que a su vez acogía cada vez más moradores
dentro de los confines de su territorio que a su vez se expan-
día a expensas de sus vecinos más débiles. Lo que Maquiavelo
observaba en Italia ocurría más o menos doquier, sobre todo
en Francia y España, donde ambas monarquías habían reunido bajo una sola corona poblaciones siempre más numerosas
en un territorio siempre más extenso. Y todo esto ocurría
independientemente del sistema feudal o de la voluntad del
emperador o del papa quien, según la interpretación de Maquiavelo, jamás permitió la unidad italiana: "Abbiamo adunque con la Chiesa e con i preti noi Italiani questo primo obbli-
go: di essere diventati senza religione e cattivi: ma ne abbiamo ancora uno maggiore, il quale è la seconda cagione della
rovina nostra: questo è che la Chiesa ha tenuto e tiene questa
provincia divisa. E veramente alcuna provincia fu mai unita e
felice, se la non viene tutta alla ubbidienza d'una repubblica o
d'uno principe, come è avvenuto alla Francia ed alla Spagna"
(*Discorsi*, I, XII, p. 165).[12] El interés por estas dos monarquías
en Maquiavelo no era accidental. De hecho eran éstas las que
en su época se disputaban el dominio de la península italiana,
a menudo aliadas de estados italianos contra otros estados
italianos. Maquiavelo observó con gran penetración y claridad
las causas de la formación de los nuevos estados modernos
derivando de ellas conclusiones y principios universales para
que un príncipe italiano los pusiese en la práctica. Y aquí Maquiavelo observaba que César Borgia había obtenido la venta-

ja más grande de la situación existente por falta de escrúpulos
morales y por su capacidad a las más completa simulación de
sus sentimientos e intenciones verdaderos, por la audacia de
sus planes y la rapidez de la ejecución. Todas las acciones de
César Borgia están por encima de la ley moral, de la moral
cristiana en particular. Este es el punto que más aleja a Maquiavelo de su contemporáneo Tomás Moro y de su sucesor
Tomás Campanella.

El motivo inspirador de la *Utopía* es el pacifismo, inspirado,
como la obra del amigo preferido Erasmo, por el horror de las
guerras de la Europa moderna a punto de nacer. Maquiavelo
y Moro meditaron sobre la misma realidad, mas con resultados opuestos. Mientras en Maquiavelo esos hechos se estudian a la luz de la "lunga esperienza delle cose moderne et
una continua lezione delle antigue"[13] para obtener una utilidad política, en Moro esos hechos se consideran desde un
punto de vista moral. En la *Utopía* Moro quiso representar
irónicamente una sociedad que, aún desconociendo la doctrina cristiana, se encuentra mucho más cerca de los preceptos
de Cristo de los europeos que son cristianos de nombre, no
de hecho. Gillaume Budé definió a la isla de Utopía "Hagnopolis", es decir, ciudad santa, aunque no fuese una ciudad
cristiana.[14] Moro, con la *Utopía*, representó en una sola obra
los ideales del humanismo cristiano, mientras Maquiavelo,
que acusaba al cristianismo de haberle quitado al hombre la
capacidad de combatir, o sea de aquellas "virtudes" que habían hecho de los Romanos los dueños del mundo, representó
los ideales del humanismo paganizante:

La religione antica, oltre a di questo, non beatificava se
non uomini pieni di mondana gloria; come erano capitani
di eserciti e principi di repubbliche. La nostra religione ha
glorificato più gli uomini umili e contemplativi che gli atti-
vi... E se la religione nostra richiede che tu abbi in te for-
tezza, vuole che tu sia atto a patire più che a fare una cosa
forte. Questo modo di vivere adunque pare che abbi ren-
duto il mondo debole, e datolo in preda agli uomini scelera-
ti; i quali sicuramente lo possono maneggiare, veggendo
come l'università degli uomini per andare in Paradiso pen-
sa più a sopportare le su battiture che a vendicarle (*Discorsi*,
II, ii, pp. 282-283).[15]

La *Utopía* de Moro se inspira en la moral cristiana mientras
que la antiutopía de Maquiavelo es anticristiana. El pacifismo
cristiano de Moro es esencialmente antimaquiavélico. Antiutopía y anticristianismo se combinan en Maquiavelo que así
se anticipó en su tiempo también a aquellas ideologías que en
la historia moderna se han repetidamente opuesto a la moral
cristiana.

La verdadera y natural razón de ser de los estados modernos se apoya en el sentido patriótico de un país particular, por
encima del orden universal anterior representado por el emperador y el papa. Una antítesis similar se observa desde el
punto de vista metodológico e ideológico si se compara la
obra de Maquiavelo a la del otro grande utopista del Renacimiento: Tomás Campanella.

Si bien no tenemos prueba de que Moro haya conocido la
obra de Maquiavelo, hay pruebas innumerables en varios pasajes de las obras de Campanella de la más completa y constante oposición a Maquiavelo. Mientras el historiador floren-
tino concibió una doctrina política que debía servir para
constituir un estado nacional, la obra de Campanella se inspira en el deseo de justificar el estado universal. La distinta
perspectiva histórica de Maquiavelo y de Campanella es la
razón de su diferencia metodológica. Mientras en Maquiavelo
la realidad política es autónoma, en Campanella ésta se su-
bordina a la realidad religiosa y moral. Mientras Maquiavelo
concibe su teoría sobre la hipótesis que la historia romana es
el momento más alto del desarrollo humano, Campanella cree
que el hombre moderno sea mejor que sus antepasados de la
era greco-romana. Mientras en Maquiavelo el hecho más importante de la historia universal es la República Romana, en
Campanella es el descubrimiento de América.

Unos años atrás Roger Mucchielli hizo una comparación
profunda y sugestiva entre la *Utopía* de Moro y el *Príncipe* de
Maquiavelo.[16] Mucchielli observa que tanto la obra de Moro
como la de Maquiavelo nacen de una "révolte individuelle" (p.
62) ante el desorden, de una "observation lucide et méthodi-
que" (*Ibid.*) de la sociedad contemporánea. Mas, mientras la
rebelión individual y la observación lúcida y metódica en
Moro provocan un "pessimisme sur les possibilités d'inter-
vention efficace" (*Ibid.*), en Maquiavelo ese pesimismo "recon-
tre les conclusions de la science politique" (p. 69). Según la

interpretación de Mucchielli, también Maquiavelo concibió, en cierta medida y según su concepción particular, el mito de la ciudad ideal: "Le mythe de la cité idéal réapparant, monstrueux et méconnaissable, sous la forme du machiavéllisme, mais il est la pourtant" (*Ibid.*).

Aun admitiendo que desde el punto de vista psicológico la interpretación de Mucchielli es legítima—Moro y Maquiavelo sueñan ambos un estado ideal aún si su doctrina política es distinta—hay que observar que la inspiración cristiana y pacifista, la fe religiosa que inspira Moro es completamente ausente en Maquiavelo. Es este elemento religioso el que establece una distinción definitiva entre la *Utopía* de Moro y el *Príncipe* de Maquiavelo. De hecho la *Utopía* de Moro, como la *Ciudad del Sol* de Campanella, presuponen una justicia eterna y universal, la ley natural y divina del Bien. Las leyes de la *Utopía*, como las de la *Ciudad del Sol*, si no se inspiran en el cristianismo, de hecho se basan en principios cristianos. En Maquiavelo la ley es la del "superhombre" que juzga según el caso y cuyo comportamiento responde a la necesidad política y a las circunstancias políticas y no depende de valores universales ni trascendentes. El príncipe de Maquiavelo es más poderoso y astuto que los otros hombres y terminará fatalmente por dominarlos. Aunque la interpretación de Mucchielli acerca Moro a Maquiavelo porque ambos reaccionan psicológicamente contra el desorden en el estado y para la defensa de la incolumidad del estado, ella no resuelve la diferencia decisiva con la que los dos humanistas piensan de remediar al desorden que amenaza el estado. Esta diferencia es la que últimamente hace de la obra de Moro y Campanella una utopía y de la obra de Maquiavelo una antiutopía.

℘ III. ℘

Sinapia y Bosquejo:
Utopía e Ilustración

LA ILUSTRACIÓN dio a España las reformas buscadas por los ilustrados del siglo XVIII. En el archivo de Campomanes hay varios textos que podrían considerarse utópicos si se tuviese en cuenta su propósito de reformar la sociedad hispánica en forma total y cabal, tanto en la Madre Patria como en los territorios de ultramar. Alguno de estos textos son de Campomanes, otros de otros, muchos son anónimos.

Entre los trabajos de Campomanes el *Bosquejo de política económica española delineado sobre el estado presente de sus intereses*[1] es uno de los mejores ejemplos de un proyecto para la solución de todos los males que afligen a España con una reforma económica general. La *Descripción de la Sinapia península en la tierra austral*,[2] es un ejemplo anterior de esta literatura. La diferencia entre la *Sinapia* y el *Bosquejo* es la intención y el estilo con que se escriben los dos trabajos. La *Sinapia* se inspira en las obras clásicas del género, como la *República* de Platón, la *Utopía* de Moro, la *Ciudad del Sol* de Campanella y la *Nueva Atlántida* de Bacón. El propósito de su autor es el de denunciar los males de la sociedad española al representar una sociedad ideal en las antípodas de España. El nombre *Sinapia* es un anagrama de (h)ispania. El *Bosquejo*, escrito por Campomanes en la segunda mitad del siglo XVIII, muestra a un hombre que entendió la naturaleza compleja de los principios económicos y que de acuerdo a ellos quiso reformar a España. Sin embargo, el *Bosquejo* también posee un carácter utópico, pues, como los arbitristas, Campomanes busca el remedio para todos los males de España con una reforma económica general.

Las ideas expresadas por Campomanes revelan cierta semejanza con las de la *Sinapia*, con la diferencia que, mientras

Campomanes critica a la sociedad española con miras a eliminar los males y devolver seguridad y fuerza a un estado muy
debilitado, la *Sinapia* denuncia los mismos males sin esperanza
de regeneración. La *Sinapia* se concibió en medio de la decadencia española, a fines del siglo diecisiete, mientras el *Bosquejo* ya muestra las señas de una regeneración moral y política
en la segunda mitad del siglo dieciocho. La diferencia entre la
Sinapia y el *Bosquejo* se vuelve muy clara si miramos a su organización política y social. La sociedad sinapiense se basa en un
estado comunista, donde no hay propiedad privada. La autoridad máxima es un Príncipe, no hereditario, sino elegido,
quien es también la máxima autoridad religiosa. Al final el
autor afirma de forma inequívoca que Sinapia es en las
antípodas de España, no solamente desde el punto de vista
geográfico, sino también desde el punto de vista político, religioso, social y económico. A diferencia de la *Sinapia* el *Bosquejo*
se concibió para España y sus instituciones, la monarquía y el
estado españoles. Campomanes concibió sus reformas desde
el centro del poder, el todopoderoso Consejo de la Corona.

Como todos los arbitristas, el Fiscal del Consejo pensó eliminar los males del estado con una reforma que mejorase o
hiciese más eficaces las instituciones vigentes y el poder constituido. Mientras la *Sinapia* implica una abolición radical del
poder constituido, el *Bosquejo* quiere abolir solamente los males sociales del mismo. Las similitudes entre los dos textos
consisten en su deseo de constituir un gobierno justo. Al comienzo de su trabajo el autor de la *Sinapia* escribe que el fin de
su república es el de "viuir templada, deuota y justamente en
este mundo, aguardando la dicha prometida, con la venida
gloriosa de nuestro gran Dios, para lo qual ningunos medios
son mas a proposito que la vida comun, la ygualdad, la mode-
racion y el trabajo y, por el contrario, como el fin que se ha
tenido en nuestros gouiernos por la mayor parte a sido con-
tentar nuestra pasion, o redimir nuestra vejacion."[3] Al comenzar su *Bosquejo* Campomanes afirma que "Un sabio y sano
gobierno puede hacer feliz en corto tiempo todo un reino, y
siendo largo le puede hacer rico, pero siendo duradero y
puesto sobre cimientos fijos casi le hará inespugnable."[4] La
diferencia entre los dos trabajos consiste en su concepción
opuesta de la estructura económica de la sociedad. El autor de
la *Sinapia* sigue el modelo de Platón, Moro y Campanella en su

convicción de que la propiedad privada es la raíz de todos los males:

> Por todo lo dicho se ve quan felices son aquellos pueblos en quien faltan los incentivos de los vicios, en quien reyna la verdadera piedad y donde la virtud sola se tiene en estimacion. Careciendo los Sinapienses de moneda y de la estimacion ridicula de los metales que llamamos preciosos y de las joias, carecen de la auaricia y de la desigualdad de caudales, tan dañosa para conseruar la paz. Careciendo del "mio" y el "tuio" se libran de la embidia y de la infinidad de pleitos ciuiles, de ventas de herencias, de tratos, etc., que reynan entre nosotros. Careciendo de pobres y viuiendo en perfecta comunidad, los trabajos son menores, repartidos y las comodidades mayores, procuradas por tantos. Careciendo de nobleza, carecen de el mayor incentiuo de la soberuia y ambicion y de la opresion que ellas causan en los plebeyos, origen de las sediciones.[5]

Revelando un punto de vista opuesto, Campomanes declara que la diferencia de clases es natural e inherente a la naturaleza de la humanidad:

> No es mi ánimo proponer aquí la igualdad de bienes en todos los individuos; éste sería un proyecto inasequible mientras dure el género humano, pues aun dada la igual distribución, en breve, la codicia, afán o aplicación de los laboriosos se apropiaría los distribuidos a los flojos, perezosos y gastadores. La sociedad y orden de estados en la república tiene su principal apoyo en esta desigualdad que las costumbres actuales han elevado a proporción; desde el mendigo hasta la dignidad regia se va subiendo por varios escalones, en que solo se encuentra de característico la distinción de bienes que forma la de estados; a no ser esto así, ni se distinguiría el noble ni se conocería el villano; los magistrados serían ociosos y todos vivirían sin policía en la desperación que experimentan los indios bárbaros, reducidos a familias en una comunidad en lo demás de bienes.[6]

Las diferencis y similitudes entre la *Sinapia* y el *Bosquejo* representan las diferencias y las similitudes entre las distintas épocas en que ambos trabajos se concibieron: el primero a fines del siglo XVII y el segundo a fines del siglo XVIII. Esta separación cronológica justifica las diferencias y, al mismo tiempo, hace de: anónimo autor de la *Sinapia* el precursor de los ilustrados españoles como Campomanes. El hecho que la *Sinapia* es un proyecto utópico revela la diferencia entre la formación clásica y la actitud rígida e intransigente de su autor y la mentalidad más ecléctica y moderada de los ilustrados como Campomanes. También revela la diferencia entre dos épocas. Para el autor de la *Sinapia* no hay esperanza de obtener reforma alguna con una actitud moderada en un país dominado por la Inquisición y por la clase militar como era España en el siglo diecisiete. El autor de la *Sinapia* sabe que solamente una revolución puede producir un cambio. Cuando Campomanes escribe su *Bosquejo* Carlos III es el nuevo rey de España. España ya no está bajo el gobierno del endeble Carlos II, el "Hechizado". Carlos III es el tercer rey de la nueva dinastía de los Borbones y el que obtiene resultados más eficaces con sus reformas. Durante la segunda mitad del siglo XVIII la Inquisición ha perdido mucho poder como consecuencia de las medidas regales tendientes a establecer la supremacía de la corona hasta en materia de religión. Carlos III es el rey que expulsa a los Jesuitas de España y de los territorios de ultramar. Los ilustrados como Campomanes pueden concebir proyectos de reforma porque tienen el apoyo de un monarca inteligente. Por lo tanto son las condiciones históricas de España, que entre fines del siglo XVII y fines del siglo XVIII atraviesa un período de grande transformación política y cultural, las que explican las diferencias entre la *Sinapia* y el *Bosquejo*.

Ya hemos visto cómo la *Utopía* de Moro inspirara la utopía empírica de Quiroga. Mas la *Utopía* de Moro no coincidió ni con el espíritu de la casta militar de Castilla, ni con el del clero, ambos representantes, junto con la corona, del poder en España. Tampoco la Inquisición española permitió que se imprimieran y circularan las obras de los humanistas cristianos como Erasmo y sus discípulos españoles Alfonso de Valdés y Juan Vives. Pero a pesar de la oposición del gobierno y de la Iglesia la influencia de Moro y de Erasmo penetró profundamente en España, despertando el deseo de un renacimiento cristiano y el anhelo de una sociedad justa.

En su *Erasmo y España* Marcel Bataillon ha indicado la relación íntima entre el erasmismo y los "alumbrados", "dejados"

o "perfectos" del "iluminismo" español, de la primera parte
del siglo XVI: "... el *iluminismo* se hace a su vez mucho más
comprensible cuando se lo estudia en relación con el movimiento erasmiano... El *iluminismo* español es, en sentido amplio, un cristianismo interiorizado, un sentimiento vivo de la
gracia."[7] Según los alumbrados que seguían las enseñanzas
del Padre Francisco de Osuna, el conocimiento de Dios se lo-
graba a través de un amor intenso desde el alma purificada
por las virtudes morales, esto es, "alumbrada" por las virtudes teológicas y perfeccionada por los dones del Espíritu Santo y por la gracia de Cristo.[8] Ellos también argumentaron que
sin esta disposición interior las ceremonias exteriores no val-
drían para nada.

El Padre Francisco Ortiz, en un sermón pronunciado en
1524 ante la corte imperial de Carlos V, dijo que Cristo estaba presente en forma más perfecta en el alma de los hombres
buenos que en el Santo Sacramento del altar.[9] Inspirados por
el Sermón de la Montaña y por las simples verdades que ofrecía muchos alumbrados atacaron las formalidades huecas con
que muchos cristianos habían substituído la ley moral. La Inquisición consideró las proposiciones de los alumbrados como
si tuviesen un sabor luterano.[10]

Esta reforma española, como la precedente iniciada a fines
del siglo XV por Cisneros, no prosperó después del Concilio
de Trento y de la condena oficial, no sólo del protestantismo,
sino también del erasmismo.[11] La *Sinapia* es un buen ejemplo
de humanismo cristiano en el siglo diecisiete.

El Humanismo, en la forma de un renacimiento práctico
cristiano y de altos ideales morales a menudo asimilados de
autores clásicos griegos y latinos, fue sofocado por la Contrarreforma. Tuvo que esperar hasta la Ilustración del siglo
XVIII para resumir su curso y bajo condiciones culturalmente
muy diversas. En este tiempo España tuvo otra experiencia,
análoga en el espíritu a la que había tenido dos siglos antes.
La Ilustración del siglo XVIII puede considerarse la reforma
ideológica que España no pudo llevar a cabo durante la Contrarreforma. Esta vez al erasmiso se substituyó el jansenismo
y a Vives, o Valdés, Jovellanos, el nuevo intelectual del nuevo
movimiento.

En una de sus afirmaciones más reveladores Jovellanos se
hizo eco del criticismo del humanismo cristiano contra la dia-

léctica aristotélica de los filósofos escolásticos:

> Después acá perecieron estos importantes estudios, sin
> que por eso se hubiesen adelantado los demás. Las ciencias
> dejaron de ser la verdad y se convirtieron en un arbitrio
> para buscar la vida. Multiplicáronse los estudiantes, y con
> ellos la imperfección de los estudios; y a la manera de cier-
> tos insectos, que nacen de la podredumbre y sólo sirven
> para propagarla, los escolásticos, los pragmáticos, los ca-
> suístas y malos profesores de las facultades intelectuales
> envolvieron en su corrupción los principios, el aprecio y
> hasta la memoria de las ciencias útiles... Tampoco propon-
> drá la Sociedad que se agregue esta especie de enseñanza al
> plan de nuestras Universidades. Mientras sean lo que son
> y lo que han sido hasta aquí, mientras estén dominados
> por el espíritu escolástico, jamás prevalecerán en ellas las
> ciencias experimentales.[12]

Angel del Río pone en relación erasmismo y jansenismo cuando observa que Jovellanos fue uno de los jefes del movimiento del siglo XVIII en España:

> Jovellanos, que en el terreno de la fe y del sentimiento reli-
> gioso puede considerarse como modelo de buenos católi-
> cos, fue una de las figuras directoras del grupo disidente. A
> este movimiento—resultado en parte del contagio filosófi-
> co, resurgimiento acaso de soterradas corrientes erasmis-
> tas—obedecen los esfuerzos en contra de la Inquisición, la
> campaña por robustecer la autoridad de los obispos, los
> ataques a la propiedad eclesiástica y, finalmente, los inten-
> tos de arrebatar de manos religiosas la dirección de las
> Universidades.[13]

Un amigo de Jovellanos, el inglés Holland, dijo que Jovellanos
era un jansenista y el mismo Jovellanos dijo que "toda la juventud salmantina es portroyalista...."[14] Del Río cree que el
jansenismo de Jovellanos fue la causa principal de su fracaso
como Ministro de Justicia y de su caída sólo después de ocho
meses de haber sido nombrado en 1798.[15] Por otra parte J. H.
Hexter explica la relación entre Erasmo, Moro y el iluminismo inglés:

> Erasmus has often been identified as a precursor of the
> *philosophes* of the Enlightenment. Indeed, in some measure,

the inhabitants of Utopia in their outlook *are* Enlightenment *philosophes*... What the *philosophes* did because they re-
jected Christian revelation, More had done over two centuries earlier because technically his Utopians could not
know Christian revelation. The equation *reason equals nature
equals virtue*... common to so many eighteen-century *philosophes*, recapitulates the "philosophy" of the Utopians.[16]

De todos modos las virtudes de los utopianos coinciden con
las virtudes cristianas. Finalmente es importante subrayar
que Sinapia es un estado cristiano.

   La *Sinapia*, el primer ejemplo conocido hasta ahora de una
utopía sistemática en España, se escribió algunas décadas antes del comienzo del período que históricamente definimos
como Ilustración.[17] En vista de sus características, su ubicación a fines del siglo XVII, su inspiración en el cristianismo
primitivo y en la *Utopía* de Moro, la *Sinapia* puede considerarse
históricamente como un documento muy valioso para entender la España del siglo XVIII y sus relaciones con el humanismo cristiano del siglo XVI.

❧ IV. ❧

La composición
de una utopía española

LA UTOPÍA como género literario floreció en Inglaterra, Italia y Francia, mas se creyó que en general España nunca hubiese producido una utopía sistemática. De hecho los críticos literarios no hacen referencias al género utópico en España. Trabajos generales sobre la historia del pensamiento utópico, como *The History of Utopian Thought* de Joyce Oramel Hertzler o *Science in Utopia* de Nell Eurich no mencionan siquiera una utopía española. Frank E. Manuel y Fritzie P. Manuel han observado: "Utopian literature did not flourish in post-Renaissance Italy, nor was it ever a distinguished form in either Spain or Germany."[1] José Ortega y Gasset lamentó la falta de pensamiento utópico en su ensayo "El ocaso de las revoluciones" en *El tema de nuestro tiempo*.[2] Hasta en obras en que se han estudiado los mitos de la América hispana no se menciona el género utópico.[3] Por otra parte las referencias de Silvio Zavala en su *Recuerdo de Vasco de Quiroga* al estado ideal de Vasco de Quiroga en México relacionan su plan a la *Utopía* de Moro sin mencionar el pensamiento utópico español al que nos hemos referido en otra parte de este estudio. López Estrada ha limitado su estudio al influjo de Moro en autores españoles, incluyendo la *Sinapia*, sin ahondar las relaciones entre Moro y los cronistas del descubrimiento y de la conquista, a pesar de sus frecuentes citas y referencias a trabajos ya publicados sobre el tema.[4]

El significado utópico del descubrimiento y de la conquista de América ha sido sugerido repetidas veces por intelectuales hispanoamericanos sin referencias a un trabajo específico, ni a una concepción teórica precisa. Dos ejemplos de este tipo son los de Alfonso Reyes y Octavio Paz. En su *Ultima Tule* Reyes dice: "Entre los impulsos que determinaron la aparición histórica de América, unos son terrenos y prácticos, otros fantásticos y ideales. No sólo la verdad, la misma mentira cuaja de repente en comprobaciones teóricamente inesperadas. El misticismo geográfico, las aventuras de los Colones desconocidos e involuntarios, los nuevos ensanches de la tierra, todo ello desemboca en el Nuevo Mundo. No son ajenos al descubrimiento los sueños de Ofir y Catay. La Atlántida, resucitada por los humanistas, trabajó por América. El Cipango y la Antila representan aquí el paso de la quimera a la realidad, del presagio al hecho. Y todavía después, la mentira —que tantas veces ha guiado oscuramente a los exploradores—seguía haciendo de las suyas, cuando se buscaban en nuestro continente la Fuente de Juvencia, el País del Oro y el Reino de las Amazonas."[5] En su *Literatura de fundación* Octavio Paz dice:

> No se puede entender si se olvida que somos un capítulo de la historia de las utopías europeas. No es necesario remontarse hasta Tomás Moro o Campanella para comprobar el carácter utópico de América. Basta con recordar que Europa es el punto, involuntario en cierto modo, de la historia europea, mientras que nosotros somos una creación premeditada.[6]

Sin embargo, esta insistencia en el sueño utópico que fue el descubrimiento y la conquista de América parece limitar, y hasta excluir, la posibilidad de una concepción sistemática que haya tenido su origen en una especulación teórica antes que en una acción física como fue el descubrimiento o la conquista. Un estudio reciente insiste en este motivo de la falta de pensamiento utópico en la América hispana y su autor, Joseph L. Love, no titubea en juzgar así toda la historia de esta región: "During nearly 500 years of colonial and national history in the region, one is hard pressed to find such movements, even during the nineteenth-century high tide in the United States and Europe."[7]

En las páginas precedentes hemos visto cómo ciertas crónicas de América escritas por misioneros, viajeros, soldados o exploradores adquieren un sabor utopístico inconfundible. Porque, además de los relatos sobre las amazonas, los gigantes, los pigmeos y las riquezas incalculables de El Dorado, o de la Ciudad Encantada de los Césares, la fantasía del lector se detiene en el motivo recurrente de la búsqueda de la tierra feliz, de la sociedad ideal en America.[8] Los documentos de esta larga e insaciable búsqueda pertenecen a la literatura de las crónicas de Indias, de las que nosotros hemos ya visto unos ejemplos. La dificultad en identificar estos documentos que pertenecen a la búsqueda de la utopía estriba tanto en la gran cantidad del material cuanto en la continua mezcla de realidad y fantasía que tan frecuentemente caracteriza las crónicas de Indias. Uno puede ver fácilmente que las descripciones de las islas encantadas y de las sirenas, de la abundancia de oro o del estado feliz de los indios desnudos en los escritos de Colón[9] pertenecen tanto a la ficción como a la historia. Lo mismo puede decirse de las décadas *De Orbe Novo* de Pedro Mártir y de muchos otros relatos primitivos que divulgaron las noticias del Nuevo Mundo en el Viejo. De todos los mitos de la conquista de América, el de la Ciudad Encantada de los Césares revela una concepción utópica subyacente.[10] Parecería que España nunca se percató de la necesidad de recoger estas referencias vagas y esparcidas y de organizarlas en un trabajo sistemático. Esto se explica por la experiencia histórica de hombres como Quiroga o Las Casas. Ante la posibilidad de realizar la utopía empírica los españoles desecharon la utopía teórica. Quiroga y Las Casas no escriben utopías filosóficas porque las empíricas ya están realizadas. Cuando éstas fracasaron entonces se dio la utopía litera-

ria—el *Quijote* y la Arcadia—y, por último, la utopía filosófica-
—la *Sinapia*.

La *Sinapia* está profundamente influída por la *Utopía* de
Moro, la *Ciudad del Sol* de Campanella y la *Nueva Atlántida* de
Bacón. Sin embargo, aunque las ideas expresadas no son totalmente originales, la importancia histórica del manuscrito
es indudable. De hecho es la sola utopía española sistemática
que ha quedado en un manuscrito de fines del siglo XVII. A
pesar de las deudas del autor hacia los modelos indicados más
arriba, la *Sinapia* revela una línea de pensamiento político original a su creador. En la *Sinapia* el estado ideal es cristiano y
está basado en la ciencia y la tecnología. La *República* de Platón
era desde luego pagana y ambos Moro y Campanella describen una sociedad perfecta no cristiana y que obedece a la ley
natural. Bacón, que podría haber proporcionado la inspiración
más grande para la *Sinapia* con su *Nueva Atlántida*, tan fervoro-
samente cristiana y altamente tecnológica, estaba tan endeu-
dado con la concepción de Platón de un estado gobernado por
filósofos, los "Padres del Colegio del Trabajo de los Seis
Días", que no presentó un plan tan completo y armonico
como el que concibió el autor de la *Sinapia*.[11]

El autor de la *Sinapia* finge haber hallado un viejo manuscrito traducido al francés y escrito por el navegante holandés
Abel Tasmán, quien describe la península de Sinapia, así
nombrada por su conquistador, el principe persiano Sinap.
Antes de la llegada del Príncipe Sinap la península se llamaba
Bireia. Estos nombres revelan la intención del autor desde el
comienzo. El hecho que *Sinapia* es un anagrama de *(H)Ispania* y
Bireia de *Iberia* indica que el autor quiere ofrecer un remedio a
la decadencia de España al describir un país en las antípodas
de España desde el punto de vista geográfico, social, político,
religioso y moral.

Sinapia es una península que confina al sur con los *Lagos*,
anagrama de Galos y con los *Merganos*, anagrama de Germanos; Franceses y Alemanes constituyen las poblaciones al
norte de España. Sinapia tiene la misma configuración geográfica de España, mas, al ser su antípoda, tiene las montañas
que corresponden a los Pirineos, al sur. Esta península linda
con el continente suramericano, la tierra austral, y es habitada por Malayos, Peruanos, Chinos y Persianos, llegados allí
en oleadas sucesivas. Los últimos, los Persas, han llegado allí

huyendo de la persecución religiosa. La estructura política sinapiense es electiva y aristocrática. El príncipe es la autoridad
máxima, pero es electivo. Los cargos judiciales, militares y
religiosos son separados y ni un prelado, ni un soldado pueden ser elegidos como magistrados. Estos son nombrados por
sus subordinados y elegidos por sus superiores. Por ejemplo,
la elección del príncipe ocurre entre cinco candidatos designa-
dos por votación de los magistrados inferiores, los "padres de
aldea". Los magistrados de la ciudad, los "padres de ciudad",
eligen cuatro, los de la provincia tres, los eclesiásticos dos y el
senado elige a uno de los dos como príncipe. Este sistema
asegura que todos los órganos del poder civil y religioso in-
tervengan en la elección de la suprema magistratura, aunque
la decisión final está reservada al senado. Todos los cargos
civiles, eclesiásticos y militares se confieren por "proposición
de los que han de obedecer y por elección de los que han de
mandar", o sea, los subordinados inmediatos proponen siempre cinco nombres y los superiores eligen por eliminación
hasta que se llega a dos, de los que el senado y el príncipe
eligen uno.

El príncip Sinap y el obispo Codabend, ambos cristianos y
víctimas de una persecución religiosa, abandonaron a la Per-
sia. Mas sus navíos que se dirigían a la China, fueron desvia-
dos de su ruta por la divina Providencia y ellos desembarcaron en la península de Bireia. La tierra ya estaba habitada por
tres pueblos: los Malayos, los Peruanos y los Chinos. El filósofo chino Siang abrazó enseguida la doctrina cristiana de
Sinap y Codabend. Juntos los tres crearon una lengua nacional para el nuevo Estado y tradujeron la Sagrada Escritura en
la nueva lengua.

Todos los cargos administrativos, judiciales, religiosos, civiles y militares son electivos, mas están restringidos a aquellos que están cualificados para ellos. El candidato se prepara
desde muy joven, siguiendo cursos en seminarios especializa-
dos. Los cursos están sujetos a una disciplina rígida y una
distinción muy clara se mantiene entre las órdenes religiosas,
militares y judiciales. Un estudiante que ha seguido cursos en
un seminario no puede ser elegido para un cargo que no sea
el de su propia especialización. La organización económica y
social de Sinapia es la de un estado comunista en el que la
propiedad privada se ha abolido completamente.

Los esponsales son celebrados por el sacerdote exclusivamente, si los padres de ambos novios están de acuerdo. El
padre constituye una especie de patriarca en el seno de la
familia y es el único que puede ser elegido para la magistratura.

Políticamente Sinapia es una monarquía constitucional y
electiva. La jerarquía forma una especie de pirámide en cuya
cúspide está el príncipe y en cuya base está el pueblo. Según
el autor la moral rígida de Sinapia presenta un contraste neto
con la de España y Europa. Sinapia produce sólo lo que es
vital para el bien del pueblo y para la sobrevivencia del Estado, eliminando así las injusticias sociales y el derroche.

El autor de la *Sinapia* se inspiró en varias fuente. De Moro
y del erasmismo el anónimo heredó la preocupación por renovar las enseñanzas de Cristo en un mundo sumergido en el
pecado y la culpa. También de Moro el anónimo tomó la idea
de una sociedad radicalmente comunista, donde los magistrados son libremente elegidos. Pero su estado es cristiano como
el de Bacón.

La actividad principal de Sinapia es la educación. Todos
participan en el proceso educativo, desde la familia hasta el
príncipe. De la misma forma Utopía es una escuela ideal
donde la educación está entremezclada en todos los sectores
de la organización del estado.

El fin de la educación sinapiense es doble: el de formar las
opiniones y las buenas costumbres y el de enseñar las artes y
los oficios. Los que revelan cualidad y vocación para una determinada disciplina o para la vida militar o eclesiástica, se
inscriben en seminarios científicos, religiosos o militares. La
educación por lo tanto es sobre todo formación física, moral y
religiosa, antes de la profesión. El niño aprende el arte o el
oficio para hacerse útil a la comunidad, porque en Sinapia no
hay ni vagabundos, ni mendicantes, siendo todos los ciudadanos educados para desenvolver su función.

El autor de la *Sinapia* y el *Discurso* considera muy alto el
valor de la educación. El cree que la finalidad de la educación
es la formación de un buen ciudadano:

> Las notizias que se deuen dar en la instruccion son: del
> conocimiento de si mismo, del mundo, de la patria y de la
> religion. A esto se reduce lo que se deue enseñar para que

un niño se haga uniuersalmente buen hombre, buen hijo, buen ciudadano, y buen christiano; que es el fin de toda buena educacion....[12]

La educación es la esperanza más grande para la humanidad:

Es la educacion, el mayor beneficio que se puede hacer a un hombre, el mayor seruizio que se puede hacer a la republica, y la cosa que puede tener en este mundo mayores consequencias. De donde se infiere que no ai cosa en que deuan poner mayor cuidado los padres si desean el bien de sus hijos; las republicas si desean su propio bien; y todos si queremos nuestra propia utilidad.[13]

En el *Discurso* el autor cree que un buen sistema educativo es aún posible en España, un país que él describe afortunado por sus dones naturales: buen clima, tierra fértil, minas ricas y una abundancia de recursos naturales. Pero el autor de la *Sinapia* se nos muestra como un hombre tan desilusionado con España y sus condiciones políticas, sociales, económicas, religiosas y morales que concibe el sueño de la "anti-España", una península imaginaria hubicada en las antípodas de España. Cualquiera de los muchos desastres políticos, militares o económicos que ocurrieron en España durante el reino de Carlos II, el Hechizado, habrían podido originar el desencanto que inspiraron la *Sinapia*.

En Sinapia la educación de los jóvenes se basa sobre la nueva traducción del Viejo y del Nuevo Testamento del hebreo y del griego, hecha por Sinap, el fundador, Codabend, el patriarca y Siang, el filósofo. Los tres representan las virtudes ideales del erasmismo. Sinap es el príncipe cristiano; Codabend es el sacerdote cristiano que prefiere el exilio y el peligro de lo desconocido antes que renunciar a los ideales cristianos; y Siang es el filósofo justo que ha vivido siempre fiel al bien y a la verdad y naturalmente acepta también la verdad cristiana. El ideal de Erasmo de una renovación de la sociedad por la palabra de Cristo y la concepción de Moro de una sociedad naturalmente buena y justa han sido asimilados con notable habilidad por el autor de la *Sinapia*. La inspiración en el modelo de Moro es evidente desde el principio: Sinap es el príncipe de Sinapia, tal como Utopus es el rey de Utopía. El anónimo sigue el modelo de cerca también por lo que se refie-

re a la organización social de Sinapia. Aquí, como en Utopía,
la familia es la unidad fundamental de la sociedad. La organización agrícola e industrial se basa sobre la unidad familiar.
La familia constituye también una unidad política, desde el
momento en que sólo el padre de familia puede ser elegido a
la magistratura. Como en Utopía, la organización familiar es
estrictamente monógama y sólidamente patriarcal y los niños
se crían en la familia, mientras en la *República* de Platón los
niños se crían en común. Como en Utopía, la familia sinapiense actúa como una fuerza equilibradora contra el efecto
polarizador del sistema comunitario. Los Sinapienses, como
los Utopianos, rechazan la guerra y condenan la violencia. Se
puede apreciar la similitud con el modelo de Moro haciendo
una comparación entre la *Sinapia*, la *Utopía* y la *República*.

1) La *República* aboga por la comunidad de mujeres y niños,
mientras la *Utopía* y la *Sinapia* la rechazan. Estas son pa-
triarcales y familiares.

2) La *República* favorece una aristocracia militar mientras la
Utopía y la *Sinapia* confieren la autoridad suprema a los civiles. La *Utopía* y la *Sinapia* condenan la aristocracia militar
que está en el poder en España y en el resto de Europa.

3) En la *República* el interés de Sócrates se concentra en
quien gobierna, mientras que en la *Utopía* y en la *Sinapia* el
interés se dirige hacia los gobernados.

4) La *República* es una especulación teórica entre filósofos
acerca del Estado ideal, mientras que la *Utopía* y la *Sinapia*
describen estados fundados y existentes sobre principios
que son radicalmente distintos a los puestos en práctica en
aquel tiempo.

5) La *República* desarrolla la discusión sobre ideas abstractas
mientras que la *Utopía* y la *Sinapia* constituyen relatos con-
tados por personajes históricos, como Raphael Hythlodaeus, el navegante portugués de la *Utopía*, y Abel Tasmán, el
navegante holandés de la *Sinapia*.

6) Hay una diferencia neta entre la *República* de Platón y la
Sinapia, porque la primera está escrita en forma de diálogo
mientras que la segunda es una descripción. *Sinapia* sigue la
forma del Libro II de la *Utopía*, mientras el Libro I de la
obra de Moro está escrito en la forma dialogada del de
Platón.

7) Platón considera a la medicina un mal necesario, mientras que en la *Utopía*, como en la *Sinapia*, la medicina se considera como una de las ciencias más nobles.

8) Platón acepta la guerra como una realidad humana, mientras que la *Utopía* como la *Sinapia* consideran que la guerra es bestial.

La máxima autoridad religiosa es el patriarca, también él electivo y nombrado por el príncipe y por el senado entre los dos finalistas, de los cinco nombrados por el clero. Parece que Sinapia no reconoce a la autoridad papal, porque el patriarca es elegido sin el consenso ni el permiso del Papa. En verdad, la Iglesia romana ni se nombra. El autor insiste sobre el texto sagrado de la traducción del original hebreo y griego hecha en lengua sinapiense. Después del Concilio de Trento la Iglesia veía con sospecha la traducción de la Biblia y del Evangelio en lengua vulgar, abogada por Erasmo. De la religión, el autor, con evidente inspiración erasmiana, dice que ella "floreze libre del error y de la superstición; de aquel con el cuidado de euitar toda nouedad y sutileza en las doctrinas de fee y de esta con huir de toda violencia y demasiada aspereza en la disciplina."[14] Otro rasgo erasmiano se nota cuando el anónimo dice que la disciplina, o sea las reglas que rigen esta Iglesia "es la que se observaua en el terzer y quarto siglo de la Era Vulgar."[15] Es decir, el cristianismo abogado por el anónimo es el de los cristianos primitivos, el que Erasmo había predicado y que hemos visto en los cronistas de Indias.

Por lo que se refiere a la tradición de la ciudad ideal cristiana en España se conocen los ejemplos de la *Ciudad del Dios* de San Agustín o el *Blanquerna* de Raimundo Lulio, primer ejemplo literario en España de una concepción utópica, según la definición de Marcelino Menéndez y Pelayo de "utopía cristiano-social".[16] En ambos casos, tanto en San Agustín como en Lulio, la inspiración de ambas obras se origina en la Iglesia de Cristo en función de una realidad transcendente, o sea de la Jerusalén celestial. La reforma de San Agustín y de Lulio es espiritual y no se propone modificar la estructura político-social, mientras la *Utopía* de Moro y la *República* de Platón, con su abolición de la propiedad privada y del dinero, proponen una reforma radical de la estructura social y política. Es este aspecto social que hace de la *Sinapia* una obra dis-

tinta de las otras utopías cristianas que tuvieron difusión en
España. Su concepción sugiere una solución política fundada
en la doctrina cristiana, pero los principios ideales de esta reforma implican un rechazo decidido de la tradición europea.
Los Sinapienses se alejan de la Europa cristiana y del Asia
musulmana porque los Europeos han renegado de la doctrina
cristiana y los Asiáticos la han perseguido. La *Sinapia* sugiere
que la decadencia ha llegado a tal punto que ya es imposible
una reforma. La Iglesia de Cristo deberá emigrar y surgir en
una tierra nueva, lejos de la corrupción europea y papal. Es
probable que el anónimo haya seguido aquí ideas expresadas
en distintas obras de Campanella. La constitución étnica de
los Sinapienses, en que Peruanos, Persas, Chinos y Malayos
se han integrado, significa a las claras un rechazo de la concepción política nacionalista y racista de los Europeos.

Por otra parte, considerando sus características, su fecha a
fines del siglo XVII, su inspiración en el cristianismo primitivo de Erasmo y en la *Utopía* de Moro, la *Sinapia* debe considerarse como un documento de importancia histórica para entender el largo período de transición que en España se verifica entre el humanismo cristiano de inspiración erasmista de
la primera mitad del siglo XVI y la renovación ideológica del
siglo XVIII.

Además de estas características generales de la *Sinapia* podemos identificar algunas referencias hechas a España y a
Europa por el anónimo. El autor indica que en Sinapia el estado lo provee todo y que no hay peligro de que falte nada. La
literatura *arbitrista* durante los siglos XVI y XVII quiso hallar
soluciones drásticas de carácter social y económico para una
situación económica y social siempre más precaria que en el
curso del siglo XVII declinó rápidamente hasta alcanzar el estado de proporciones catastróficas solamente igualado por la
decadencia abrupta del poderío militar de España.[17]

Desde el punto de vista de la historia social de España uno
puede apreciar la importancia de *Sinapia* que anticipa el movimiento reformador del siglo XVIII. Jaime Vicens Vives ha subrayado el potencial utópico del siglo XVIII español al describir cómo el progreso de ese siglo fue obra de una minoría:

> Tal minoría fue formándose poco a poco. No hubo un cole-
> gio, una institución universitaria, de donde arrancaran

tales impulsos. Se formó por lecturas, por viajes, por conversaciones de trastienda, por afinidades intelectuales. Sus componentes fueron políticos, como Campomanes, Floridablanca, Aranda y Cabarrús; escritores, como Feijoo, Jovellanos, Cadalso y Meléndez Valdés; economistas, como Istúriz, Assó (aragonés), Capmany (catalán) y Olavide (peruano); médicos, como Virgili, Gimbernat y Casal, catalanes los tres; naturalistas, como Cabanillas, valenciano; matemáticos como Jorge Juan, gaditano; eruditos, como Pons y Villanueva... En realidad, cada uno de ellos aspira a una ciudad utópica, de donde desaparezcan los residuos de la barbarie medieval fundidos en el crisol de una cultura superior, moldeada por el progreso y la tolerancia. Este es el sueño del "ilustrado" español del siglo XVIII, como lo fue el de la humanidad superior en ese período. Para edificar esa ciudad utópica, se creía a pie juntillas en varias ideas motrices.[18]

Según Vicens Vives la inauguración de la Casa de Borbón en 1700 simbolizó el fin de la Contrarreforma en la política y en la sociedad española: "En definitiva, una concepción europea de la vida va a intentar modificar e incluso sustituir la mentalidad española moldeada por la Contrarreforma."[19]

Durante la primera parte del siglo XVIII el criticismo de los escritores españoles como Mayáns y Siscar, Torres Villarroel, y sobre todo Feijoo, nos permite percibir la extensión de la crisis y la necesidad urgente de reformas. Sólo en la segunda mitad del siglo XVIII, cuando gente como Campomanes y Jovellanos pudieron llevar a cabo las reformas, los escritores españoles se volvieron más moderados en los métodos que ellos abogaban. Jovellanos puede ser un moderado. La España de su tiempo ofrece un contraste abrupto con la España de la primera parte del siglo XVIII, sometida al cambio político de la monarquía española desde los Habsburgos a los Borbones y el primer período del reino de Felipe V, después de su casamiento con Isabel Farnese.

Es imposible dar una fecha exacta para la composición de *Sinapia*, pues ni ésta, ni el *Discurso de la educación*, del mismo autor, presentan una cantidad suficiente de hechos fechables a un año determinado. El criterio que yo he seguido ha sido, por un lado, el de examinar los hechos externos que concier-

nen el estado en que los manuscritos se hallaron y, por el
otro, el de analizar las referencias históricas en ambos manuscritos, la *Sinapia* y el *Discurso*, para identificar la fecha apro-
ximada de su composición.[20] Ambos manuscritos hacían parte
del Archivo de Pedro Rodríguez de Campomanes. La fecha de
la muerte de Campomanes, 1802, debe considerarse el límite
"ante quem" *Sinapia* y *Discurso* fueron escritos. Analicemos
ahora los hechos internos contenidos en los manuscritos para
establecer el límite "ad quem" de su composición. Este límite
es más impreciso, mas podría colocarse durante el reinado de
Carlos II, el último de los reyes españoles mencionados en el
Discurso.[21] Carlos II reinó entre 1665 y 1700; de manera que el
límite "ad quem" de la composición del *Discurso* y la *Sinapia* cae
en este período. Mas esta referencia comparada con las otras
en ambos textos podría auydarnos a limitar las posibles fechas de composición. Veamos antes las referencias históricas
en *Sinapia*. Las únicas y claras aquí son las que se refieren al
navegante holandés Abel Tasmán, supuesto autor del manuscrito original, quien vivió entre 1602 y 1659, y a los Lagos al
sur de la península de Sinapia. Así como *Sinapia* es un anagrama de (H)ispania, así también *Lagos* es un anagrama de *Galos*,
o sea los Franceses. Sinapia es dividida del país de los Lagos
por "altísimas serranias".[22] Sobre la frontera con los Lagos
tienen un ejército compuesto de dos divisiones armadas y
pertrechadas y entrenadas para cualquier emergencia.[23] Debemos interpretar esto como una alusión histórica: los Lagos
son considerados una amenaza constante para Sinapia como
los franceses lo son para España. Del período comprendido
entre las dos fechas extremas, 1665-1802, el período en que
la amenaza francesa fue mayor se ubica en la segunda mitad
del siglo XVII, durante el reinado de Luis XIV. Es en este
tiempo cuando España es no sólo derrotada sino humillada
por el ejército francés, la diplomacia francesa y el contraste
tan evidente entre la personalidad exhuberante del rey francés y el débil monarca español, el último de los Habsburgos.
Las referencias históricas en *Sinapia* parecerían indicar como
fecha de composición la segunda mitad del siglo XVII. Por
otro lado, las referencias históricas en el *Discurso*, si se las
toma literalmente, lo ubicarían definitivamente en la segunda
mitad o el último tercio del siglo XVII. Como yo he subrayado
ya anteriormente, el *Discurso* puede fecharse por una serie de

referencias históricas hechas por el anónimo. Este considera a Portugal y el Rosellón aún como partes integrantes del territorio español y se refiere solamente a los reyes de los siglos XVI y XVII. Su conocimiento y asimilación del pensamiento cartesiano es también un dato objetivo que se refiere al siglo XVII. Lo que es aún más significativo es el hecho de que sería difícil creer que un autor del siglo XVIII mencionara a Descartes sin mencionar a ningún intelectual del Iluminismo europeo.[24] En otro trabajo he demostrado cómo las referencias históricas en las *Anotaciones (MSA)* y en la lista de libros *(MSL)* también apuntan al siglo XVII.[25] En resumidas cuentas, a pesar de no poseer datos que nos permitan establecer la fecha exacta, podemos afirmar que todos los hechos conocidos hasta ahora del examen de los manuscritos apuntan hacia fines del siglo XVII.

Un aspecto muy importante de la *Sinapia* es su religión que no se conforma con el catolicismo tradicional. El autor de la *Sinapia* es un cristiano sincero, pero su referencia a la Biblia traducida a la lengua sinapiense del original hebreo (Viejo Testamento) y griego (Nuevo Testamento) sin ninguna mención de una versión en latín lo ubica en una posición muy peculiar para un escritor español, hasta para el siglo XVII. De hecho ni siquiera los ilustrados del siglo XVIII mostraron una concepción tan revisionista de la Iglesia Católica con una interpretación tan abiertamente influída por el erasmismo y el protestantismo. Hombres como Feijoo o Jovellanos que representan respectivamente la primera y la segunda mitad del siglo XVIII son católicos muy observantes.

Otro elemento objetivo que concurre para fechar la composición de *Sinapia* a fines del siglo XVII es el léxico del autor. Como ha bien visto François Lopez, el uso de la palabra "letras" es arcaico, como también "temperamento" por "clima," "policia" por "civilización," "cera" por "acerca," "disforme" por "enorme," "cimenterio" por "cementario," "distilatorio" por "destilatorio" y además la grafía son todos elementos lexicales que indican la colocación de la composición de *Sinapia* hacia fines del siglo XVII.[26]

Tanto en la *Sinapia* como en el *Discurso* se puede percibir la personalidad autoritaria del autor. El cree que la educación debe ser firmemente administrada al niño, a quien considera una persona inferior por su debilidad física y su carencia de conocimientos. El niño debe ser consciente de su inferioridad en relación con los adultos:

> Deue sauer que por mas rico, noble, o señor que sea, no es de suyo mas que un muchacho, esto es un hombre que por auer poco tiempo que nacio tiene pocas fuerzas, poca habilidad, poca robustez de complexion, pequeño cuerpo y alma ignorante, pero inocente por la gracia de Christo en el santo baptismo y deseosa de sauer. Y que asi deue tener gran respeto a los mayores, pues todos le auentajan y de todos necesita y para adquirir lo que le falta a su cuerpo aplicarse sin pereza a los ejercicios que se le enseñaran y para salir de su ignorancia atender a las noticias que se le daran, no auergonzandose de preguntar todo lo que no saue, o duda, procurando conseruarse en la gracia de nuestro señor cumpliendo sus mandamientos y pidiendoselo continuamente en sus deuociones.[27]

La misma personalidad autoritaria se percibe en la *Sinapia* en la que se afirma que la obediencia al oficial superior o al padre es total e incondicional, y que el oficial superior o el padre tienen la autoridad de hacerse obedecer por medio de penas y castigos físicos. A pesar de que esto les parezca excesivamente cruel a los lectores modernos, hubiera sido enteramente aceptable tanto para el siglo XVII como para el XVIII. De hecho la naturaleza autoritaria del estado descripto en la *Sinapia* concuerda con los ideales de la Ilustración. A pesar de sus preocupaciones sociales y políticas el siglo XVIII español no fue un siglo democrático. Los ilustrados españoles estaban convencidos que fuese necesario confiar en la autoridad absoluta del monarca para resolver una variedad de problemas. Este sistema se llamó "despotismo ilustrado". Los intelectuales loaban al monarca porque estaban convencidos que solamente con su ayuda ellos podrían llevar a cabo las reformas. Pero la idea más importante expresada por el autor de la *Sinapia* es que la educación ideal debería ser enciclopédica, un concepto muy similar al expresado por Feijoo en su *Teatro crítico universal* (en 8 volúmenes; 1726-1739) y cuyo subtítulo era *Discursos varios en todo género de materias para desengaño de errores comunes.*

Las doctrinas políticas y sociales de la *Sinapia* muestran un notable parecido con aquellas expresadas en las *Cartas político-*

económicas al conde de Lerena[28] escritas en la segunda mitad del
siglo XVIII. La constitución de Sinapia se compone de pocas
leyes y la administración de la justicia es "breve y rigurosa".[29]
Las leyes son breves y su número es mínimo:

> Las leyes son breues, claras, sin dar causas, ni alegar razo-
> nes, sino mandando o vedando absolutamente y a la mar-
> jen esta notada la fecha. Siempre que se añade una ley se
> procura quitar otra para no aumentarlas. El interprete de
> ellas en los casos dudosos es el senado, pero estas decisio-
> nes no son mas que para aquella vez que se dan, sin poder-
> se valer de ellas otra que se ofrezca la duda sino que siem-
> pre se deue repetir la consulta y dar de nuebo la decision.
> (MSS, p. 48).

El autor critica la realidad del siglo XVII español al mostrar
que Sinapia está libre de las intrigas políticas y de las ambiciones de la aristocracia, libre de las diferencias sociales entre
ricos y pobres. No hay en Sinapia objetos de lujo inútiles y no
hay vagabundos.[30] El príncipe de Sinapia es el supremo magistrado del estado.

En las *Cartas* el autor expresa ideas parecidas a las expues-
tas más arriba. En primer lugar él cree en la necesidad de
efectuar un cambio radical en la constitución española: "Yo
estoy íntimamente persuadido que en tanto que no se verifi-
que una reforma general en nuestra constitución, serán inútiles cuantos esfuerzos se hagan para contener los abusos en
todos ramos."[31] Su concepción de la función del rey es similar
a la del autor de *Sinapia*: "Como se quiere, nunca será más que
un primer magistrado o cabeza de la sociedad que gobierna,
un punto de reunión de muchos hombres, dueños de distintos derechos, y un órgano de la voluntad de la patria."[32] En
las *Cartas* España se concibe como una unidad política compuesta por unidades más pequeñas, las "villas", que se asemejan a la organización de Sinapia:

> La España debemos considerarla compuesta por varias re-
> públicas confederadas, bajo el gobierno y protección de
> nuestros reyes. Cada villa la hemos de mirar como un pe-
> queño reino, y todo el reino como una villa grande. Mien-
> tras no se establezca una total armonía entre las partes y el
> todo, es imposible simplificar el gobierno en términos que
> sus provincias sean comunmente útiles.[33]

Su visión de la iglesia es también similar a la que se expone en la *Sinapia*: "El Espíritu Santo puso los obispos para regir la Iglesia de Dios, no para enriquecerse con la iglesia de Dios."[34]

Como el autor de la *Sinapia*, también él aboga por un número más reducido de leyes: "La muchedumbre de las leyes y lo sanguinario de los castigos nada prueban, sino el poco acierto en el sistema que se sostiene; las pocas y bien arregladas son las que causan la felicidad de la república."[35]

Las doctrinas sociales expresadas en la *Sinapia* tambien tienen puntos en común con las *Cartas*. La primera ley de la sociedad sinapiense es que todo el mundo trabaje: "En Sinapia todos trabajan, desde el principe asta el menor vezino."[36] La justicia social en Sinapia se logra extirpando esas condiciones que en la sociedad europea han creado la injustica: "Por todo lo que hemos dicho uno puede ver cuan felices son aquellas naciones en las que no hay incentivos para el vicio, en que reina la verdadera caridad, y en que solo la virtud es estimada. Desde el momento que los sinapienses no tienen moneda ni la admiracion ridicula por los metales...."[37] El continúa subrayando el motivo por qué Sinapia carece de injusticia social: "Careciendo del 'mio' y el 'tuio'... Careciendo de pobres y viuiendo en perfecta comunidad,... Careciendo de nobleza,... Empleados todos en el trabajo sin excepcion...."[38] Los Sinapienses también carecen de esas profesiones que el autor considera improductivas; como: abogados, soldados, joyeros, guanteros, peluqueros, cocheros, boticarios:

> Esta verdad se hara manifiesta quando se atienda quan pocos son los que entre nosotros trabajan respecto de los muchos que su vicio, sus empleos de nobleza, de religion y de letras y la infinita multitud de sus familias exceptuan del trabajo, quantos de los que trabajan se emplean en exercicios o inutiles o perjudiciales, como es la multitud de gente que ocupan los tribunales, la infinidad de soldados que la ambicion mantiene en guerras no necessarias, plateros, joyeros, guanteros, perruqueros, cocheros, botilleros, fabricadores de puntas y encajes, banqueros, bordadores, etc., todos inutiles y fomentadores de la superfluidad, madrastra de la abundancia, y las muchas fiestas que a titulo de deuocion a introducido la haraganeria.[39]

El autor de las *Cartas al conde de Lerena* manifiesta muchos de los mismos sentimientos. Sobre el lujo dice:

El lujo, a pesar de las aparentes ventajas que se le atribuyen por los que miran las cosas superficialmente, es la peste de las buenas costumbres y de la virtud pública; mas los tenderos y modistas clamarían contra las leyes que las procurasen contener. La introducción de superfluidades en un reino sólo sirve de aumentar hasta lo infinito las necesidades humanas y hacer los hombres infelices cuanto más necesitados....[40]

La reforma debe comenzar por la aristocracia: "La reforma debe empezarse por las clases más poderosas del Estado. El pueblo verá con gusto la disminución de un poder que regularmente se funda en su opresión y en su debilidad. Las grandes riquezas de los particulares siempre son despojos del común. La naturaleza ama la igualdad."[41] La sociedad debe ser gobernada por la igualdad de oportunidades para todos los ciudadanos; cada uno debe tener la oportunidad de llegar al cargo más alto, a condición que sus méritos y logros lo justifiquen. El nacimiento de una persona no basta a justificar su pretensión de riquezas y poder porque sólo la educación puede dar al hombre una concepción acertada del mundo.

La *Sinapia* revela un odio profundo de las guerras, a las que se recurre como un medio extremo de defensa. Todas las utopías son pacifistas y la *Sinapia* sigue esta tradición. El anónimo condena la clase militar española en el poder, que hundió España en las guerras infaustas contra las otras potencias europeas. Mientras el siglo XVII está lleno de guerras largas y extenuantes en las que España siempre juega un papel importante, algunas veces como vencedora, pero más a menudo como perdedora, el siglo XVIII es un siglo de relativa paz. Los ilustrados del siglo XVIII creen firmemente en la paz. Feijoo, enemigo de toda violencia y engaño, creía que las guerras habían sido la causa de la decadencia de España y mostraba una desconfianza profunda hacia Maquiavelo. En *Honra y provecho de la agricultura* él describe la espada como la ruina de la nación, mientras el haz simboliza la riqueza y la abundancia. En la primera página de la *Sinapia* el autor dice que "...el ejercicio de la virtud cristiana es mas a proposito para hacer una republica florenciente y una nacion dichosa, que quantas redoma-

das polyticas enseñan Tacito o Machiavelli. . . ."⁴² Al comienzo del capítulo sobre la organización militar de Sinapia el
autor dice, "El fin de todo gouierno es la paz y asi la procuran
por todos caminos."⁴³

En la *Sinapia* el autor presenta un estado ideal hecho de
muchas razas diferentes:

> De aqui se ve que siendo el pueblo desta republica formado
> de estas naziones ha de participar de sus qualidades. Y asi
> la phisiognomia es varia, como mezclada de las quatro mas
> uniuersales; etiopica, de los Zambales; indiana, de los Ma-
> layos; tatarica, de los Chinos y Peruanos; y asiatica y euro-
> pea, de los Persas. La lengua, aunque mezclada de todas las
> de estas gentes, pero mucho mas participa de la dulzura y
> simplicidad china y de la elegancia persiana.⁴⁴

Cada año se celebra con una fiesta la unión de los Malayos,
Americanos, Chinos y Persianos.⁴⁵

En Feijoo también se da este sentimiento cosmopolita en
que se reconoce el valor de otras naciones. En su *Mapa intelectual y cotejo de naciones* Feijoo muestra que todas las razas y
todas las naciones tienen los mismos dones y que sólo las
circunstancias históricas hacen que unas se eleven por encima
de las otras. Mostrando el ejemplo de los Rusos y de los Griegos, arguye que los primeros han alcanzado uno de los nive-
les más altos de entre las naciones civilizadas después de siglos de barbarie mientras que los segundos cayeron en
decadencia. Feijoo rehusa el nacionalismo como sentimiento
de superioridad de una nación o raza sobre otra.

Con respecto a la aristocracia podemos ver otro paralelo
entre Feijoo y el autor de la *Sinapia*. En *Valor de la naturaleza e
influjo de la sangre* Feijoo dice que las ocupaciones útiles sirven
al estado mejor que las que no tienen finalidad. Cuanto más
útil es una cosa al público tanto más es honorable. En la *Sinapia* el autor se refiere a los oficios más humildes, como el de
los campesinos, la carpintería, que en Sinapia se estiman
mucho, para poner el énfasis sobre la diferencia con la sociedad europea donde esos oficios se consideran degradantes. En
el capítulo final de la *Sinapia* el autor observa que desde el
momento en que Sinapia no tiene una aristocracia, que es la
fuente de todo el orgullo y la ambición, ni tampoco los vicios
derrochadores de la sociedad europea, todos trabajan y tienen
más que suficiente.

La *Sinapia* constituye un documento de una época única de la historia intelectual de España. A pesar de que el Renacimiento ya no está vivo su mentalidad ha perdurado hasta fines del siglo XVII. El autor de *Sinapia* insiste en la importancia de aprender el hebreo y el griego. El afirma que Sinap ha traducido el Viejo Testamento del hebreo y el Nuevo Testamento del griego y agrega que en los seminarios eclesiásticos los estudiantes aprenden el hebreo y el griego. En este sentido la *Sinapia* se relaciona a una tradición más vieja en la cultura española, la que está representada por Juan de Valdés, el filósofo del Renacimiento español que tradujo por primera vez las Sagradas Escrituras, los Salmos del hebreo y las cartas de San Pablo del griego. La Ilustración en España no se basará más en las lenguas clásicas, con la excepción de Campomanes, quien dominaba el latín, el griego y el árabe. Feijoo y Jovellanos mostraron a veces adversión y a veces indiferencia para el aprendizaje del griego.[46]

En resumen, la *Sinapia* anticipa en muchas décadas las ideas fundamentales de la Ilustración española. Las ideas de Feijoo, Mayáns y Siscar, Torres y Villarroel y Jovellanos ya están expresadas en los trabajos del anónimo autor de *Sinapia*.

La cercanía de Sinapia al continente americano y los nombres de algunas poblaciones, plantas y animales indican que el autor se inspiró también en la realidad americana. La América hispana constituye de hecho el terreno ideal para el experimento reformador de los utopistas. Recordemos el experimento reformador de Vasco de Quiroga que en su *Información en Derecho* exaltaba las posibilidades ofrecidas por el Nuevo Mundo para una renovación total de la sociedad.[47] Quiroga estaba convencido que en la nueva comunidad cristiana fundada en América habría sido posible recrear la pureza de las costumbres de los cristianos primitivos, que los Europeos habían olvidado, ofuscados por su codicia, soberbia y malicia. Es probable que junto con Moro, Quiroga conociera las obras de Erasmo, méntor de la renovación cristiana de Europa, que se estaba hundiendo en medio de las guerras suscitadas por la rivalidad entre las dos potencias cristianas de España y Francia. Quiroga, como los hermanos Juan y Alfonso de Valdés, o el obispo de México Juan de Zumárraga, se inspira en las enseñanzas de Erasmo, que acusaba a sus contemporáneos de haber traicionado la moral cristiana. Silvio Zavala ve en Quiroga un reformador moral: "La pasión humanista le enseña que los valores occidentales son manifestaciones decadentes de la edad de hierro, lejana de la dorada; la acción civilizadora española no debe por esto reducirse a transmitirlos; procurará elevar la vida india a meta de virtud y humanidad superiores a las europeas."[48] El concepto de un estado ideal en España se relaciona íntimamente a la difusión de los escritos de Erasmo en la península ibérica y en la América hispana.[49]

Con la asimilación del pensamiento cartesiano y la teoría de la educación el anónimo autor de la *Sinapia* ha anticipado también la obra de Feijoo. Su programa de reformas políticas anticipa además varios textos políticos del siglo XVIII, como las *Cartas político-económicas al Conde de Lerena*.[50] La *Sinapia* por lo tanto tiene una función doblemente destacada: en primer lugar constituye el único ejemplo de una utopía sistemática descubierta hasta ahora en España. En segundo lugar se coloca cronológicamente entre la crisis del siglo XVII y el espíritu reformador del siglo XVIII del que es una anticipación.

No obstante no haya logrado aún identificar el autor de la *Sinapia* y de los otros tres manuscritos que ya he publicado, su perfil intelectual va adquiriendo unas líneas precisas. No solamente podemos entender sus ideas sino que, a través de sus escritos, podemos hasta recorrer el período en el que vivió y escribió, atravesándolo por una senda inusitada para la literatura española. El anónimo se nos revela como hombre de gran fuerza moral, de altos ideales y de gran amor al saber. Poseyó una mente inquisitiva y entregada a la investigación científica, muy al contrario de la mayoría de los compatriotas suyos de aquel tiempo. Es indudable su amor al saber, como por la justicia y el orden, las dos razones que decidieron de sus preferencias políticas.

El anónimo autor que escribió en medio de la crisis de la España del siglo XVII constituye una prueba evidente que otra España existía secreta y silenciosa, oculta al ojo indagador de la Inquisición y a la casta de los militares que rodeaban al Conde-duque de Olivares y a sus sucesores. Los papeles del anónimo, ignorados durante casi trescientos años, constituyen un testimonio único de esta España poco conocida, la que creyó en el pacifismo y la laboriosidad y despreció la pompa hueca del pundonor y finalmente condenó con severidad la injusticia social.

❦ Conclusión ❧

En *Las corrientes literarias en la América Hispánica* Pedro Henríquez Ureña afirma que hasta el siglo XVIII los europeos no se percataron del "buen salvaje" americano y que sólo lo utilizaron para el debate entre cultura y naturaleza, un tópico muy importante para autores como Voltaire y Rousseau.[1] Además, el tema del buen salvaje se relaciona con la temática más general y compleja de antiguos y modernos y, en último análisis, con el origen de la utopía moderna.

En los años del descubrimiento y de la conquista el Renacimiento, sobre todo por obra de Maquiavelo, percibe la historia antigua como historia heroica, en que el vencedor es el más fuerte. La historia moderna o contemporánea de Occidente se percibe como alternativa entre moral cristiana y lucha por el poder en que no siempre es posible observar los principios de la moral cristiana. En esta lucha se perfila un nuevo modelo de vencedor, materialmente perdedor, el más débil, la víctima, vencedor moral, espiritualmente superior. El mártir es el arquetipo de este protagonista.

La Edad Moderna, que se inicia con el descubrimiento y conquista del Nuevo Mundo, se caracteriza por dos sentimientos opuestos de la acción política. Uno, del que será portavoz Maquiavelo, exalta la moral heroica, o sea la moral del más fuerte que prescinde de la moral cristiana. En esta misma línea se ubican aquellos cronistas oficiales que, ante el fenómeno del descubrimiento y de la conquista, piensan, con Aristóteles, que los hombres nacen naturalmente libres o esclavos. El representante máximo de esta corriente sería Ginés de Sepúlveda. El otro sentimiento se encarna en la obra y en la personalidad de Las Casas, y podría describirse como la con-

ciencia del deber que el más fuerte siente, en virtud de su
educación cristiana, de ser más justo y ayudar al más débil.
Para Las Casas la acción política no es sino la actuación práctica de principios inspirados en la moral cristiana. En este panorama ideológico se ubica el nacimiento de la utopía moderna, cuyo tema central es, como en la utopía clásica, la justicia
y el orden. Pero, en vez de plantear esas cuestiones fundamentales desde el punto de vista puramente racional, como
en *La República* de Platón, la nueva utopía, concebida nuevamente por Moro, plantea tales problemas desde el punto de
vista de la moral cristiana, eje del orden social durante la
Edad Media y que ahora se halla amenazado por la codicia, los
nacionalismos rivales, el racismo, la violencia, la intolerancia
religiosa y la moral del más fuerte. La *Utopía* de Moro, la *Ciudad del Sol* de Campanella, la *Nueva Atlántida* de Bacón y la *Sinapia* son obras nacidas por el deseo de reconciliar la moral cristiana con la ciencia moderna.

La percepción de una diferencia profunda entre antiguos y
modernos se evidencia ya en Petrarca, quien afirma la superioridad de los antiguos. El humanismo, desde Petrarca hasta
Maquiavelo, hará suya esta afirmación que se transmite como
verdad. A pesar de esta tradición, la idea de la superioridad de
la historia antigua, la historia heroica, aceptada hasta Maquiavelo, no logra imponerse en la tradición de las crónicas
del descubrimiento y de la conquista de América. El descubrimiento del Nuevo Mundo se percibe inmediatamente por el
primer cronista, Pedro Mártir, como la hazaña mayor de la
humanidad, muy superior a las hazañas de los antiguos griegos y romanos. Este concepto se reafirma sistemáticamente
en Tommaso Campanella, quien afirma que las fábulas de los
griegos antiguos no tienen comparación con las verdades re-
veladas por el descubrimiento y que Colón es un héroe
mucho más grande que Jasón.[2] Es aquí donde la cuestión de
los antiguos y los modernos cambia radicalmente en favor de
los modernos. Paradójicamente, el descubrimiento y conquista de América, que marca el comienzo de la Edad Moderna,
consagra definitivamente los valores utópicos y cristianos del
mundo medieval que, en virtud de la identificación de la utopía moderna con la moral cristiana, se afirman como los ideales modernos contra los ideales clásicos o paganos.

La utopía moderna no es más que la formulación sistemática de este sentimiento de superioridad de los modernos, difuso en las crónicas del descubrimiento. Esta convicción de superioridad tiende a reafirmar la validez de la filosofía y de la moral cristiana y su neta supremacía sobre la pre-cristiana. De manera que tanto el descubrimiento como la utopía moderna resuelven la cuestión de los antiguos y modernos antes que el siglo XVII con Bacón o el siglo XVIII con Swift adquiera conciencia cabal del problema, pues en la ilustración, el motivo del "buen salvaje" ya no participa de esa unidad moral y religiosa como en las crónicas y, por ende, en la utopía.

Los jesuitas, con sus Reducciones del Paraguay, habían realizado los planes de los utopistas en América. Su expulsión paradójicamente significó el abandono de la utopía cristiana y la reafirmación de la razón de Estado. En efecto, no solamente fue una reafirmación de una línea política anti-utopística (y por lo tanto anti-lascasiana y anti-cristiana), sino que pretendió ignorar tantos testimonios de misioneros y cronistas sobre las condiciones de los indios americanos. El suceso de los jesuitas[3] confirma la continuidad entre su esfuerzo y el pensamiento de los cronistas primitivos que cubren todo el período del descubrimiento y conquista, desde Pedro Mártir a Quiroga y Las Casas. En la expulsión se verifica una reacción contra América y en favor de Europa.

Es posible ahora deslindar tres corrientes dentro de los cronistas del descubrimiento y conquista:

1) *Corriente americana-edadorista*: Colón, Pedro Mártir, Quiroga, Las Casas, Ercilla, Garcilaso de la Vega, el Inca, las crónicas de las reducciones jesuíticas en el Paraguay;
2) *Corriente anti-europeísta*: Quiroga, Las Casas;
3) *Corriente europeísta-antiamericanista*: Sepúlveda, Oviedo, Herrera y Tordesillas.

A este respecto el episodio del carteo entre Bembo y Oviedo puede proveer una iluminación. En su interpretación edadorista, favorable a los indios y a su organización social, al reconocimiento de la hazaña del descubrimiento y conquista por parte de los españoles, hazaña que el considera superior a las de los antiguos, Bembo revela una notable similitud de opinión con la de varios cronistas y con Tommaso Campanella, el primer filósofo del descubrimiento y conquista del Nuevo Mundo.

Ya hemos visto que los humanistas, con la excepción del Cardenal Bembo y de Campanella, tanto italianos como españoles, creen en la superioridad de la antigüedad clásica sobre los modernos. Por otra parte, la tradición de las crónicas, en autores como Colón, Pedro Mártir, Las Casas, Bembo, Campanella, afirma la superioridad de los modernos. Por el contrario, la línea Petrarca, Maquiavelo, Guevara, Sepúlveda y Oviedo afirma la superioridad de los antiguos sobre los modernos, prejuzga a los indios sobre la base de valores clásicos (aristotélicos) y declara a los indios bárbaros y esclavos por naturaleza (Sepúlveda, Oviedo), o los ignora totalmente (Maquiavelo).

Las dos posiciones aflorarán de nuevo durante el conflicto entre Reforma y Contrarreforma que se desencadena al rehusar la Iglesia de Roma la línea moderada y al declararse por el pensamiento intransigente y aristotélico. Al condenar a Campanella la Iglesia se resolvió en favor de la tesis humanística contra los modernos, es decir en favor de un movimiento anti-cristiano y reaccionario en que se manifestaban sentimientos de superioridad racial con respecto a las poblaciones indias del Nuevo Mundo.

La lección de las crónicas del descubrimiento enseña que en el pensamiento político moderno los que quisieron separar de manera neta y definitiva lo moral, de lo religioso y de lo político, como Maquiavelo, se enfrentaron con los que estaban convencidos, como los utopistas, de que la separación entre iglesia y estado es ficticia porque para éstos religión y moral, en la práctica, son una y la misma cosa.

En esta fase de transición entre la Edad Media y la Edad Moderna, la utopía, al reafirmar la unidad entre la esfera política y la esfera moral-religiosa, recuperó para el pensamiento occidental las aspiraciones estimuladas por el descubrimiento del Nuevo Mundo y propuso nuevamente una unidad espiritual definitivamente comprometida. La importancia de *Sinapia* estriba en la función de unificación de motivos esparcidos a lo largo de casi dos siglos durante los cuales el mundo moderno abandonó definitivamente la Edad Media y, al mismo tiempo, buscó, sin hallarla, la unidad espiritual que ese período había logrado. No estaría enteramente fuera de lugar en estas consideraciones conclusivas proponer una nueva definición de la utopía moderna diciendo que es el género que

nace como la elaboración teórica de la experiencia del descubrimiento de América y que trata de asimilar ese fenómeno
histórico dentro de una tradición medieval y cristiana occidental cuya solución política mira a la unidad temporal y espiritual de la humanidad.

Notas

Prólogo

1 José Luis Abellán, *Historia crítica del pensamiento español* (Madrid: Espasa-Calpe, 1982), III, "Del Barroco a la Ilustración. Siglos XVII y XVIII", p. 283.

2 Idem, p. 284.

3 *Historia de España* (Barcelona: Labor, 1982), V, "La frustración de un Imperio (1476-1714)", Parte primera: "Los aspectos económicos de la España moderna", por Jean-Paul Le Flem, p. 124.

4 Es cierto que se hizo eco de ello la benemérita revista *Moreana* que, desde Angers (Francia), tanto hace por reunir las noticias sobre Tomás Moro y su obra y que R. Trousson añadió su noticia en la segunda edición de sus *Voyages aux Pays de Nulle Parte* (Bruselas: Editions de l'Université de Bruxelles, 1979), pp. X-XI (por citar dos referencias), pero es necesario una mayor difusión de la obra en muchos órdenes como la realizada por J. L. Abellán que en su obra antes citada le dedica las pp. 612-614.

5 Veánse mis estudios: "Prehumanismo del siglo XV: la *letra* de los escitas a Alejandro del Cancionero de Herberay des Essarts y las formulaciones utópicas en la Edad Media", en *Medieval, Renaissance, and Folklore Studies in Honor of John E. Keller* (Newark, Del.: Juan de la Cuesta, 1980), pp. 189-203. Y "Por los caminos medievales hacia la utopía: *Libro de los Ejemplos*, n. 6", en *Aspetti e problemi delle Letterature Iberiche. Studi offerti a Franco Meregalli* (Roma: Bulzoni, 1980), pp. 209-217.

Introducción

1 Cf. Francisco López Estrada, "Une utopie espagnole," *Moreana* (1976), Vol. XIII, N. 52, pp. 53-56; y, del mismo, "Más noticias sobre la *Sinapia* o utopía española," *Moreana* (1977), Vol. XIV, N. 55-56, pp. 23-33. A conclusión de su primera reseña sobre mi edición, López Estrada pregunta: "¿Por qué quedaria la obra perdida en un cajon, en el pliego perdido de un archivo, escondida hasta hoy en que reaparece inesperadamente en el lejano Canadá?" *Informaciones*, Madrid, 29 de julio de 1976, p. 5 de la sección "Informaciones de las artes y las letras."

2 Madrid: Editorial de la Universidad Complutense, 1980.

³ Bruxelles: Editions de l'Université de Bruxelles, 1979, "Preface", pp. X-XI.

⁴ Cf. *La contestation de la société dans la litterature espagnole du siecle d'or*, Toulouse: Université de Toulouse-Le Mirail, 1981, p. 207. François López ha vuelto a estudiar el problema de las fechas de Sinapia en otros dos artículos: "Rasgos peculiares de la Ilustración en España", *Mayans y la Ilustración*, Simposio Internacional en el Bicentenario de la muerte de Gregorio Mayans, Ayuntamiento de Oliva, 1982, pp. 629-671; "Una utopía española en busca de autor: Sinapia", *Anales de la Universidad de Alicante. Historia Moderna*, N. 2, 1982, pp. 211-221. En ambos escritos, y sobre todo en el segundo, el Profesor López, concuerda con la fecha propuesta por mí.

⁵ Madrid: El Archipiélago, 1980. Este editor, al reseñar el artículo de Paul J. Guinard, "Les utopies en Espagne au XVIIIe siècle" (*Recherches sur le roman historique en Europe—XVIIIe-XIXe siècles*, Annales Littéraires de l'Université de Besançon; Paris: Les Belles Lettres, 1977, pp. 171-190), lamentaba que el profesor francés ignorara mi edición: "Es una lástima que Guinard no conociera entonces las investigaciones de Stelio Cro, que sin duda le hubieran llevado a considerar a esta última utopía [*Sinapia*] como un caso aparte, vinculado, sí, a la literatura de la Ilustración, pero no perteneciente, como hemos dicho, a su última fase" (Álvarez de Miranda, Introducción, p. xxiii). El profesor Guinard, después de considerar la hipótesis de que la *Sinapia* se pudo componer hacía el último tercio del siglo XVIII, se pregunta si su autor podría haber sido "un des nombreux Italiens exerçant, vers 1775-1780, des fonctions à la cour de Charles III?" (Guinard, p. 186).

⁶ Cf. *Las corrientes literarias en la América Hispánica*, México: FCE, 1964, pp. 10-12.

⁷ Este estudio ya se hallaba finalizado en julio de 1978, fecha en que se propuso para el concurso "Ensayo Planeta" de la editorial del mismo nombre de Madrid. Cupsa Editorial de Madrid, a consecuencia del concurso, se declaró interesada en publicar mi trabajo en carta fechada en Madrid, el 2 de noviembre de 1978, firmada por el Profesor Antonio Prieto. Pero, después del interés inicial, ni el Profesor Prieto ni la Editorial me volvieron a escribir, hasta que, en carta fechada en Lathrup Village (Michigan) el 20 de noviembre de 1979, el Profesor Gary E. Scavnicky de la editorial americana International Book Publishers, aceptaba mi manuscrito para su publicación. Recientemente he leído el trabajo de José Luis Abellán, *Historia crítica del pensamiento español* (Madrid: Espasa-Calpe, 1979-1981), del que han salido hasta ahora los tres primeros tomos. El segundo, *La edad de Oro*, tiene una sección sobre "El descubrimiento de América" (II, pp. 373-428) en que el autor trata, sin citarme, los temas de las crónicas y del buen salvaje, siguiendo muy de cerca mis dos publicaciones: "Las fuentes clásicas de la utopía moderna: el Buen Salvaje y las Islas Felices en la historiografía indiana", *Anales de Literatura Hispanoamericana*, 6 (1977), 39-51; "La utopía cristiano-social en el Nuevo Mundo", *Anales de Literatura Hispanoamericana*, 7 (1981), 87-129.

I, I, El encuentro con la utopía

¹ En "Utopía y primitivismo en el pensamiento de Las Casas" en *Revista de Occidente: Fray Bartolomé de Las Casas,* dirigido por J. A. Maravall (Madrid: N. 141, 1974), Maravall sigue la interpretación de O'Gorman y cita a varios de estos cronistas como "inventores" de América, como precursores de su utopía (p. 313).

² Entre los estudios que han contribuido más a destacar el utopismo más o menos latente de los cronistas del descubrimiento y conquista de América citaré a los siguientes: Carlos Manuel Cox, *Utopía y realidad en el Inca Garcilaso* (Lima: Universidad Nacional Mayor de San Marcos, 1965); Marcel Bataillon, "Las Casas, ¿un profeta?", en *Revista de Occidente: Fray Bartolomé de Las Casas,* dirigido por José Antonio Maravall (Madrid: N. 141, 1974), pp. 279-291; John L. Phelan, "El imperio cristiano de Las Casas," en la misma obra, pp. 293-310; José Antonio Maravall, "Utopía y primitivismo en el pensamiento de Las Casas," en la misma obra, pp. 311-388; André Saint-Lu, "Significación de la denuncia lascasiana," en la misma obra, pp. 389-402; J. Ignacio Tellechea, "Las Casas y Carranza: fe y utopía," en la misma obra, pp. 403-427; John L. Phelan, *The Millenial Kingdom of the Franciscans in the New World* (Berkeley and Los Angeles: University of California Press, 1970); Lewis Hanke, *The Spanish Struggle for Justice in the Conquest of America* (Philadelphia: University of Pennsylvania Press, 1949); Silvio Zavala, "The American Utopia of the Sixteenth Century," *The Huntington Library Quarterly,* N. 4 (August, 1947), pp. 337-347; Silvio Zavala, *La Utopía de Tomás Moro en la Nueva España. Recuerdo de Vasco de Quiroga* (México: Editorial Porrúa, 1965). En el cap. II de la III Parte del presente estudio me ocuparé de deslindar la vertiente fantástica en la obra de Oviedo, el ejemplo máximo de "realismo" en los cronistas primitivos del descubrimiento y de la conquista.

³ En previos estudios he puntualizado la tradición escrita que se establece desde Colón en adelante, tradición que se enriquece, y se complica, por las referencias constantes a la cultura clásica de los cronistas: véase Stelio Cro, "La búsqueda de la Ciudad Encantada de los Césares y la utopía", *Oelschlager Festschrift,* Estudios de Hispanófila, 36, University of North Carolina, Chapel Hill, 1976, pp. 127-142; "Las fuentes clásicas de la utopía moderna: el Buen Salvaje y las Islas Felices en la historiografía indiana", *Anales de Literatura Hispanoamericana,* N. 6, 1977, pp. 39-51; "The New World in Spanish Utopianism", *Alternative Futures,* Volume 2, N. 3, 1979, pp. 39-53; "Alle origini della storiografia moderna: il carteggio Bembo-Oviedo", *Spicilegio Moderno,* 1979, pp. 42-52; "La utopía cristiano-social en el Nuevo Mundo", *Anales de Literatura Hispanoamericana,* 1980, pp. 87-129.

⁴ "Utopía y primitivismo en el pensamiento de Las Casas," citado, p. 312.

⁵ Ver Eric Wolf, *Sons of the Shaking Earth* (Chicago: University of Chicago Press, 1959); Otis Green, *Spain and the Western Tradition* (Ma-

dison: University of Wisconsin Press, 1963-66, 4 volúmenes); Irving A. Leonard, *Books of the Brave* (New York: Guardian Press, 1964); Germán Arciniegas, *El continente de siete colores* (Buenos Aires: Sudamericana, 1965); para una discusión sobre este punto ver mi estudio "La búsqueda de la Ciudad Encantada de los Césares y la utopía," *Oelschlager Festschrift*, Estudios de Hispanófila, 36 (Valencia: Artes Gráficas Soler, 1976), pp. 127-142.

6 "Utopía y primitivismo...," citado, p. 312.

7 Ver John L. Phelan, "El imperio cristiano de Las Casas," citado.

I, II, El Buen Salvaje en las crónicas primitivas

1 A. Maravall en su "Utopía y primitivismo..." habla de la concepción lascasiana del "buen salvaje", pp. 343-357. Cf. tambien Pedro Henríquez Ureña, *Las corrientes literarias en la America Hispánica*, ob. cit., especialmente el cap. I, "El descubrimiento del Nuevo Mundo en la imaginación de Europa", pp. 9-33 en que se plantea la relación entre el descubrimiento y el pensamiento renacentista, en particular las utopías de Moro, Bacón, y Campanella.

2 Cristobal Colón, *Los cuatro viajes del Almirante y su testamento*, Edición y prólogo de Ignacio B. Anzoátegui, Madrid, Colección Austral, Espasa-Calpe, 1971, p. 147.

3 Ver André Saint-Lu, "Significación de la denuncia lascasiana", citado, p. 399.

4 *Los cuatro viajes del Almirante*, p. 32.

5 New York: Atheneum, 1962, p. 99.

6 Salvador de Madariaga, *Vida del Muy Magnífico Señor Don Cristóbal Colón*, (Buenos Aires: Sudamericana, 1973), p. 502, passim.

7 Hernán Cortés en la "Cuarta" de sus *Cartas de Relación de la conquista de Méjico*, fechada en 1524, refiere la relación de uno de sus capitanes que fue al "Mar del Sur", para explorar esas costas recién descubiertas: "...y asimismo me trujo relación de los señores de la provincia de Ciguatán, que se afirman mucho haber una isla toda poblada de mujeres, sin varón ninguno, y que en ciertos tiempos van de la tierra firme hombres, con los cuales han aceso, y las que quedan preñadas, si paren mujeres las guardan, y si hombres los echan de su compañía; y que esta isla está diez jornadas desta provincia, y que muchos dellos han ido allá y la han visto" (Espasa-Calpe, Buenos Aires, 1945, p. 254). Ulrico Schmidel en su *Viaje al Río de la Plata* incluido en el VI volumen de la *Colección Pedro de Angelis*, Prólogo y notas de Andrés M. Carretero (Buenos Aires: Plus Ultra, 1969, 8 volúmenes) escrito después de su vuelta a Alemania ocurrida en 1554, refiere el mismo mito dos veces. La primera, en el Cap. XXXVI, se refiere a lo que un jefe indio le dijo al capitán de los españoles acerca de los despojos en oro y plata obtenidos en "la guerra con las Amazonas" (Tomo VI, p. 306) y a la decisión del Capitán de ir en busca de la tierra de las Amazonas, distante dos meses y

medio por tierra, dice: "Mucho nos alegramos al oír Amazonas, y demás la opulencia que refirió; y al punto preguntó el capitán al rey si por tierra o mar podíamos ir a ellas y cuánto distaban—Respondióle que sólo podía irse por tierra, y se llegaría en dos meses a su provincia; con lo cual determinamos buscarlas" (Tomo VI, p. 306). La segunda referencia de Schmidel incluye los relatos anteriores de Colón y Cortés: "Estas Amazonas sólo tienen un pecho o teta: sus maridos van a verlas tres o cuatro veces al año; si paren varón, se lo envían a su padre; si es hembra, la guardan, y le queman el pecho derecho para que pueda usar bien el arco y armas en las guerras con sus enemigos, porque son mujeres belicosas" (Ibid., VI, p. 307). En el párrafo anterior Schmidel se ha referido a las Amazonas y, más adelante, indica que habitan en una isla. En los tres relatos hay un punto en común; la referencia a las costumbres sociales; periódicamente las mujeres se unen con hombres y, luego que paren, si es niña la tienen consigo y, si varón, lo alejan de sí.

⁸ Pedro Mártir de Anglería, *Décadas del Nuevo Mundo*, Estudio y Apéndice por el Dr. Edmundo O'Gorman; traducción del latín del Dr. Agustín Millares Carlo (México: José Porrúa e hijos, 1964), I, p. 121. las referencias a esta obra están incluídas, en paréntesis, en el texto, con la indicación del volúmen y de la página.

⁹ María de las Nieves Olmedillas de Pereiras, en su obra *Pedro Mártir de Anglería y la mentalidad exoticista* (Madrid: Gredos, 1974) ha presentado una serie de motivs análogos en Pedro Mártir, sobre todo en el cap. IV de su obra, titulado "El Paraíso Terrenal y la vida fácil" y el cap. V, "La sociedad y el hombre perfectos" (pp. 83-98). El propósito del trabajo de Olmedillas de Pereiras es el de presentar "el fenómeno del exoticismo en general" en la antiguedad clásica y la edad media y luego "llegar al exoticismo que se manifiesta con el descubrimiento de América" y concluye que su propósito final es el de permitir al lector apreciar "lo que significa en el Mundo Occidental el portento de la invención de América" a través de la visión de "un humanista preclaro" como Pedro Mártir de Anglería, "que incorpora a su época toda la carga de fantasía que la cultura del Viejo Mundo había ido acumulando". Escrito para un público general se entiende que el propósito de este libro es distinto de mi estudio, que se propone estudiar uno solo de esos temas que se definen "exóticos", esto es, la utopía, o el fenómeno utópico, en el cual América juega un papel decisivo. Así que, nacidos de propósitos distintos, los libros tienen elementos en común por lo que se refiere a la obra de Pedro Mártir y a los motivos con que él contribuyó a la elaboración de la utopía española, tal como el tema de la edad de oro, del buen salvaje, del Paraíso Terrenal, del estado natural, etc. Por otra parte el libro de Nieves Olmedillas de Pereiras deja de lado el análisis de la sociedad al estado natural en sus implicaciones sociales, tal como la ausencia de lo "mío" y lo "tuyo" notado por Pedro Mártir y que es tan esencial en el presente estudio de la utopía.

[10] Pietro Bembo, en su *Historia veneciana*, al referir los descubrimientos geográficos de los portugueses y de los españoles, opina que los mismos han resultado en una disminución del comercio veneciano. (Cf. Pietro Bembo, *Istoria Veneziana, Opere*, Venezia: F. Hertzhauser, 1728, Tomo I, pp. 137-138.)

[11] *Los cuatro viajes del Almirante*, p. 122, 127.

[12] Ver nota 7 en este capítulo.

[13] Orig. lat., "Nihil est tam difficile quin eorum moribus facile fiat. Plane in *Politam* Platonis convenissent, ut omnia essent communia, cum etiam absque eius doctrina tam prompti in ipsius sectam reperiantur." (*Prosatori latini del Quattrocento*, ed. E. Garin, Milano-Napoli: Ricciardi, 1952, pp. 222-224).

[14] En BAE, N. 65, pp. 160-165.

[15] Ver Ernest Grey, *Guevara. A Forgotten Renaissance Author*. The Hague: Martinus Nijhoff, p. 16.

[16] Guevara era obispo de Guádix y cronista imperial, además de ser predicador de la capilla real. Su posición oficial no le permitía descubrirse excesivamente en sus críticas directas contra el gobierno. Así opina Castro: "Guevara, como funcionario de la casa imperial, no se atrevía a mencionar directamente a los indios de América, y los disimuló tras la ficción del villano del Danubio" (Américo Castro, *Hacia Cervantes*, Madrid: Taurus, 1967, p. 103).

[17] Américo Castro, *Cervantes y los casticismos españoles*, en "Datos y reflexiones finales" afirma que "en *El villano del Danubio*, Guevara simbolizó a un indio americano....", Madrid: El libro de Bolsillo, Alianza Editorial, 1974, p. 248.

[18] En "Antonio de Guevara, un hombre y un estilo del siglo XVI", *Hacia Cervantes*, Madrid: Taurus, 1967, p. 107. Las referencias a esta obra se harán en paréntesis en el texto.

[18bis] "Información en Derecho del licenciado Quiroga sobre algunas provisiones del Real Consejo de Indias", en *Colección de documentos inéditos relativos al descubrimiento, conquista y organización de las antiguas posesiones españolas de América y Oceania*, sacadas de los Archivos del Reino, y muy especialmente del de Indias, por D. Luis Torres de Mendoza (Madrid: Imprenta de J. M. Pérez, 1868), Tomo X, p. 344. Agustín Redondo definió el "Villano del Danubio" la "culminación de la utopía guevariana" y también señala como Castro, su presencia en el texto de Quiroga: *Antonio de Guevara (1480?-1545: l'Espagne de son temps. De la carriere officielle aux oeuvres politico-morales*, Paris: Dros, 1976, pp. 662, 692. Analizaré en el capítulo siguiente la profunda diversidad entre Quiroga y Guevara, hasta ahora no señalada que yo sepa, al asumir el Obispo hispanoamericano el modelo del humanista español para sus planes políticos, de la misma manera en que hará con la *Utopía* de Moro.

[19] J. Ginés de Sepúlveda, *Sobre las justas causas de las guerras contra los indios*, traducción de M. Menéndez y Pelayo, con un estudio de M. García-Pelayo, México, 1941, p. 105. Citado por A. Castro, *Hacia Cervantes*, p. 102.

20 André Saint-Lu, "Significación de la denuncia lascasiana", *Revista de Occidente*, citado.

21 "El imperio cristiano de Las Casas", *Revista de occidente*, citado, p. 297.

22 *The Spanish Struggle for Justice in the Conquest of America*, citado. Pedro Henríquez Ureña señala el hecho, luego desarrollado por Hanke, que los predicadores de la Orden de Santo Domingo "devolvieron al cristianismo su antiguo papel de religión de los oprimidos" (*Las corrientes literarias de la América Hispánica*, ob. cit., p. 20).

23 "Significación de la denuncia lascasiana", *Revista de Occidente*, citado, p. 393.

24 "Utopía y primitivismo en Las Casas", *Revista de Occidente*, citado, p. 393.

25 L. Hanke, *The Spanish Struggle*, citado, p. 10.

26 L. Hanke, *The Spanish Struggle*, pp. 7-8; A. Castro, *Hacia Cervantes*, pp. 100-101.

27 *Obras escogidas de Fray Bartolomé de Las Casas*, Madrid: BAE, 1958, V, p. 60.

28 L. Hanke, *The Spanish Struggle for Justice in the Conquest of America*, citado, p. 58.

29 "Utopía y primitivismo en Las Casas", citado, p. 360.

30 L. Hanke, *The Spanish Struggle*, pp. 54-55.

I, III, *La utopía empírica*

1 "Información en Derecho del licenciado Quiroga sobre algunas provisiones del Real Consejo de Indias", en *Colección de documentos inéditos relativos al descubrimiento, conquista y organización de las antiguas posesiones españolas de América y Oceanía*, sacadas de los Archivos del Reino y muy especialmente del de Indias, por D. Luis Torres de Mendoza (Madrid: Imprenta de J. M. Pérez, 1868), Tomo X, pp. 333-525. Las referencias a esta obra se incluyen en el texto con el número de páginas en paréntesis.

2 A. Castro ha definido "preciosa" esta referencia de Vasco de Quiroga al "Villano del Danubio" de Guevara en *Hacia Cervantes*, citado, pp. 97-98. El texto citado de Quiroga se halla en *Información en Derecho*, citado en la nota anterior, p. 344.

3 En *Hacia Cervantes*, citado, p. 105.

4 Fray Antonio de Guevara, *Menosprecio de corte y albanza de aldea*, Edición, prólogo y notas de Matías Martínez Burgos (Madrid: Espasa-Calpe, S. A., Clásicos Castellanos), 1975, pp. 158-159.

5 *Hacia Cervantes*, citado, p. 98.

6 "Utopia uero insula quam etiam Udepotiam appellari audio, mirifica utique sorte (si credimus) Christianos uero ritus ac germanam ipsam sapientiam publice priuatimque hausisse perhibetur, intemeratamque ad hunc usque diem seruasse, utpote quae tria diuina instituta, hoc est bonorum malorumque inter ciues aequalitatem, seu

malis ciuilitatem numeris omnibus suis absolutam, et pacis ac tran-
quillitatis amorem constantem ac pertinacem, et auri argentique
contemptum consertis (ut aiunt) manibus retinet, tria (ut ita loquar)
euerticula omnium fraudum, imposturarum, circumscriptionum,
uersutiarum, et planicarum improbitatum." Thomas More, *Utopia*, in
The Complete Works, IV, ed. Edward Surtz and J. H. Hexter (New
Haven: Yale University Press, 1974), p. 11. Las traducciones en español son mías.

⁷ "uerum ego Utopiam extra mundi cogniti fines sitam esse per-
cunctando comperi, insulam nimirum fortunatam, Elysijs fortasse
campis proximam, (nam Hythlodaeus nondum situm eius finibus
certis tradidit ut Morus ipse testatur) multas quidem ipsam in urbes
destractam, sed unam in ciuitatem coeunte aut conspirantes, nomi-
ne Hagnopolin, suis utique ritibus bonisque acquiescenhuius cogniti
colluuionem. Quae in tot mortalium studijs ut acribus et incitatis,
sic inanibus et irritis turbide et aestuose in praecipitium rapitur."
(*Ibid.*, p. 13).

⁸ Otis Green pone en relación la obra de Quiroga con el erasmismo; ver *Spain and the Western Tradition* (Madison: University of Wisconsin Press, 1963-66), Tomo III, p. 62.

⁹ V. de Quiroga, *Información*, pp. 456-457.

¹⁰ Erasmo, *El Enquiridion o Manual del Caballero Cristiano*, Edición de
Dámaso Alonso, Prólogo de Marcel Bataillon (Madrid: Consejo Superior de Investigaciones Científicas, 1971), p. 277.

¹¹ Marcel Bataillon fue el primero en indicar la vena erasmista de
la concepción utópica de Vasco de Quiroga en su *Erasmo y España*
(México: Fondo de Cultura Económica, 1966), pp. 820-821.

¹² *Enquiridion*, citado, p. 301.

¹³ V. de Quiroga, *Información*, pp. 457-458.

¹⁴ Bataillon, "Prólogo", *Enquiridion*, citado, p. 9.

¹⁵ V. de Quiroga, *Información*, citado, pp. 466-467.

¹⁶ "Prólogo", citado, p. 80.

¹⁷ V. de Quiroga, *Información*, p. 486.

¹⁸ B. de Las Casas *Brevísima relación de la destrucción de las Indias*, en
Obras escogidas de Fray Bartolomé de Las Casas (Madrid: BAE, 1958), Tomo
V, p. 175. De ahora en adelante se cita entre paréntesis este trabajo
con la abreviación *Destrucción*.

¹⁹ Angel Losada, en su "Introducción" a *Los tesoros del Perú*, de B.
de Las Casas, Había dicho: "A España le cabe el honor de ser la
primera nación colonizadora que teóricamente planteó el problema
de la justicia de sus pueblos colonizados. En tal sentido, Las Casas
fue el español benemérito de su patria" (Madrid: Consejo Superior
de Investigaciones Científicas, 1958, p. XXVIII). Por su parte, Esteve
Barba dice: "Casi nadie ve a Las Casas por encima de los nacionalismos: tiene una misión de humanidad que cumplir, y la cumple, sen-
cillamente porque es, ante todo, cristiano" (*Historiografía indiana*, Madrid: Gredos, 1964, pp. 83-84).

20 Silvio Zavala, *Filosofía de la conquista* (México: Fondo de Cultura Económica, 1972), pp. 28-33.

21 *Obras escogidas*, citada, BAE, I, p. CVIII.

22 *Historia de las Indias*, Libro II, Cap. LXII, *Obras escogidas*, citada, BAE, Tomo II, p. 153.

23 Ver el "Estudio preliminar" de Juan Pérez de Tudela Bueso, en *Apologética Historia, Obras escogidas de Fray Bartolomé de Las Casas*, citada, Tomo III, pp. VII-XXXII.

24 "Ver Juan Pérez de Tudela, "Estudio preliminar," citado, p. XXV.

25 *Il cristianesimo felice nelle missioni dei Padri della Compagnia di Gesu nel Paraguai descritto da Lodovico Antonio Muratori* apareció en Venecia en 1743.

La edición que yo he manejado es la de Giorgio Falco y Fiorenzo Forti: *Opere* di Lodovico Antonio Muratori (Milano-Napoli: Riccardo Ricciardi Editore, 1964), Tomo I, pp. 967-1013.

26 *Historia de las Indias, Obras Escogidas*, II, p. 107.

27 Lewis Hanke ha estudiado muy exaustivamente esta polémica en su *The Spanish Struggle for Justice in the Conquest of America*, citado, p. 114; ver también Silvio Zavala, *Filosofía de la conquista*, citado, pp. 39-71.

28 Robert Blakey, *History of Political Literature*, 2 vols., London, 1855, II, pp. 365-370, citado por Hanke, *Spanish Struggle*, p. 40.

29 Cf. André Saint-Lu, *La Vera Paz. Esprit evangélique et colonization* (Paris: Institut d'Etudes Hispaniques, 1968).

29bis Menéndez Pidal ha criticado a Las Casas por su utopismo y por haber comparado favorablemente a los indios con otros pueblos de la antiguedad: "Las Casas iguala en excelencia todos los pueblos indios a los griegos y romanos, y los encuentra iguales, o a veces superiores, a los españoles". Cf. Ramón Menéndez Pidal, *El Padre Las Casas. Su doble personalidad* (Madrid; Espasa-Calpe, 1963), p. 273. Para este historiador la utopía de Las Casas consiste en haber ignorado el mundo real, en haber soñado que los españoles podrían haber sido todos apóstoles y mártires. En su análisis del carácter utópico de la ideología lascasiana Menéndez Pidal concluye que esta ideología no puede justificar ni siquiera el título de "pensador" para Las Casas (pp. 223-225). Según él la utopía de Las Casas no tiene ningún valor desde el punto de vista histórico y hay que considerarla como una quimera: "Es increíble que tales quimeras se califiquen como obra de un razonable tratadista. ¿Pueden, bajo ningún concepto, ser puestas al lado del pensamiento de un teólogo como Vitoria?" (p. 225). El mismo concepto de utopía adquiere, en Menéndez Pidal, connotaciones negativas, como de algo, no solamente fuera de la historia, sino contrario a ella. Tampoco acepta Menéndez Pidal las ideas fundamentales de Las Casas sobre la legitimidad del derecho natural de los indios en el Nuevo Mundo, ni de sus virtudes naturales. *La Destruición de las Indias*, en que se documenta la crueldad de la conquista, y la *Apologética Historia,* en que se defienden las virtudes de los indios, son, en la opinión de este historiador, exageraciones: "La *Destruición* hemos dicho ya que consistía en una exageración de totalidad sobre crueldades españolas llevadas a lo imposible monstruoso; la *Apologética* es una exageración de totalidad sobre excelencias indianas elevadas a lo excelso increíble" (p. 232). El estudio de Menéndez Pidal adolece de una parcialidad de enfoque. Su método es a veces demasiado selectivo en las comparaciones y desborda en la arbitrariedad. Para refutar la tesis de la *Apologética Historia* y de la *Destruición,* o sea de la bondad natural de los indios y de su derecho natural a las tierras del continente americano, Menéndez Pidal insiste en el atraso de los pueblos americanos que, según el, eran los más atrasados del orbe, y esto incluye a las civilizaciones aztecas e inca: "En suma, entre los pueblos civilizados del viejo mundo no hay ninguno que en los más remotos milenios o que las memorias alcanzan, estuvieran en tan prehistórico atraso" (p. 237).

[30] Bataillon, "Prólogo", *Enquiridion,* citado, pp. 15-16.

[31] *Historia del Paraguay* escrita en francés por el P. Pedro Francisco Javier de Charlevoix de la Compañía de Jesús, con las anotaciones y correcciones latinas del P. Muriel, traducida al castellano por el P. Pablo Hernández de la misma compañía; Madrid: Librería General de Victoriano Suárez, 1910-1916; I-VI vols. La cita es del Volumen I, pp. 21-22. De ahora en adelante las citas del Padre Charlevoix se referirán entre paréntesis con el número del volumen y de las páginas correspondientes.

II, I, El humanismo cristiano de Erasmo

[1] "Prólogo", *Enquiridion,* citado, p. 8. Las referencias a esta obra se dan en paréntesis en el texto.

[2] M. Bataillon, *Erasmo y España,* citado, pp. 209-211.

[3] Bataillon, "Prólogo", citado, pp. 61-62.

[4] M. Bataillon, *Erasmo y España,* pp. 816-827; John Leddy Pehlan, *The Millenial Kingdom of the Franciscans in the New World* (Berkeley and Los Angeles: The University of California Press, 1970), p. 46.

[5] Phelan, *Ibid.,* p. 46; Bataillon, *Ibid.,* pp. 824-826.

[6] Phelan, *The Millenial Kingdom,* p. 47.

II, II, Los tres momentos del erasmismo: 1526-1616

[1] Ver A. Castro, *El pensamiento de Cervantes* (Madrid: Añejos de la *Revista de Filología Española,* 1925), pp. 95-96, 281-283; Alban K. Forcione, *Cervantes' Christian Romance* (Princeton: Princeton University Press, 1972), pp. 84-107; sobre todo Marcel Bataillon, *Erasmo y España,* citado, pp. 777-801.

[2] Ver la "Introducción" de José F. Montesinos a Alfonso de Valdés, *Diálogo de Mercurio y Caron,* Edición, introducción y notas de José F. Montesinos (Madrid: Espasa-Calpe, Clásicos Castellanos, 1971), p. IX.

3 Alfonso de Valdés, *Diálogo de Mercurio y Carón*, p. 3.
4 F. Montesinos, "Introducción", citada, p. XI.
5 A. de Valdés, *Diálogo*, p. 7.
6 M. Bataillon, *Erasmo y España*, citado, pp. 25, 28.
7 A. de Valdés, *Diálogo*, p. 35.
8 Ciro fue considerado el modelo del príncipe ideal en el Renacimiento. Su personaje se divulgó tras las traducciones que de la *Ciropedia* de Jenofonte hicieron Poggio Bracciolini en 1447 y Francesco Filelfo. Ciro es el héroe de esta novela histórica de Jenofonte. Antes de morir aconseja a sus hijos para que siempre defiendan la causa de la justicia, el amor y la paz.
9 A. de Valdés, *Diálogo*, p. 178. Valga para citar un ejemplo del pensamiento de Maquiavelo, inspirado por un sentimiento opuesto, aquel pasaje del *Príncipe* en el que Maquiavelo recomienda al príncipe, para asegurarse el dominio, el uso de la fuerza: "Di qui nacque che tutt'i profeti armati vinsono, e li disarmati ruinorono. Perché, oltre alle cose dette, la natura de' popoli è varia; ed è facile a persuadere loro una cosa ma è difficile fermarli in quella persuasione. E però conviene essere ordinato in modo, che quando non credono più, si possa fare credere loro per forza" (Niccolo Machiavelli, *Il Principe e Discorsi*, con introduzione di Giuliano Procacci e a cura di Sergio Bertelli; Milano: Feltrinelli Editore, 1973, p. 32).
10 Erasmo, *Obras escogidas*, Traslación castellana directa, comentarios, notas y un ensayo biobibliográfico por Lorenzo Riber; Madrid: Aguilar, 1964, p. 342.
11 Antonio de Guevara, *Menosprecio de corte y alabanza de aldea*, citado, p. 26.
12 Rafael Ferreres, "Prólogo", Gaspar Gil Polo, *Diana enamorada*, Madrid: Espasa-Calpe, Clásicos Castellanos, 1962, pp. XIV-XV.
13 Marcelino Menéndez y Pelayo, *Orígenes de la novela* (Buenos Aires: Emecé, 1945), Tomo II, p. 184.
14 *Ibid.*, p. 183.
15 *Ibid.*, p. 185. Los críticos actuales han tratado de aclarar este concepto de evasión. Avalle-Arce ha subrayado este carácter de evasión del género, lo cual se ve bien en el siglo XVIII con Meléndez Valdés y Jovellanos. Por otra parte, este crítico ha aclarado la diferencia entre lo pastoril y lo utópico-proletario: "Los pastores, en una palabra, son tradicionalistas; el proletario, revolucionario". Cf. Juan Bautista Avalle-Arce, *La novela pastoril española* (Madrid: Ediciones Istmo, 1974), p. 20. Por lo que se refiere a las versiones "a lo divino", el mismo crítico identifica este género como consecuencia de la Contrarreforma (pp. 268-272). Este aspecto cultural ha sido estudiado también por Francisco López Estrada, quien corrige la noción de evasión en lo pastoril; cf. *Los libros de pastores en la literatura española* (Madrid: Gredos, 1974), p. 52.
16 *Quijote*, I, 6, p. 472; ref. en *Obras completas*, Barcelona: Editorial Juventud, 1964; el número indica la parte, el capítulo y la página de

esa edición.

[17] Gil Polo, *Diana enamorada*, Prólogo, edición, y notas de Rafael Ferreres (Madrid: Espasa-Calpe; Clásicos Castellanos, 1962), pp. 30-32.

[18] Francisco López Estrada, "Prólogo", Jorge de Montemayor, *Los siete libros de la Diana*, Madrid: Espasa-Calpe, Clásicos Catellanos, 1962, p. LXX.

[19] Maravall, *Utopía y primitivismo en Las Casas*, citado, p. 314.

[20] Maravall, *Utopía y contrautopía en el Quijote*, Madrid: Editorial Pico Sacro, 1976. Maravall ha desarrollado este tema de la significación anti-utópica del *Quijote*: "Cervantes construye en perfecta articulación las dos caras, caballeresca y pastoril, de la utopía, para darles la vuelta al reflejarlas en el espejo de la ironía" (p. 172).

[21] Al estudiar la concepción de la moral en Cervantes, A. Castro subraya su voluntarismo neo-estoico: "No existe la 'fortuna'; cada uno es artífice de su ventura; porque cada uno está cruzado y atravesado por la encadenada causalidad que informa la vida; y a quien vencen brazos ajenos, le queda el supremo recurso de tornarse 'vencedor de sí mismo'" (*El pensamiento de Cervantes*, citado, p. 352).

[22] Libertad moral, se entiende, como bien apunta A. Castro cuando observa: "Don Quijote fracasa en el empeño de suprimir en la tierra las fuentes del mal, pero logra la única victoria que no era quimérica para la filosofía del Renacimiento: la victoria de sí mismo" (*El pensamiento de Cervantes*, p. 344).

[23] *Quijote, Obras completas*, citado, I, 11, 502.

[24] *Sinapia. A Classical Utopia of Spain* (Hamilton, McMaster University, 1975), p. 1.

[25] *Utopía y contrautopía en el Quijote*, citado, p. 20.

[26] Desde este punto el texto reproduce aquí mi artículo "Cervantes, el 'Persiles' y la historiografía indiana", publicado en *Anales de literatura hispanoamericana*, Vol. III, N. 4, 1975, pp. 5-25. Véase *Persiles y Sigismunda* en *Obras completas* de Miguel de Cervantes Saavedra, edición publicada por Rodolfo Schevill y Adolfo Bonilla (Madrid: Imprenta de Bernardo Rodríguez, 1914), I, págs. IX-X, 337. Hay pocos estudios específicos sobre este tema. La mayoría de las referencias ocurren en obras de carácter general como en el caso de Ludwig Pfandl (*Historia de la literatura nacional española en la edad de oro*, Barcelona: Juan Gili, 1933, pág. 283), Joaquín Casalduero (*Sentido y forma de "Los trabajos de Persiles y Sigismunda"*, Buenos Aires: Sudamericana, 1947, pág 33), José Carlos F. Mesa ("Divagaciones en torno al *Persiles*", en *Cervantes en Colombia*, edición de Eduardo Caballero Calderón, Patronato del IV Centenario de Cervantes, Madrid, 1948, pág. 435), José Durand ("Estudio preliminar" en su edición de los *Comentarios reales*, Lima: Reproducción de la primera edición hecha por la Universidad Mayor de San Marcos, 1967, pag. 7), Alban K. Forcione (*Cervantes, Aristotle, and the "Persiles"*, Princeton: Princeton University Press, 1970, pág. 272), Carlos Romero ("Introduzione", en su tra-

ducción italiana *Le traversie di Persile e Sigismunda, Tutte le opere di Cervantes*, a cura di Franco Meregalli, Milán: Mursia, 1971, II, pág. 785, y A. K. Forcione (*Cervantes' Christian Romance*, Princeton: Princeton University Press, 1972), págs. 90-155. Curiosamente las referencias se basan casi exclusivamente en los *Comentarios reales* del Inca, pues otros cronistas y autores habrían podido constituir otras posibles fuentes para Cervantes. Un grupo menos numeroso de estudiosos, al querer fechar la composición del *Persiles*, ha negado que Cervantes se hubiese inspirado en las crónicas de Indias. Una reseña muy completa de estos estudios puede leerse en el artículo de Rafael Osuna: "El olvido del *Persiles*", en *Boletín de la Real Academia Española* (1968), XLVIII, págs. 55-75. El único trabajo en el que se ha hecho un examen específico de las referencias en la obra de Cervantes al material de Indias es el de José Toribio Medina: "Cervantes americanista" en *Estudios Cervantinos* (Santiago de Chile: Fondo Histórico y Bibliográfico José Toribio Medina, 1958), págs. 507-537. Con la excepción de José Toribio Medina, todos los otros críticos han basado su aceptación o negación de la asimilación cervantina del material de Indias meramente apoyándose o negando la autoridad de Schevill y Bonilla. Otro aspecto relacionado con el estudio de Cervantes y el material de Indias es el de la popularidad de Cervantes en América. Aunque esto no pertenece al ámbito del presente trabajo, se ha estudiado también en relación con el interés de Cervantes en América (véase Francisco Rodríguez Marín: "El *Quijote* y Don Quijote en America", en *Estudios cervantinos*, Patronato del IV Centenario de Cervantes, prólogo de don Agustín González de Amezúa, Madrid, 1947, págs. 93-137). Otras contribuciones más recientes a este tema son la de Irving A. Leonard, *Books of the Brave* (Primera edición de 1949; nueva edición, Nueva York: Gordian Press Inc., 1964, páginas 270-312) y de Germán Arciniegas, *El continente de siete colores* (Buenos Aires: Sudamericana, 1965, págs. 108-121).

27 El primero en negar la lectura de los *Comentarios reales* por parte de Cervantes fue Max Singleton en "El misterio del *Persiles*", en *Realidad* (1947), II, págs. 237-253, al fechar la composición de la novela antes de 1609, fecha de publicación de la obra de Garcilaso de la Vega, el Inca. En "El olvido del *Persiles*" Osuna ha estudiado las fuentes del *Persiles* y también ha intentado fechar aproximadamente la composición de la obra. Osuna parece estar de acuerdo con Rafael Lapesa ("En torno a *La española inglesa* y el *Persiles*", en *Homenaje a Cervantes*, edición de Francisco Sánchez-Castañer, Valencia, 1950, II, págs. 367-388) en que el *Persiles* se escribió a lo largo de varios años y cree que "hay partes escritas en los últimos meses de vida del escritor, partes antes del *Quijote I* y partes hechas después de éste, aunque, por supuesto, todas escritas en sucesión" (pág. 59). Osuna coloca las fechas de composición entre 1605 y 1616. En su "Introducción biográfica y crítica" de su edición del *Persiles* (Madrid: Clásicos Castalia, 1969), págs. 7-32, Juan Bautista Avalle-Arce no comparte la opi-

nión de Schevill y Bonilla de que Cervantes fuera de alguna manera influenciado por los *Comentarios reales*. Insistiendo en las ideas ya enunciadas por Osuna sobre las fechas de composición del *Persiles*, Avalle-Arce coloca a los dos primeros libros entre 1599 y 1605 y a los dos últimos entre 1612 y 1616. Carlos Romero dice que el *Persiles* se escribió enteramente "a partire da una data a noi ignota ma, comunque, non di molto anteriore al 1612, o 13?" ("Introduzione", en *Tutte le opere di Cervantes*, II, pág. 785).

[28] Aunque los originales se perdieron, los escritos de Cristóbal Colón fueron parcialmente divulgados por otros cronistas, como Pedro Mártir de Anglería en su *De Orbe Novo* y los escritos de Las Casas. Las cartas de Vespucci ya se habían publicado en 1503-1505. Desde un punto de vista estrictamente cronológico, Cervantes pudo conocer obras como las "Décadas" *De Orbe Novo* de Anglería, publicadas en latín en Sevilla en 1511 (Primera Década), en Alcalá de Henares en 1516 (Décadas I-III) y en 1530 (Décadas I-VIII); las *Cartas de relación* de Hernán Cortés, publicadas en Sevilla en 1522 y 1523 y en Toledo en 1525; la *Carta de relación de Pedro de Alvarado*, publicada en Toledo en 1525; la *Verdadera relación de la conquista del Perú*, de Francisco de Xérez (Sevilla, 1534); la *Historia general y natural de las Indias*, de Gonzalo Fernández de Oviedo (Libros I-XIX, Sevilla, 1535; Libro XX, Salamanca, 1547); la *Relación* de Antonio Pigafetta, publicada antes de 1536; la *Brevísima relación de la destrucción de las Indias*, del padre Bartolomé de las Casas (Sevilla, 1553); la *Crónica del Perú*, de Pedro Cieza de León (Sevilla, 1553); la *Historia de las Indias y conquista de Méjico*, de Francisco López de Gómara (Zaragoza, 1552); la *Historia del descubrimiento y conquista del Perú*, de Agustín de Zárate (1555); la *Historia natural y moral de las Indias*, de José de Acosta (1589); las *Décadas*, de Antonio de Herrera y Tordesillas (1601-1615) y los *Comentarios reales*, de Garcilaso de la Vega, el Inca (Lisboa, 1609). Para estos datos he consultado a Francisco Esteve Barba, *Historiografía indiana* (Madrid: Gredos, 1964).

[29] En el *Canto de Calíope* Cervantes se refiere a Francisco de Terrazas, autor de un poema, hoy perdido, *Nuevo Mundo y conquista*: "Francisco, el uno de Terrazas, tiene / el nombre acá y allá tan conocido, / cuya vena caudal nueva Ipocrene / ha dado al patrio venturoso nido" (*Obras completas*, Editorial Juventud, Barcelona, 1964, I, pág. 363). En el *Viaje del Parnaso* Cervantes cita a muchos poetas, inclusive a los que nacieron en América, como en los versos: "Desde el indio apartado del remoto / mundo llegó mi amigo Montesdoca, / y el que anudó de Arauco el nudo roto" (*Obras completas*, I pág. 1522). José Toribio Medina en su "Cervantes americanista" piensa que el verso "y el que anudó de Arauco el nudo roto" se refiera al mismo Montesdoca, citado en el verso anterior. Pero de Montesdoca no se conocen obras. El mismo Medina se pregunta: "Mas ¿a qué obra de éste alude Cervantes al decir que anudó con ella de Arauco el nudo roto?" (pág. 527). Pero yo creo que el verso se refiera a un poeta distinto, preci-

samente a Pedro de Oña, "continuador" de Ercilla con su *Arauco domado*, cuya primera parte salió en Lima en 1603. Además de estas referencias, Medina cita pasajes del *Rufián dichoso*, del *Pedro de Urdemalas*, de *La entretenida, La española inglesa*, el *Quijote* y el *Persiles*—el pasaje en que se citan los nombres de Francisco Pizarro y Juan de Orellana—para argumentar que Cervantes estaba bien familiarizado con las cosas de Indias, hasta en detalles como nombres de animales y plantas y referencias al viaje a Indias, que él no había hecho, pero cuyas noticias había adquirido "por haberle adquirido en su trato con los pilotos de aquella carrera" (pág. 520). Medina también subraya que Cervantes debió conocer manuscritas muchas obras en versos de autores sobre Indias antes de que se imprimieran o antes de que se perdieran.

30 Miguel de Cevantes, *Los trabajos de Persiles y Sigismunda*. Edición de Juan Bautista Avalle-Arce (Madrid: Clásicos Castalia, 1969), III, 1, pág. 276. Todas las citas del *Persiles* proceden de esta edición con el libro, capítulo y número de página en paréntesis.

31 En el *Diario* del primer viaje Colón anotó el jueves 11 de octubre (1492): "Y porque la carabela *Pinta* era más velera e iba delante del Almirante, halló tierra y hizo las señas que el Almirante había mandado. Esta tierra vido primero un marinero que se decía Rodrigo de Triana...." Y para estar seguro de que se avistara la tierra, Colón recomienda a sus marineros vigilar durante la noche: "Por lo cual cuando dijeron la *Salve*... rogó y amonestólos el Almirante que hiciesen buen guarda al castillo de proa, y mirasen bien por la tierra, y que al que le dijese primero que vía tierra le daría luego un jubón de seda...." (Cristóbal Colón, *Los cuatro viajes del Almirante y su testamento*. Edición y prólogo de Ignacio B. Anzoátegui, Madrid: Espasa-Calpe, Austral, 1971), págs. 28-29.

32 C. Colón, *Los cuatro viajes del Almirante*, pág. 29.

33 *Ibid.*, pág. 194.

34 Pedro de Cieza de León, *La crónica del Perú*, en *Historiadores primitivos de Indias*. Biblioteca Autores Españoles (Madrid, 1947), II, pág. 453.

35 Garcilaso de la Vega, el Inca, *Comentarios reales de los Incas*. Edición por José Durand, pág. 69.

36 *Ibid.*, pág. 81.

37 *Ibid.*, págs. 86-87.

38 *Comentarios reales*, pág. 74.

39 Pedro de Cieza de León, *La crónica del Perú*, pág. 371.

40 *Ibid.*, pág. 402. Schevill y Bonilla han indicado el relato de Garcilaso como una de las fuentes y han transcripto en nota el texto de los *Comentarios reales*, haciendo la única comparación textual con el texto del *Persiles* y esa crónica. Al mismo tiempo Schevill y Bonilla excluyen que Cervantes haya podido tener conocimiento de la obra de Cieza de León (*Persiles y Sigismunda*, I, pág. 337). Avalle-Arce en su edición del *Persiles* se inclina a pensar que la fuente de Cervantes

para este episodio haya sido la obra de Francisco de Thamara, *Libro de las costumbres de todas las gentes del mundo* ("Introducción", páginas 14-15).

[41] Sobre el conocimiento de Cervantes de las plantas y animales de las Indias, José Toribio Medina ha puntualizado los papagayos citados en *La entretenida*, el cacao en *La gitanilla* y el tabaco en el *Viaje del Parnaso* ("Cervantes americanista", págs. 514-522).

[42] Sobre la relación entre historia y poesía en Cervantes puede verse Américo Castro, *El pensamiento de Cervantes* (Madrid: Anejos de la *Revista de Filología Española*, 1925), págs. 18-67), y E. C. Riley, *Cervantes' Theory of the Novel* (Oxford: Oxford University Press, 1964), pág. 191.

[43] Marcelino Menéndez y Pelayo, "Cultura literaria de Miguel de Cervantes y elaboración del *Quijote*", una conferencia leída en la Universidad Central el 8 de mayo de 1905 y publicada en *Estudios de Crítica Literaria*, "Cuarta serie" (Madrid: Tipografía de la Revista de Archivos, 1907), págs. 1-64.

[44] Menéndez y Pelayo se refiere a la súbita popularidad de los libros de caballerías a fines del siglo XV y principios del XVI y a su similar repentina desaparición a principios del siglo XVII. Esto él define como un "enigma" (págs. 36-39).

[45] *Ibid.*, pág 45.

[46] *Ibid.*, pág 10.

[47] *Ibid.*, pág. 52.

[48] Sobre la asimilación en las crónicas de Indias de los mitos de las Sirenas, Amazonas, el Paraíso Terrenal, los Gigantes, El Dorado, la Ciudad Encantada de los Césares, la Fuente de la eterna juventud pueden verse: Luis Weckmann, "The Middle Ages in the Conquest of America," en *Speculum*, 26 (1951), páginas 130-141; Irving A. Leonard, *Books of the Brave*; Eric R. Wolf, *Sons of the Shaking Earth* (Chicago: The University of Chicago Press, 1959); Germán Arciniegas, *El continente de siete colores*; Ricardo E. Latchman, "La leyenda de los Césares", en *Revista Chilena de Historia y Geografía*, XL (enero-marzo de 1929), págs. 193-254.

[49] *Obras completas*, Editorial Juventud, I, pág. 1479. Todas las citas del *Viaje del Parnaso* provienen de esta edición, con el volumen y la página en paréntesis.

[50] Véase nota 48.

[51] "La noble corrección del estilo, la invención siempre fértil, no bastan para disimular la fácil y trivial inverosimilitud de las aventuras, el vicio radical de la composición vaciada en los moldes de la novela bizantina: raptos, naufragios, reconocimientos, intervención continua de bandidos y piratas" ("Cultura literaria de Miguel de Cervantes", pág. 23).

[52] Cervantes alude por primera vez al *Persiles* en julio de 1613 en el "Prólogo al lector" de las *Novelas ejemplares*: "Tras ellas, si la vida no me deja, te ofrezco los *Trabajos de Persiles*, libro que se atreve a competir con Heliodoro, si ya por atrevido no sale con las manos en la

cabeza" (*Obras completas*, II, pág. 15); en el *Viaje del Parnaso*, publicado en 1614, vuelve a referirse a la novela: "Yo estoy, cual decir suelen, puesto a pique / para dar a la estampa al gran *Persiles*, En la "Dedicatoria al Conde de Lemos" puesta al frente de las *Comedias y entremeses*, Cervantes anuncia: "Luego irá el gran *Persiles*..." (*Obras completas*, II, pág. 887); unos meses más tarde, en octubre de 1615, en la "Dedicatoria al Conde de Lemos" que precede el *Quijote* de 1615 vuelve a mencionar la novela: "Con esto le despedí, y con esto me despido, ofreciendo a Vuestra Excelencia los *Trabajos de Persiles y Sigismunda*, libro a quien daré fin dentro de cuatro meses, *Deo volente*; el cual ha de ser o el más malo o el mejor que en nuestra lengua se haya compuesto, quiero decir de los de entretenimiento; y digo que me arrepiento de haber dicho *el más malo*, porque según la opinión de mis amgios, ha de llegar al estremo de bondad posible" (*Obras completas*, I, pág. 930); y en el "Prólogo al lector" del mismo *Quijote* hace al final una última referencia a la novela: "Olvídaseme de decirte que esperes el *Persiles*, que ya estoy acabando, y la segunda parte de *Galatea*" (*Obras completas*, I, pág. 935).

53 Véase las páginas que Forcione dedica a este aspecto simbólico y místico del *Persiles*, en *Cervantes' Christian Romance*, págs. 84-107.

54 De la *Brevísima relación de la destruyción de las Indias*, de Las Casas, el más virulento tratado contra los métodos de la conquista, Menéndez Pidal dice que se trata de un "mácabro alegato acusatorio" (ob. cit., p. 321).

55 Aunque publicados en Sevilla entre 1552 y 1552, difundidos ampliamente por Europa y pronto traducidos a varias lenguas, parecería que la propaganda anti-española los haya explotado hasta fines del siglo XVI: "Es de notar que la edición alemana de 1597 y la latina de 1598 fueron ilustradas con diecisiete láminas del grabador holandés Teodoro de Bry, representando horripilantes escenas, de modo que, aun los que no supieran leer, pudieran alcanzar una deformada noción de la actuación española en las Indias" (Francisco Esteve Barba, *Historiografía indiana*, págs. 83-84).

56 Es interesante observar un cambio radical en las crónicas de Indias, con motivo de las Ordenanzas reales de 1571 que reglamentaban la historia del descubrimiento y conquista. El cronista más importante de este segundo período de las crónicas y que sigue al período denominado por la historiografía como el de los "cronistas primitivos", fue Antonio de Herrera y Tordesillas, cuyas *Décadas* desdeñan al indio (Cf. Francisco Esteve Barba, *Historiografía indiana*, ob. cit. pp. 112-118).

57 Castro subraya el hecho que el dualismo de realidad y fantasía no es un rasgo estilístico exclusivo del *Quijote*, sino que ocurre en otros escritos cervantinos (*El pensamiento de Cervantes*, págs. 36-46). Castro se refiere también a la doble verdad, la "epicopoética" y la "histórica" en Cervantes (*Ibid.*, págs. 42-43).

58 Véase *El pensamiento de Cervantes*, págs. 23-116. En los últimos

cincuenta años la crítica ha analizado el problema de realidad y fantasía en Cervantes. Estos estudios también han estudiado los escritos cervantinos en relación al desarrollo de la literatura barroca. Véase A. Castro, *El pensamiento de Cervantes* y *Hacia Cervantes* (Madrid: Taurus, 1963); Joaquín Casalduero: *Sentido y forma del 'Quijote' (1605-1615)* (Madrid: Ediciones Insula, 1949), y *Sentido y forma de "Los trabajos de Persiles y Sigismunda"*; Leo Spitzer, "Perspectivismo linguístico en el *Quijote"*, en *Linguística e historia literaria* (Madrid: Gredos, 1955), págs. 161-225; Pedro Salinas, "Cervantes", en *Ensayos de literatura hispánica* (Madrid: Aguilar, 1958), págs. 106-129; Richard L. Predmore, *The World of Don Quijote* (Cambridge: Harvard University Press, 1967); Martín de Riquer, *Aproximación al Quijote* (Barcelona: Salvat Editores, 1967).

[59] En *Quijote*, I, 25, Don Quijote decide imitar la penitencia de Amadís de Gaula y de Rolando y a la objeción de Sancho que no hay razón para hacer tal porque Dulcinea es una pobre aldeana cuyo nombre es Aldonza Lorenzo, Don Quijote, contesta: "Así que Sancho, por lo que yo quiero a Dulcinea del Toboso, tanto vale como la más alta princesa de la tierra. Sí, que no todos los poetas que alaban damas, debajo de un nombre que ellos a su albedrío les ponen, es verdad que las tienen" (*Obras completas*, I, pág. 643). En otras palabras, Don Quijote sabe, como Cervantes, que Dulcinea es una ficción. En el capítulo XV del Segundo Libro del *Persiles*, Periandro cuenta su aventura en la isla fabulosa y de pronto se interrumpe porque dice que estaba soñando y ante la sorpresa de los que escuchan explica que "Todos mis bienes son soñados" (II, 15, pág. 244). En el *Persiles*, como en el *Quijote*, se da el doble plano de verdad y mentira, con el cual la tradición literaria, la fuente, viene a ser un pretexto para que el autor haga actuar a sus personajes de manera autónoma, independiente y libre de esquemas preconcebidos.

[60] *El pensamiento de Cervantes*, pág. 44.

[61] Rodolfo Schevill y Adolfo Bonilla, "Introducción", en *Persiles y Sigismunda*, pág. VIII; A. Castro, *El pensamiento de Cervantes*, pág. 44; Menéndez y Pelayo había indicado en este pasaje la intención de Cervantes en ofrecer un modelo para una novela (en "Cultura literaria de Miguel de Cervantes", pág. 51); para Schevill y Bonilla el pasaje representa un esbozo, para Avalle-Arce un resumen del *Persiles* (en "Introducción", pág 17).

[62] Véase Joaquín Casalduero, *Sentido y forma de "Los trabajos de Persiles y Sigismunda"*, y Alban K. Forcione, *Cervantes' Christian Romance*.

[63] Avalle-Arce ha intentado anticipar la fecha de composición del *Persiles*; colocando, como él hace, la fecha del comienzo de la composición antes de 1605, se podría aceptar que el pasaje de *Quijote*, I, 47, fuera un resumen y no un esbozo del *Persiles*.

[64] Concuerdo con la interpretación de Avalle-Arce y de Forcione por lo que se refiere a la "cadena mística", al movimiento ascensional de la novela, que culmina en Roma. Esta interpretación explica tam-

bién la estructura de la novela, especialmente en Forcione (véase
Avalle-Arce, "Introducción," págs. 25-26; Forcione, *Cervantes' Christian Romance*, págs. 142-143). Pero el material de Indias ofrece una
ventaja temática: el héroe cristiano que debe conquistar nuevas tierras para el Evangelio.

⁶⁵ Véase Francisco Morales Padrón, *Los conquistadores de América*
(Madrid: Espasa-Calpe, Austral, 1974), y Silvio Zavala, *La filosofía política en la conquista de América* (México: Fondo de Cultura Económica,
1972).

⁶⁶ Véase F. C. Riley, pág. 49.

⁶⁷ *Ibid.*,pág. 50.

⁶⁸ Véase Torquato Tasso, "Discorsi del poema eroico", en *Prose* a
cura di Ettore Mazzali (Milano-Napoli: Riccardo Ricciardi Editore,
1959), págs. 489-729.

⁶⁹ "Discorsi del poema eroico", pág. 589. Cursivo mío.

⁷⁰ *Cervantes' Christian Romance*, pág. 6.

⁷¹ *Ibid.*, pág. 37.

⁷² "Discorsi del poema eroico", pág. 589.

⁷³ *Ibid.*, págs. 562-563.

⁷⁴ F. Esteve Barba, *Historiografía indiana*, pág. 15.

⁷⁵ Carlos Manuel Cox, *Utopía y realidad en el Inca Garcilaso* (Lima:
Universidad Nacional Mayor de San Marcos, 1965), pág. 38.

III, I, Naturaleza y cultura

¹ Cf. Part I, Cap. II de esta obra.

² He utilizado para las citas la edición crítica de Victor Berard,
L'Odyssée (Les Belles Lettres, Paris, Tome I, 1955, p. 80; Tome II,
1955, p. 214. Las traducciones al español son mías.

³ He utilizado para las citas la edición crítica de Hugh G. Evelyn-
White, Hesiod, *The Homeric Hymns and Homerica*, "Hesiod's Works and
Days", Loeb Classical Library (Cambridge: Harvard University
Press, 1959), p. 10. Los números de los versos se refieren a esta
edición.

⁴ He utilizado la edición crítica de Justus Miller, Ovid, *Metamorphoses*, Loeb Classical Library (Cambridge: Harvard University Press,
1971), Vol., I, pp. 8-10. Los números de los versos se refieren a esta
edición.

⁵ *Ibidem*, pp. 10-12.

⁶ He utilizado la edición crítica de Jacques Perret, Tacite, *La Germanie* (Paris, Les Belles Lettres, 1967), p. 74. Los números de los
capítulos se refieren a esta edición.

⁷ *Ibidem*, p. 74.

⁸ *Ibid.*, p. 75.

⁹ *Ibid.*, p. 81.

¹⁰ *Ibid.*, p. 82.

¹¹ *Ibid.*, p. 84.

[12] *Ibid.*, p. 85.

[13] *Ibid.*, pp. 85-86.

[14] *Ibid.*, p. 93.

[15] He utilizado la edición crítica de N. Milburn, *Lucian*, "Saturnalia", Loeb Classical LIbrary (Cambridge: Harvard University Press, 1959), Vol. VI, p. 99.

[16] *Ibidem*, p. 101.

[17] *Ibid.*,p. 107.

[18] *Ibid.*, pp. 115-117.

[19] Cf. la nota 13 del Cap. II de la Parte I de este estudio.

[20] Eugenio Garin, *La Renaissance, histoire d'une révolution culturelle* (Marabout Université Verviers: Des presses de Gerard & Co., 1970), p. 9.

[21] Cf. la Parte I, Cap. II de esta obra para los pasajes de Colón y de Pedro Mártir en que estos cronistas primitivos siguen el motivo clásico de la decadencia de una edad dorada y, en particular, el pasaje en que Colón cree haber llegado al lugar donde se situó el Paraíso Terrenal (*Cuatro viajes*, p. 147).

[22] Cf. Alonso de Ercilla y Zúñiga, *La Araucana*, Edición, prólogo y notas de Concha de Salamanca, Parte I, Canto I, octavas 68-69 (Madrid: Aguilar, Colección Crisol, 1960), p. 74. Desde ahora citaré a la obra con las referencias a la Parte, Canto y número de octavas entre paréntesis en el texto.

III, II, Del mito renacentista
a la historiografía indiana

[1] Eugenio Asensio, "La carta de Gonzalo Fernández de Oviedo al Cardenal Bembo sobre la navegación del Amazonas," *Revista de Indias*, Madrid, año IX, Julio-Diciembre 1949, Núms. 37-38, p. 13.

[2] Emiliano Jos, "Centenario del Amazonas: la expedición de Orellana y sus problemas históricos", *Revista de Indias*, Madrid, año III, Octubre-Diciembre 1942, Núm. 10, pp. 661-709.

[3] Antonello Gerbi, *La natura delle Indie Nove*, Milano-Napoli, Ricciardi, 1975, 631 páginas.

[4] Pietro Bembo, *Lettere*, Venezia, Scotto, 1552, Tomo II, p. 107.

[5] Venecia, Francesco Hertzhauser, 1729, 4 vols.

[6] *Istoria Veneziana*, Tomo IV, pp. 347-348.

[7] *Historia General y Natural de las Indias*, edición por D. José Amador de los Ríos, Madrid, Imprenta de la Real Academia de la Historia, 1851, Libro VI, Tomo I, p. 90.

[8] Ver Rosario Romeo, *Le scoperte americane nella coscienza italiana del Cinquecento*, Milano-Napoli, Ricciardi, 1971, pp. 44-49.

[9] Publicado en *First Images of America. The Impact of the New World on the Old*, Edited by Fredi Chiappelli, Co-editors, Michael J. B. Allen and Robert L. Benson; Berkeley: The University of California Press, 1976, 2 vols.

10 Silvio Zavala, "The American Utopia of the Sixteenth Century", *The Huntington Library Quarterly*, N. 4, Agosto 1947, pp. 537-547; del mismo autor, *La Utopía de Tomás Moro en la Nueva España. Recuerdo de Vasco de Quiroga*, México: Editorial Porrúa, 1965; Marcel Bataillon, *Erasmo y España*, México: Fondo de Cultura Económica, 1966; José Antonio Maravall, "Utopía y primitivismo en el pensamiento Las Casas", *Revista de Occidente; Fray Bartolomé de Las Casas*, dirigido por J. A. Maravall, Madrid, N. 141, 1974, p. 313; John L. Phelan, "El imperio cristiano de las Casas", *Revista de Occidente; Fray Bartolomé de las Casas*, pp. 293-310; del mismo autor, *Millenial Kingdom of the Franciscans in the New World*, Berkeley y Los Angeles: University of California Press, 1970.

11 Libro VI, cap. XXXIII, Lib., XXIV, cap. X, Lib. XXXIII, cap. XXXVI, Lib. XXXIV, cap. VIII, Lib. XLIX, cap. IV, Lib. L, cap. XXIV.

12 La cita se puede leer en el original español transcripto por Asensio, en el trabajo citado, p. 3.

13 *Historia General y Natural de Las Indias*, edición por D. José Amador de los Ríos, Madrid, Imprenta de la Real Academia de la Historia, 1851, Tomo IV, p. 574.

14 Miguel de Cervantes, *Los trabajos de Persiles y Sigismunda*, Edición de Juan Bautista Avalle-Arce, Madrid, Clásicos Castalia, 1969, III, 1, p. 381.

15 José Amador de los Ríos, "Vida y escritos de Gonzalo Fernández de Oviedo y Valdés," en *Historia General*, citado, p. LXIX.

16 *Historia General*, Lib XLIX, Cap, II, VI Tomo, cit., p. 384.

17 Enrique de Gandía, "Las amazonas, vírgenes del sol", *Mitos y Leyendas. Historia crítica de los mitos de la conquista americana*, Buenos Aires: La Facultad de J. Roldán, 1927, pp. 75-107.

18 Amador de los Ríos, "Vida y escritos", cit., pp. 82-83.

19 XI, XII, XIII, XIV, XV, XVII, XVIII, XIX y parte del XX.

III, III, *Popularidad de la utopía en las crónicas*

1 Véase Luis Weckmann, "The Middle Ages in the Conquest of America," *Speculum*, 26 (1951), 130-141; María Rosa Lida de Malkiel, "Para la toponimia argentina: Patagonia", *Hispanic Review*, 20 (1952), 321-323; Germán Arciniegas, *El continente de siete colores* (Buenos Aires: Editorial Sudamericana, 1965), págs. 108-121; Harry Levin, *The Myth of the Golden Age in the Renaissance* (Bloomington: Indiana University Press, 1969), págs. 92-93; Irving A. Leonard, *Books of the Brave* (New York: Guardian Press, 1964).

2 Ricardo E. Latchman, "La leyenda de los Césares. Sus orígenes y su evolución", *Revista chilena de historia y geografía*, 40 (1929), 200.

3 Véase *Los cuatro viajes del Almirante y su testamento*, edición de Ignacio B. Anzoátegui (Buenos Aires: Espasa-Calpe, 1946), pág. 200.

4 *Ibid.*, p. 200.

⁵ En las obras recientes sobre la conquista y la cultura de la América hispana se mencionan varios mitos pero no la leyenda de la CEC. Frederick A. Kirkpatrick en su *The Spanish Conquistadores* (Cleveland and New York: World Publishing Company, Meridian Books, 1962) menciona las leyendas de El Dorado y de la Fuente de la Eterna Juventud, pero no hace mención de la CEC. Germán Arciniegas, por su parte, dedica varios capítulos de su *El continente de siete colores* a las leyendas de las Amazonas, los Gigantes y Pigmeos, la Fuente de la Eterna Juventud y El Dorado y al influjo que las crónicas sobre los incas y aztecas ejercieron sobre escritores europeos como Montaigne, Voltaire y Rousseau y a los experimentos de la utopía de Vasco de Quiroga en México y a las misiones jesuíticas en el Para guay, pero no menciona la leyenda en cuestión.

⁶ En una de sus primeras anotaciones Colón afirma: "Concluyendo, dice el Almirante que bien dijeron los sacros teólogos y los sabios filósofos que el Paraíso terrenal está en el fin de Oriente, porque es lugar temperadísimo." (*Diario del primer viaje de Colón*, pág. 138).

⁷ Arciniegas, págs. 118-120.

⁸ Arciniegas, págs. 115-116.

⁹ "Informe y dictamen del fiscal de Chile sobre las ciudades de los Césares, y los arbitrios que deberían emplear para descubrirlas (1782)," *Colección Pedro de Angelis*, Edición con Prólogo y Notas de Andrés Carretero (Buenos Aires: Plus Ultra, 1969), II, 592-636.

¹⁰ El ejemplar utilizado por mí es la más reciente edición de la misma de Andrés Carretero, *Colección Pedro de Angelis*, 8 tomos (Buenos Aires, Plus Ultra, 1969-1972) ya citado en la nota 9. *La Argentina* de Guzmán está en el tomo I de esta edición, págs. 55-283. De aquí en adelante indicaré la edición de Carretero en las notas de referencia al material publicado por de Angelis sobre la leyenda de la CEC.

¹¹ Una bibliografía esencial sobre la leyenda en cuestión no se ha intentado todavía. He aquí lo que yo he podido encontrar sobre el tema: "Derrotero de un viaje de Buenos Aires a los Césares, por Silvestre Antonio de Rojas," "Carta del Padre Jesuita José Cardiel," "Capítulo del Padre Lozano al Padre Juan de Alzola," "Derrotero desde la ciudad de Buenos Aires hasta la de los Césares, por el Padre Tomás Falkner," "Relación de las noticias adquiridas sobre una ciudad grande de españoles, por el capitán Juan I. Pinuer," "Copia de la carta escrita por don Agustín de Jáuregui," "Nuevo descubrimiento preparado por el gobernador Valdivia," "Declaración del capitán D. Fermín Villagrán," "Informe y dictamen del Fiscal de Chile"; todos en *Colección Pedro de Angelis*, ed. Andrés Carretero, II, 537-636. Pedro Lozano, *Historia de la conquista del Paraguay, Río de la Plata y Tucumán* (Buenos Aires: Imprenta Popular, 1874), IV, 326-47; Ciro Bayo, *Los Césares de la Patagonia. Leyenda áurea del Nuevo Mundo* (Madrid: R. Caro Raggio, 1913); Francisco Cavada, *Chiloé y los Chilotes* (Santiago de Chile: Imprenta Universitaria, 1914), págs. 87-88; Tomás Thayer Ojeda, "Importancia que tenían para los españoles las regiones pata-

gónicas," *Revista chilena de historia y geografía*, 36 (1919), 324-42; Hans Steffen, "El supuesto primer descubrimiento de la Cordillera," *Revista chilena de historia y geografía*, 57 (1928), 26-45; Ricardo E. Latchman, "La leyenda de los Césares. Sus orígenes y su evolución," *Revista chilena de historia y geografía*, 40 (1929), 193-254; José Miguel Irarrazával Larrain, *La Patagonia, Errores geográficos y diplomáticos* (Santiago de Chile: Imprenta Cervantes, 1930), págs. 59-84; Enrique de Gandía, *La ciudad encantada de los Césares* (Buenos Aires: García Santos, 1933); Ernesto Morales, *La Ciudad encantada de la Patagonia* (Buenos Aires: Emecé, 1944); Julio Vicuña Cifuentes, *Mitos y supersticiones* (Santiago de Chile: Ediciones Nacimiento, 1947), págs. 42-46.

¹² *La Argentina* de Ruy Díaz de Guzmán, *Colección Pedro de Angelis*, I, 104.

¹³ La edición utilizada por mí es la más reciente de 1874, indicada en la nota 11.

¹⁴ Ver los textos citados en la nota 11.

¹⁵ La *Colección de obras y documentos relativos a la historia antigua y moderna de las Provincias Río de la Plata* publicada por Pedro de Angelis en 1836 en 7 tomos incluyó un total de más de 70 textos y documentos, en su gran mayoría inéditos, sobre la historia del Río de la Plata. Estos documentos constituyen las fuentes de la historia argentina, uruguaya, paraguaya, boliviana y, en parte, brasileña, chilena y peruana.

¹⁶ *Colección Pedro de Angelis*, II, 537-40.

¹⁷ *Ibid.*, págs. 559-62. Es el mismo autor de la *Historia de la conquista del Paraguay, Río de la Plata y Tucumán* ya citada.

¹⁸ *Colección Angelis*, pág. 573. He creído oportuno incluir esta cita por su importancia respecto de las características de la ciudad ideal de la tradicion utópica. El autor de la descripción es un profesional que por su preparación está cualificado para darnos el modelo de una plazafuerte ideal.

¹⁹ Bayo, *Los Césares de la Patagonia*, citado an la nota 11.

²⁰ Bayo, págs. 73-74.

²¹ Bayo, pág. 74. Aunque escrito en un estilo enfático, por su carácter monográfico y por su insistencia en analizar las analogías entre la leyenda de los Césares y los mitos de la Edad Media, es sorprendente la poca difusión dada al estudio de Bayo. Hasta un atento estudioso del tema como Luis Weckmann ni siquiera le cita en su "The Middle Ages in the Conquest of America", *Speculum*, 26 (1951), 130-141.

²² V. nota 11.

²³ Ver "La leyenda de los Césares. Sus orígenes y su evolución," *Revista chilena de historia y geografía*, 40 (1929), 193-254.

²⁴ En 1933 Enrique de Gandía trató de divulgar la leyenda que había quedado restringida a los investigadores. Además observó que una de las limitaciones de los estudios sobre la leyenda era la escasa penetración interpretativa. En efecto, con la excepción de Latchman,

ya mencionado, todos habían negado la existencia de la CEC o de ciudades similares. Después de afirmar que el de Latchman es el trabajo "incuestionablemente más documentado" (págs. 27-28), Gandía concluye: "Con todo lo dicho basta para demostrar que tanto los rumores de españoles perdidos en la Patagonia, como de Incas ocultos en los valles andinos, no eran fantasías, sino hechos con fundamentos completamente ciertos" (pág. 48).

[25] La edición por mí utilizada es la más reciente (Buenos Aires: Losada, 1968).

[25bis] Está incluída en las *Obras* (Madrid: Aguilar, 1973), pp. 305-423. Las referencias se indican con el número de la página en paréntesis en el texto.

[26] V. Marcelino Menéndez y Pelayo, *Historia de la literatura hispanoamericana* (Madrid: V. Suárez, 1913), II, 148.

[27] V. Silvio Zavala, *Recuerdo de Vasco de Qiroga* (México: Porrúa, 1965), págs. 11-203.

[28] V. Carlos Manuel Cox, *Utopía y realidad en el inca Garcilaso* (Lima: Universidad Nacional Mayor de San Marcos, 1965).

[29] "Voi dovete sapere come le terre e le rocche possono essere forti o per natura o per industria. Per natura sono forti quelle che sono circundate da fiumi o da paludi...." Niccolo Machiavelli, *Dell'arte della guerra*, en *Tutte le opere*, a cura di Mario Martelli (Florencia: Sansoni, 1971), pág. 377.

[30] Silvio Zavala, *La colonización española en América* (México Sep/Setentas, 1972), págs. 157-65.

IV, I, *Teoría y práctica de la utopía*

[1] Ver Raymond Trousson, *Voyages aux Pays de Nulle Part* (Bruxelles: Editions de l'Université de Bruxelles, 1975), pp. 273-274.

[2] Sigo el texto de la edición más reciente: Karl Mannheim, *Ideology and Utopia* (New York: A Harvest Book, 1936, nuevamente impreso, s. f.). "Part I" de esta nueva versión no estaba incluída en el original alemán *Ideologie und Utopie*, publicado en 1929.

[3] "The new definition of utopia in terms of reality" (*Ideology and Utopia*, p. 245).

[4] Paris: Presses UIniversitaries de France, 1952.

[5] "Il peut y avoir une cité des hommes, et elle ne se fera pas sans les politiciens, les juristes, les savants ni les philosophes, mais elle se fera moins encore sans l'Eglise et les thélogiens" (p. 268).

[6] "Populus est coetus multitudinis rationalis, rerum quas diligit concordi ratione sociatus" (*De Civitate Dei*, XIX, 24). Para el texto del *De Civitate Dei* he utilizado la edición siguiente: Sancti Aurelii Augustini, *De Civitate Dei*, ed. Emanuel Hoffmann, Pragae—Vindobonae: F. Tempsky, 1900. La cita es al Libro XIX, Cap. XXIV, 5, Vol II, p. 419.

[7] Paris: Presses Universitaires de France, 1960.

[8] Ver nota 1.

9 Cambridge, Mass.: The MIT Press, 1976.

10 Joyce Oramel Hertzler, *The History of Utopian Thought* (New York: Cooper Square Publishing, Inc., 1965).

11 *Ibid.*, pp. 2-3.

12 Cambridge, Mass.: Harvard University Press, 1967.

13 Ithaca: Cornell University Press, 1975.

14 Otis Green, *Spain and the Western Tradition* (Madison: University of Wisconsin Press, 1963-1966), 4 volúmenes.

15 *Ibid.*, Vol. III, pp. 61-62.

16 Chicago: University of Chicago Press, 1959.

17 "success of the Catholic utopia", p. 167.

18 Silvio Zavala, "The American Utopia of the Sixteenth Century", *The Huntington Library Quarterly*, N. 4, August 1947, pp. 337-347.

19 "The noble savages had acquired within ten years the purest of orthodox faith. They were marvelously predisposed to it by their paradisiacal existence—blessed by nature, free from the taint of fraud and hypocrisy." (p. 339).

20 *Ibid.*

21 Lewis Hanke, *The Spanish Struggle for Justice in the Conquest of America* (Philadelphia: University of Pennsylvania Press, 1949).

22 Ver Marcel Bataillon, *Erasmo y España* (México: Fondo de Cultura Económica, 1966), pp. 820-821; Silvio Zavala, *La Utopía de Tomás Moro en la Nueva España, Recuerdo de Vasco de Quiroga* (México: Editorial Porrúa, 1965); Francisco Lopéz Estrada, "Santo Tomás Moro en España y en la América Hispana", *Moreana*, 5, 1965, pp. 27-40; *Tomás Moro y España*, citado.

23 Cf. *Tomás Moro y España*, cit., pp. 101-107.

24 En 1976 Miguel Avilés Fernández hizo una segunda edición: *Sinapia. Una utopía española del Siglo de las Luces* (Madrid: Editora Nacional, 1976).

25 Trataremos de este trabajo más detalladamente en el Cap. IV de esta IV Parte.

IV, II, El género utópico y el humanismo cristiano

1 En varias obras en que se reseña el pensamiento utópico se comprueba la vigencia de ese anhelo desde los tiempos bíblicos, en textos religiosos y profanos, en autores clásicos griegos y latinos hasta los tiempos modernos y contemporáneos. Véase a este respecto, entre otras, las historias escritas por Joyce Onamel Hertzler, *The History of Utopian Thought* (New York: Cooper Square, Publishers, Inc., 1965) y Nell Eurich, *Science in Utopia* (Cambridge, Mass.: Harvard University Press, 1967).

2 Véase Nell Eurich, *Science in Utopia*, pp. 12-13.

3 Ovidio, *Metamórfosis*, I, 89-112. Homero es el primero de los poetas de la antigua Grecia en hacer una referencia a una vida per-

fecta en un pasado lejano en su *Odisea*, IV, 85-89 y XV, 403-414. Es también el primero en denominar ese lugar "ου τι περιπληδῆσ λίηντοσον, αλλ 'αγαθήμὲν," palabras que podrían haber inspirado el título *Utopía* de Tomás Moro y, luego, *Erewhon (Nowhere)* de Samuel Butler (Véase H. C. Baldry, *Ancient Utopias*, University of Southampton, 1956, p. 5). Otras referencias pueden hallarse en obras tan diferentes como la *Divina Comedia (Purgatorio*, XXVIII, 139-144) de Dante, la *Abadía de Theleme* del *Gargantúa y Pantagruel* de Rabelais, los *Ensayos* de Montaigne, la *Tempestad* de Shakespeare y el *Telémaco* de Fenelón. No se mencionan aquí las obras de la literatura moderna pues éstas se escribieron después de la *Sinapia*.

⁴ El saqueo de Roma por parte de los Godos de Alarico en el 410 d. C. provocó encendidas polémicas entre paganos y cristianos. El punto de vista pagano era que la predicación de la doctrina cristiana había sido la causa de la ruina de Roma. San Agustín controbatió estas acusaciones afirmando que la causa de la ruina de Roma era su propia corrupción moral y no el cristianismo. Según San Agustín era necesario ser ante todo buenos cristianos para ser buenos ciudadanos. Para salvar la estructura política había que construir una estructura espiritual. La existencia de la ciudad terrena se justifica por la existencia de la Ciudad de Dios. La visión apocalíptica de la Jerusalén celestial de San Agustín se olvidó y en cambio se llegó a identificar en la Edad Media a la Ciudad de Dios con la Iglesia. San Agustín ofreció una interpretación mística e identificó a la Ciudad de Dios con el Paraíso y al mismo tiempo creyó que la Iglesia debía constituirse en el vehículo terreno con el que un cristiano ganaría su admisión a la Ciudad Celestial.

⁵ Moro había leído a las *Quattuor navigationes* de Vespucci, como se ve en la presentación que de Hythlodeo hace Pedro Giles: " ... orbis terrarum contemplandi studio Americo Vespucio se adiunxit, atque in tribus posterioribus illarum quattuor navigationum quae passim tam leguntur, perpetuus eius comes fuit, nisi quo in ultima cum eo non redijt." (Thomas More, *Utopia*, en *The Complete Works*, IV, ed. Edward Surtz and J. H. Hexter, New Haven, Yale University Press, 1974, p. 50). (" ... Queriendo ver al mundo, siguió a Americo Vespucio y fue su compañero constante en los últimos tres de los cuatro viajes que se leen ahora universalmente, mas en el viaje final él no volvió con Vespucio.") El cuñado de Moro, John Rastelle, tenía mucho interés en la exploración del continente norteamericano al que viajó en una ocasión en 1517.

⁶ Refiriéndose a este aspecto Edward Surtz dice: "Because of the similarity between the two humanist friends, any controversy over Hythlodaeus' identification with Erasmus falls to the ground. This is especially true of the view that in the *Utopia* More speaks in his own person and that Hythlodaeus is the mask for Erasmus. The *Utopia* and the *Institutio principis Christiani* are so alike that the apparent idealism, aloofness, divorce from reality, and lack of practicality in the

latter have induced some scholars to classify it as a political utopia rather than a political disquisition. The two works are basically variations on one theme: the ideal state. Both rest on pillars of morality rather than on sands of expediency. Both conceive the state as a family rather than as a dominion of prince over subjects. Both believe in having the citizens participate in power and responsibility— Erasmus postulating a monarch limited by law, More a democratic senate." (Introducción a la *Utopía*, edición citada de Yale University Press, pp. CLXXX-CLXXXI). Por lo que se refiere a las virtudes cristianas de los Utopianos es importante recordar que en una carta escrita el 31 de julio de 1516 y dirigida a Moro, Guillermo Budé define a la ciudad de Utopía como una *Hagnopolis*, una Ciudad Santa (Thomas More, *Utopia*, Yale University Press, p. 12).

[7] Sobre la afinidad de la religión de los Utopianos con el cristianismo Hythlodeo dice: "At posteaquam acceperunt a nobis Christi nomen, doctrinam, mores, miracula, nec minus mirandam tot martyrum constantiam, quorum sponte fusus sanguis, tam numerosas gentes in suam sectam longe lateque traduxit, non credas quam pronis in eam affectibus etiam ipsi concesserint, siue hoc secretius inspirante deo, siue quod eadem ei uisa est haeresi proxima, quae est apud ipsos potissima...." (Thomas More, *Utopia*, Yale University Press, pp. 216-128). ("Mas, luego que oyeron de nosotros el nombre de Cristo, sus enseñanzas, Su carácter, Sus milagros, y la constancia no menos maravillosa de los muchos mártires, cuya sangre tan abundantemente esparcida había acercado en sus creencias a muchos pueblos alejados entre sí, tú no podrías creer con cuánta solicitud ellos también se dispusieron a seguirlo, acaso por obra de la inspiración más bien misteriosa de Dios o porque ellos pensaron que esto era lo más parecido a esa creencia que tiene mayor difusión entre ellos").

[8] "...el cielo, el sol, los elementos, los hombres, hubiesen mudado el movimiento, el orden y la potencia de lo que éstos eran antiguamente. Queriendo por lo tanto quitar a los hombres de este error, he juzgado necesario escribir sobre todos aquellos libros de Tito Livio... lo que yo, según el conocimiento de las cosas antiguas y modernas, indicaré ser necesario para un mejor entendimiento de los mismos, a fin de que los que leerán estas declaraciones mías puedan con más facilidad obtener de las mismas esa utilidad para obtener la cual es necesario buscar el conocimiento de la historia." Traducción mía del original italiano en Niccoló Machiavelli, *Discorsi*, "Proemio", pp. 124-125. He utilizado el texto de *Il Principe e Discorsi*, con introducción de Giuliano Procacci y al cuidado de Sergio Bertelli (Milán: Feltrinelli Editore, Classici Italiani, Universale Economica, Ns. 320/321, 1973). Todas las citas del texto de Maquiavelo se refieren a esta edición con el número del libro, capítulo y página en paréntesis, para los *Discursos*, y con el número de capítulo y de página en paréntesis para el *Príncipe*.

⁹ "...el que menos se ha confiado en la fortuna, ha durado más tiempo (en el poder)"; "...todos los profetas armados vencieron, mientras que los desarmados fracasaron."

¹⁰ "Cuánto sea el poder de la fortuna en las cosas humanas y de qué manera se manifiesta el mismo."

¹¹ "...debe un hombre prudente siempre seguir el camino trazado por los hombres famosos, e imitar los que han sido los mejores, de manera que, si su capacidad no alcanza, por lo menos logre dar una similitud...."

¹² "Los Italianos tenemos con la Iglesia y con los curas esta primera obligación: de habernos quedado sin religión y esclavos: mas tenemos una deuda mayor aún, que es la segunda razón de nuestra ruina: y ésta es que la Iglesia mantuvo y tiene este país dividido. Y en verdad ningún país jamás fue unido y feliz si no acaba por obedecer totalmente a un solo gobierno o a un solo príncipe, como le ocurrió a Francia y a España."

¹³ "larga experiencia de las cosas modernas y una continua lección de las antiguas."

¹⁴ Ver la nota 6 de este capítulo.

¹⁵ "La religión antigua, además de esto, no beatificaba si no a hombres llenos de gloria terrena; como eran los capitanes de ejércitos y los príncipes de repúblicas. Nuestra religión ha glorificado más a los hombres humildes y contemplativos que a los activos... Y si nuestra religión exige que tú tengas fortaleza, quiere que tú seas capaz más bien a padecer que a hacer una cosa fuerte. Esta manera de vivir por lo tanto parece que haya hecho al mundo débil, y que lo haya entregado a hombres perversos; los que lo dominan sin temor, viendo cómo todos los hombres para ir al Cielo piensan más en soportar sus violencias que en vengarlas."

¹⁶ Roger Mucchielli, *Le mythe de la cité idéale* (Paris: Presses Universitaires de France, 1960). Las referencias a las páginas de esta obra se indican entre paréntesis.

IV, III, *Sinapia y Bosquejo*

¹ El manuscrito del *Bosquejo* pertenece al archivo de Campomanes. Está citado en Jorge Cejudo López, *Catálogo del archivo del Conde Campomanes. Fondo Carmen Dorado y Rafael Gasset* (Madrid: Fundación Universitaria Española, 1975), p. 406:

60-26

Perianes Campo, Rodrigo Pedro Rodríguez Campomanes
Bosquejo de política económica española delineado sobre el estado presente de sus intereses.
(S.1., S.f.)
79 hoj. 320 x 220 mm.

² La primera edición es la siguiente: *Sinapia. A Classical Utopia of Spain*, Edited by Stelio Cro, with an Appendix (Hamilton: McMaster

University, 1975), 57 páginas de Introducción, 146 páginas de texto crítico que incluye el *Discurso de la educación* del mismo autor (páginas 92-146) y 70 hojas de facsimilares. La forma abreviada de esta edición es *Sinapia* o *MSS*. Las citas se refieren a esta edición y reproducen la transcripción diplomática del manuscrito de la misma.

³ *Sinapia*, p. 2.

⁴ *Bosquejo, Introducción,* fol. 1.

⁵ *Sinapia*, pp. 63-64.

⁶ *Bosquejo, Distribución de Bienes,* fol. 8.

⁷ Bataillon, *Erasmo y España*, citado, pp. 166-167.

⁸ *Ibid.*, p. 168.

⁹ *Ibid.*, p. 171.

¹⁰ *Ibid.*, pp. 173-174.

¹¹ *Ibid.*, pp. 699-737.

¹² "Informe sobre la ley agraria," en *Jovellanos. Obras escogidas*, I, edición de Angel Del Río (Madrid: Espasa-Calpe, 1955), p. 63.

¹³ Véase la Introducción a las *Obras escogidas* de Jovellanos, I, pp. LXXX-LXXXI.

¹⁴ *Ibid.*, pp. LXXIV-LXXXV.

¹⁵ Del Río define como utopía la obra de Jovellanos *Sobre el estudio de las ciencias naturales (Ibid.,* p. LXXXIX), aunque el uso que el crítico hace de este término no responde al criterio sistemático que se ha indicado a lo largo de este estudio.

¹⁶ Véase la Introducción en *Complete Works of Thomas More. Utopia* (Yale University Press), p. CXVI.

¹⁷ Véase mi *A Forerunner of the Enlightenment in Spain* (Hamilton: McMaster University, 1976) en que discuto la fecha de composición de la *Sinapia* (pp. 3-34).

IV, IV, La composición de una utopía española

¹ *French Utopias* (New York: The Free Press, 1966), p. 1.

² *Obras completas* (Madrid: Revista de Occidente, 1962), pp. 207-230.

³ Véase Eric R. Wolf, *Sons of the Shaking Earth* (Chicago: University of Chicago Press, 1959), Irving A. Leonard, *Books of the Brave* (New York: Guardian Press, 1964), y Germán Arciniegas, *El continente de siete colores* (Buenos Aires: Sudamericana, 1965). Todas estas obras, que principalmente estudian la cultura de América en la época de la conquista y colonización española, también se refieren a los mitos y a las leyendas de España.

⁴ Véase las parte I y II de este estudio, y las pp. 51-60 de *Tomás Moro y España* de F. López Estrada, donde este autor da una perspectiva parcial de las fuentes ya señaladas. Habría que incluir un trabajo entre las fuentes citadas por López Estrada: Stelio Cro, "La utopía cristiano-social en el Nuevo Mundo," *Anales de literatura hispanoamericana*, VI (1978), pp. 87-129.

⁵ Alfonso Reyes, *Ultima Tule, Obras completas*, XI, (México: Fondo de Cultura Económica, 1960), p. 18.

⁶ Octavio Paz, *Literatura de Fundación, Puertas al campo* (México: Universidad Nacional Autónoma de México, 1966), p. 13.

⁷ Joseph L. Love, "Utopianism in Latin American Cultures," *The Quest for Paradise. Aware of Utopia*, ed. by David W. Plath (Urbana: University of Illinois Press, 1971), p. 117. A pesar del título prometedor el estudio de Love y los demás estudios incluídos en este libro se limitan a un análisis de las ideologías políticas del siglo XX.

⁸ Este aspecto se ha estudiado en la III Parte, Capítulo III: "Popularidad de la utopía en las crónicas: la búsqueda de la Ciudad Encantada de los Césares".

⁹ Francisco Esteve Barba observa de los escritos de Colón: "Con llave de oro abre la historiografía de las Indias que seguirá participando del carácter de la suya: exactitud en lo realmente visto y observado y fantasía en la conjetura, muy típicamente desbordada en el descubridor." (*Historiografía indiana*, Madrid, Gredos, 1964, p. 21.)

¹⁰ Ver la III Parte, Cap. III, de este estudio.

¹¹ Un autor alemán, Johann Valentin Andreae (1586-1645) escribió en 1619 una utopía en latín: *Republicae Christianopolitanae Descriptio*, que se considera la primera utopía cristiana. Véase Nell Eurich, *Science in Utopia*, pp. 120-134. La *Sinapia*, primera utopía sistemática española, está aún envuelta por muchos interrogantes a los que podemos contestar por ahora sólo en forma parcial. En primer lugar no sabemos nada del autor de la *Sinapia*, ni podemos establecer una fecha de composición con certidumbre absoluta, a pesar de que, y también sobre la base de los otros manuscritos del mismo autor, yo me inclino a creer que la fecha de composición fue alrededor de 1682. Trataré aquí de presentar la información accesible que tenemos sobre este autor, utilizando también el *Discurso de la educación*, hallado en el mismo archivo y publicado en el apéndice de mi edición de la *Sinapia*.

¹² Véase *Discurso (MSD)*, p. 92.

¹³ *MSD*, p. 92.

¹⁴ Ver *Sinapia*, p. 66.

¹⁵ *Ibid.*, p. 23.

¹⁶ M. Menéndez y Pelayo, *La ciencia española* (Madrid: librería general de Victoriano Suárez, 1933), Vol. II, p. 226.

¹⁷ Jean Vilar Berrogain, *Literatura y economía. La figura satírica del arbitrista en el siglo de oro* (Madrid: Revista de Occidente, 1973).

¹⁸ Jaime Vicens Vives, *Manual de historia económica de España* (Barcelona: Editorial Vicens-Vives, 1969), p. 431.

¹⁹ *Ibid.*, p. 429.

²⁰ Ver mi *Forerunner* para una discusión de estos datos concernientes la *Sinapia*, el *Discurso* y los otros dos manuscritos del mismo autor, las *Anotaciones (MSA)* y la lista de *Libros que faltan en la librería (MSL)*, pp. 3-34.

²¹ Véase *Discurso (MSD): Segunda Notizia de la Patria*, por ejemplo, Espa-

ña. *Metales, minerales y piedras,* p. 126.

22 *MSS, N. 2: Descripción general de la península,* p. 3.

23 *MSS, N. 23: Del gobierno militar,* p. 29.

24 *MSS, N. 27: De la educación,* p. 48; *MSD,* pp. 92-97.

25 Ver capítulos I y II de *Forerunner.*

26 Véase François López, "Considerations sur la *Sinapia,*" *La contestatión de la Société dans la litterature espagnole du siecle d'or,* op. cit., p. 208.

27 *MSD,* p. 100.

28 La edición utilizada es la de Antonio Elorza (Madrid: Editorial Ciencia Nueva, 1968).

29 *MSS, N. 26: De la justicia,* p. 45.

30 *MSS, N. 33: Reflexiones.*

31 *Cartas al Conde de Lerena,* p. 65.

32 *Ibid.,* p. 224.

33 *Ibid.,* p. 204.

34 *Ibid.,* p. 40.

35 *Ibid.,* p. 200.

36 *MSS, N. 29: Del trabajo y del comercio,* p. 53.

37 *MSS, N. 33: Reflexiones,* pp. 63-64.

38 *MSS,* N. 64.

39 *MSS,* p. 65.

40 *Cartas,* p. 186.

41 *Cartas,* p. 39.

42 *MSS, N. 1: Introduccion,* p. 1.

43 *MSS, N. 23: Del gobierno militar,* p. 29.

44 *MSS, N. 3: Habitadores,* pp. 6-7.

45 *MSS, N. 25: De las acciones comunes.*

46 Ver *Disuade a un amigo suyo el autor al estudio de la lengua griega, y le persuade al de la francesa* (Carta XXV del quinto volumen de sus *Cartas*); Feijoo no cree que el griego sea tan necesario como el francés (*Cartas eruditas y curiosas,* Madrid, 1765, V, p. 423; citado en Juan Luis Alborg, *Historia de la literatura española, siglo XVIII,* Madrid, Gredos, 1972, p. 171). Jovellanos por otra parte, aunque reconociese el valor del griego y del hebreo para el estudio de ciertas ciencias, no creía que fuesen indispensables (Gaspar Melchor de Jovellanos, "Bases para la formación de un plan general de instrucción pública," *Obras,* Madrid: BAE, 1951, I, págs. 271 y 278).

47 *Información en Derecho,* ob. cit., pp. 363-364.

48 Silvio Zavala, *La Utopía de Tomás Moro en la Nueva España,* p. 14.

49 Una prueba de esta difusión es la lista de libros del obispo Zumárraga, entre los que hay algunas obras de Erasmo; ver Marcel Bataillon, *Erasmo y España,* pp. 821-823. El *Enquiridion* de Erasmo fue traducido al español antes de 1526, fecha en que se publicó la primera edición en Alcalá. En los años siguientes siguieron varias ediciones en español: 1527, 1528, 1541, 1550, y 1555, antes que Erasmo fuese puesto al índice en 1559; ver M. Bataillon, "Prólogo" al *Enquiridion o Manual del caballero cristiano,* edición de Dámaso Alonso (Ma-

drid: Consejo Superior de Investigaciones Científicas, 1971), pp. 7-84; ver también en el mismo volumen Dámaso Alonso, *Las ediciones del "Enquiridión" Castellano*, pp. 505-523 y M. Bataillon, *El "Enchiridion" y la "Paraclesis" en Méjico*, pp. 527-534.

[50] En mi *A Forerunner of the Enlightenment in Spain* he estudiado cómo el anónimo autor de la *Sinapia* anticipó las ideas fundamentales de la Ilustración.

Conclusión

[1] Cf. *Las corrientes literarias*, citado, pp. 29-30.

[2] Cf. S. Cro, "Colombo, Galileo e il significato allegorico della *Città del Sole*: la verità, le scoperte scientifiche e l'età dell'oro," en *Tommaso Campanella e i prodromi della civilta moderna* (Hamilton: The Symposium Press, 1979), pp. 144-156.

[3] Cf. Ludovico Antonio Muratori, *Il cristianesimo felice nelle Missioni de' Padri della Compagnia di Gesu nel Paraguai*, en *Opere*, a cura di Giorgio Falco e Fiorenzo Forti (Milano-Napoli: Riccardo Ricciardi Editore, 1964), Vol. I, pp. 964-1013. Cf. también *Historia de la Compañía de Jesús en la Provincia del Paraguay*, por el R. P. Pablo Pastells, S. J. Continuación por F. Mateos, S. J., Tomo VI (1715-1731), Madrid: Consejo Superior de Investigaciones Científicas, 1946, p. 194.

Bibliografía

Abellán, José Luis, *Historia crítica del pensamiento español*, I-III (Madrid: Espasa-Calpe, 1979-1981).

Alborg, Juan Luis, *Historia de la literatura española, Siglo XVIII* (Madrid: Gredos, 1972).

Alvarez de Miranda, Pedro, ed., *Tratado sobre la Monarquía Columbina* (Madrid: El Archipiélago, 1980).

Arciniegas, Germán, *El continente de siete colores* (Buenos Aires: Sudamericana, 1965).

Asensio, Eugenio, "La carta de Gonzalo Fernández de Oviedo al Cardenal Bembo sobre la navegación del Amazonas", *Revista de Indias*, Año IX, Julio-Diciembre, 1949, n. 37-38, pp. 13 passim.

Augustini, Sancti Aurelii, *De Civitate Dei*, 2 volúmenes (Vindobonae: F. Tempsky, 1900).

Avalle-Arce, Juan B., *La novela pastoril española*, 2da edic. (Madrid: Ediciones Istmo, 1974).

Avilés Fernández, Miguel, ed., *Sinapia. Una utopía española del siglo de las Luces* (Madrid: Editora Nacional, 1976).

Baldry, H. C., *Ancient Utopias* (University of Southampton, 1956).

Bataillon, Marcel, "Las Casas, ¿un profeta?", *Revista de Occidente: Fray Bartolomé de Las Casas*, dirigido por José Antonio Maravall, 1974 (141), 279-291.

——————, "Le Clérigo Casas, ci-devant Colon, réformateur de la colonization," *Etudes sur Bartolomé de Las Casas* (Paris: Institut d'Etues Hispaniques, 1966).

——————, *Erasmo y España* (México: FCE, 1966).

Bayo, Ciro, *Los Césares de la Patagonia. Leyenda Aurea del Nuevo Mundo* (Madrid: R. Caro Raggio, 1913).

Bembo, Pietro, *Opere* (Venezia: F. Hertzhauser, 1729).

——————, *Lettere* (Venezia: Scotto, 1552), 2 volúmenes.

Campanella, Tommaso, *La Città del Sole, Opere di Bruno e di Campanella* (Milano-Napoli: Riccardo Ricciardi Editore, 1956), pp. 1071-1116.

Casalduero, Joaquín, *Sentido y forma de "Los Trabajos de Persiles y Sigismunda"* (Buenos Aires, Sudamericana, 1947).

—————————, *Sentido y forma del "Quijote" (1605-1615)* (Madrid: Ediciones Insula, 1949).

Castiglione, Baldassare, *Il libro del Cortegiano*, ed. V. Cian (Firenze: Sansoni, 1947).

Castro, Américo, *El pensamiento de Cervantes* (Madrid: Anejos de la Revista de Filología Española, 1925).

—————————, *España en su Historia* (Buenos Aires: Losada, 1948).

—————————, *Hacia Cervantes* (Madrid: Taurus, 1967).

—————————, *Cervantes y los casticismos españoles* (Madrid: El libro de Bolsillo, Alianza Editorial, 1974)

Cavada, Francisco, *Chiloé y los Chilotes* (Santiago de Chile: Imprenta Universitaria, 1914).

Cervantes Saavedra, Miguel de, *Obras completas* (Barcelona: Editorial Juventud, 1964), 2 volúmenes.

—————————, *Persiles y Sigismunda, Obras completas* de Miguel de Cervantes Saavedra, Edición publicada por Rodolfo Schevill y Adolfo Bonilla (Madrid: Imprenta de Bernardo Rodríguez, 1914).

Charlevoix. *Historia del Paraguay* escrita en francés por el P. Pedro Francisco Javier de Charlevoix de la Compañía de Jesús, con las anotaciones y correcciones latinas del P. Muriel, traducida al castellano por el P. Pablo Hernández de la misma compañía (Madrid: Librería General de Victoriano Suárez, 1910-1916); I-VI vols.

Chiapelli, Fredi, editor, *First Images of America. The Impact of the New World on the Old*. Co-editors: Michael J. B. Allen y Robert L. Benson (Berkeley: The University of California Press, 1976), 2 volúmenes.

Colón, Christóbal, *Los Cuatro Viajes del Almirante y su testamento*, Edición y prólogo de Ignacio B. Anzoategui (Madrid: Colección Austral, Espasa-Calpe, 1971).

Cortés, Hernán, *Cartas de Relación de la Conquista de Méjico* (Buenos Aires: Espasa-Calpe, 1945).

Cox, Carlos Manuel, *Utopía y realidad en el Inca Garcilaso* (Lima: Universidad Nacional Mayor de San Marcos, 1965).

Cro, Stelio, "Cervantes, el *Persiles* y la historiografía indiana", *Anales de literatura Hispanoamericana*, N. 4 (1975), pp. 5-25.

—————————, ed., *Descripción de la Sinapia, península en la tierra austral. A Classical Utopia of Spain* (Hamilton: McMaster University, 1975).

—————————, *A Forerunner of the Enlightenment in Spain* (Hamilton: McMaster University, 1976).

—————————, "La búsqueda de la Ciudad Encantada de los Césares y la Utopía", *Oelschlager Festschrift*, Estudios de Hispanófila, 36 (Chapel Hill: University of North Carolina, 1976), pp. 127-142.

260 STELIO CRO

—————, "Las fuentes clásicas de la utopía moderna: el Buen Salvaje y las Islas Felices en la historiografía indiana", *Anales de Literatura Hispanoamericana* 6 (1977), 39-51.

—————, "La utopía cristiano-social en el Nuevo Mundo", *Anales de Literatura Hispanoamericana* (1978), 87-129.

—————, "The New World in Spanish Utopianism", *Alternative Futures*, 2, N. 3 (1979), 39-53.

—————, "Alle origini della storiografia moderna: il carteggio Bembo-Oviedo", *Spicilegio Moderno* (1979), 42-52.

—————, *Tommaso Campanella e i prodromi della civiltà moderna* (Hamilton: The Symposium Press, 1979).

—————, "Los tres momentos del erasmismo en España y su vertiente utópica: 1526-1616", *Aspetti e problemi delle letterature iberiche*, Studi offerti a Franco Meregalli (Roma: Bulzoni Editore, 1981), pp. 123-136.

—————, "Machiavelli e l'antiutopia", *Machiavelli attuale—Machiavel actuel* (Ravenna: Longo Editore, 1982), pp. 27-33.

de Angelis, Pedro, *Colección Pedro de Angelis*, Prólogo y notas de Andrés M. Carretero (Buenos Aires: Plus Ultra, 1969-1972), 8 volúmenes.

Ebreo Leone (Giuda Abrabanel), *Dialoghi d'Amore* (Bari: Laterza, 1929).

Elorza, Antonio, ed., *Cartas político-económicas al Conde de Lerena* (Madrid: Editorial Ciencia Nueva, 1968).

—————, *Socialismo utópico español* (Madrid: Editorial Ciencia Nueva, 1970).

Erasmo, Desiderio, *Obras escogidas*, Traslación castellana directa, comentarios, notas y un ensayo biobibliográfico por Lorenzo Riber (Madrid: Aguilar, 1964).

—————, *El Enquiridion o Manual del Caballero Cristiano*, Edición de Dámaso Alonso, Prólogo de Marcel Bataillon (Madrid: Consejo Superior de Investigaciones Científicas, 1971).

Ercilla y Zúñiga, Alonso de, *La Araucana*, Edición, prólogo y notas de Concha de Salamanca (Madrid: Aguilar, Colección Crisol, 1960).

Esteve Barba, Francisco, *Historiografía Indiana* (Madrid: Gredos, 1964).

Eurich, Nell, *Science in Utopia* (Cambridge, Mass.: Harvard University Press, 1967).

Ferguson, John, *Utopias of the Classical World* (Ithaca: Cornell University Press, 1975).

Fernández de Oviedo, Gonzalo, *Historia general y natural de las Indias*, edición de José Amador de los Ríos (Madrid: Imprenta de la Real Academia de la Historia, 1851).

Forcione, Alban K., *Cervantes, Aristotle and the "Persiles"* (Princeton: Princeton University Press, 1970).

——————, *Cervantes' Christian Romance* (Princeton: Princeton University Press, 1972).

Gandía, Enrique de, *Mitos y Leyendas. Historia crítica de los mitos de la conquista americana* (Buenos Aires: La Facultad de J. Roldán, 1927).

——————, *La ciudad encantada de los Césares* (Buenos Aires: García Santos, 1933).

Garin, Eugenio, ed., *Prosatori latini del Quattrocento* (Milano-Napoli: Riccardo Ricciardi, 1952).

——————, *La Renaissance, histoire d'une révolution culturelle* (Marabout Université Verviers: Des Presses de Gerard et Co., 1970).

Gerbi, Antonello, *La natura delle Indie Nove* (Milano-Napoli: Ricciardi, 1975).

Gilson, Etienne, *Les métamorphoses de la Cité de Dieu* (Paris: Presses Universitaires de France, 1952).

Green, Otis, *Spain and the Western Tradition* (Madison: University of Wisconsin Press, 1963-1966), 4 volúmenes.

Grey, Ernest, *Guevara. A Forgotten Renaissance Author* (The Hague: Martinus Nijhoff, 1969).

Guevara, Antonio de, *Alabanza de corte y menosprecio de aldea*, Edición, prólogo y notas de Matías Martínez Burgos (Madrid: Espasa-Calpe, S.A., Clásicos Castellanos, 1975).

Hanke, Lewis, *The Spanish Struggle for Justice in the Conquest of America* (Philadelphia: University of Pennsylvania Press, 1949).

Hayden, Dolores, *Seven American Utopias: The Architecture of Communitarian Socialism, 1790-1975* (Cambridge, Mass.: MIT Press, 1976).

Henríquez Ureña, Pedro, *Historia de la Cultura en la América Hispánica* (México: FCE, 1964).

——————, *Las corrientes literarias en la América Hispánica* (México: FCE, 1964).

Hertzler, Joyce Oramel, *The History of Utopian Thought* (New York: Cooper Square Publishing, Inc., 1965).

Hesiod, *The Homeric Hymns and Homerica*, "Hesiod's Works and Days", ed. Hugh G. Evelyn-White, Loeb Classical Library (Cambridge: Harvard University Press, 1959).

Historiadores Primitivos de Indias (Madrid: BAE, 1946), 2 volúmenes.

Huxley, Aldous L., *Brave New World* (New York: Harper and Row, 1969).

Irarrazával Larraín, José Miguel, *La Patagonia. Errores geográficos y diplomáticos* (Santiago de Chile: Imprenta Cervantes, 1930).

Jos, Emiliano, "Centenario del Amazonas: la expedición de Orellana y sus problemas históricos", *Revista de Indias*, Año III, N. 10 (Octubre-Diciembre, 1942), pp. 661-709.

Jovellanos, Melchor de, *Obras escogidas*, Edición de Angel del Río (Madrid: Espasa-Calpe, 1955).

Kirkpatrik, Frederic A., *The Spanish Conquistadores* (Cleveland and New York: World Publishing Company, Meridian Books, 1962).

Lapesa, Rafael, "En torno a la española inglesa y el *Persiles*", *Homenaje a Cervantes*, Edición de Francisco Sánchez-Castañer (Valencia, 1950), II, pp. 367-388.

Las Casas, Bartolomé de *Obras escogidas de Fray Bartolomé de Las Casas* (Madrid: BAE, 1958), 5 volúmenes.

—————, *Los tesoros del Perú*, Introducción de Angel Losada (Madrid: CSIC, 1958).

Latchman, Ricardo E., "La leyenda de los Césares. Sus orígenes y su evolución" *Revista chilena de historia y geografía*, 40 (1929), pp. 193-254.

Levin, Harry, *The Myth of the Golden Age in the Renaissance* (Bloomington: Indiana University Press, 1969).

Leonard, Irving A., *Books of the Brave* (New York: Guardian Press, 1964).

Losada, Angel, *Juan Ginés de Sepúlveda a través de su "Epistolario" y nuevos documentos* (Madrid: Consejo Superior de Investigaciones Científicas, 1973).

López Estrada, Francisco, "Una utopía en España", *Informaciones*, Madrid, 19 de julio de 1976, p. 5 de la sección "Informaciones de las artes y las letras".

—————, "une utopie espagnole", *Moreana*, Vol. XIII, N. 52 (1976), pp. 53-56.

—————, "Más noticias sobre la *Sinapia* o utopía española", *Moreana*, Vol. XIV, N. 55-56 (1977), pp. 23-33.

—————, *Tomás Moro y España: sus relaciones hasta el siglo XVIII* (Madrid: Editorial de la Universidad Complutense, 1980).

—————, *Los libros de pastores en la literatura española* (Madrid: Gredos, 1974).

López, François, "Considérations sur la *Sinapia*", *La contestation de la société dans la littérature espagnole du siècle d'or* (Toulouse: Université de Toulouse-Le Mirail, 1981), pp. 205-211.

—————, "Rasgos peculiares de la Ilustración en España", *Mayans y la Ilustración*, Simposio Internacional en el Bicentenario de la muerte de Gregorio Mayans, Ayuntamiento de Oliva, 1982, pp. 629-671.

—————, "Una utopía española en busca de autor: Sinapia", *Anales de la Universidad de Alicante. Historia Moderna*, N. 2, 1982, pp. 211-221.

Love, Joseph L., "Utopianism in Latin American Cultures", *The Quest for Paradise. Aware of Utopia*, ed. David W. Path (Urbana: University of Illinois Press, 1971).

Lozano, Pedro, *Historia de la conquista del Paraguay, Río de la plata y Tucumán* (Buenos Aires: Imprenta Popular, 1874).

Lucian, *Saturnalia*, ed. K. Kilburn, Loeb Classical Library (Cambridge, Mass.: Harvard University Press, 1959).

Machiavelli, Niccolò, *Dell'Arte della guerra, Tutte le opere*, ed. Mario Martelli (Firenze: Sansoni, 1971).

——————, *Il Principe e Discorsi*, con introduzione di Giuliano Procacci e a cura di Sergio Bertelli (Milano: Feltrinelli Editore, 1973).

Madariaga, Salvador de, *Vida del Muy Magnífico Señor Don Cristóbal Colón* (Buenos Aires: Sudamericana, 1973).

Mannheim, Karl, *Ideology and Utopia* (New York: A Harvest Book, 1936, nuevamente impreso, s.f.).

Manuel, Frank E. y Fritzie P., *French Utopias* (New York: The Free Press, 1966).

——————, *Utopian Thought in the World* (Cambridge, Mass.: The Belkap Press of Harvard University Press, 1979).

Maravall, José Antonio, "Utopía y primitivismo en el pensamiento de Las Casas", *Revista de Occidente: Fray Bartolomé de Las Casas*, dirigido por J. A. Maravall (Madrid, N. 141 (1974), pp. 311-388.

——————, *Utopía y contrautopía en el "Quijote"* (Madrid: Editorial Pico Sacro, 1976).

Mártir de Anglería, Pedro, *Décadas del Nuevo Mundo*, 2 volúmenes (México: José Porrúa e Hijos, 1964).

Medina, José Toribio, "Cervantes americanista", *Estudios cervantinos* (Santiago de Chile: Fondo Histórico y Bibliográfico José Toribio Medina, 1958).

Menéndez Pidal, Ramón, *El Padre Las Casas. Su doble personalidad* (Madrid: Espasa-Calpe, 1963).

Menéndez y Pelayo, Marcelino, "Cultura literaria de Miguel de Cervantes y elaboración del *Quijote*", *Estudios de crítica literaria*, "Cuarta Serie" (Madrid: Tipografía de la Revista de Archivos, 1907), pp. 1-64.

——————, *Historia de la literatura hispanoamericana* (Madrid: V. Suárez, 1913), 2 volúmenes.

——————, *La ciencia española*, 2 volúmenes (Madrid: Librería general de V. Suárez, 1933).

——————, *Orígenes de la novela*, 4 Tomos (Buenos Aires: Emecé, 1945).

Mesa, José Carlos F., "Divagaciones en torno al *Persiles*", *Cervantes en Colombia*, ed. de Eduardo Caballero Calderón (Madrid: Patronato del IV Centenario de Cervantes, 1948).

Montaigne, Michel Eyquem de, *Les Essais*, Nouvelle Edition conforme au texte de l'exemplaire de Bordeaux par Pierre Villey (Paris: Libraire Felix Alcan, 1930).

Montemayor, Jorge de, *Los Siete Libros de la Diana*, Prólogo y notas de Francisco López Estrada (Madrid: Espasa-Calpe, Clásicos Castellanos, 1962).

Morales, Ernesto, *La Ciudad Encantada de la Patagonia* (Buenos Aires: Emecé, 1944).

Morales Padrón, Francisco, *Los conquistadores de América* (Madrid: Espasa-Calpe, Austral, 1974).

More, Thomas, *Utopia, The Complete Works*, Vol. IV, ed. Edward Surtz and J. H. Hexter (New Haven: Yale University Press, 1974).

Mucchielli, Roger, *le Mythe de la cité idéale* (Paris: Presses Universitaires de France, 1960).

Olmedillas de Pereiras, María de las Nieves, *Pedro Mártir de Anglería y la mentalidad exoticista* (Madrid: Gredos, 1974).

Ortega y Gasset, José, *Obras completas* (Madrid: Revista de Occidente, 1962).

Orwell, George (pseud. de Eric Blair), *Animal Farm* (London: Secker and Warburg, 1954).

——————, *1984* (New York: New American Library, 1960).

Osuna, Rafael, "El olvido del *Persiles*", *Boletín de la Real Academia Española*, XLVIII (1968), pp. 55-75.

Ovid, *Metamorphoses*, ed. Frank Justus Miller, Loeb Classical Library (Cambridge, Mass.: Harvard University Press, 2 volúmenes, 1971).

Pastells, Pablo, S. J. y Mateos, F., S. J., *Historia de la Compañía de Jesús en la Provincia del Paraguay*, Volúmenes I-VIII (Madrid: Consejo Superior de Investigaciones Científicas, 1946).

Paz, Octavio, "Literatura de Fundación", *Puertas al campo* (México: Universidad Nacional Autónoma de México, 1966).

Penrose, Bois, *Travel and Discovery in the Renaissance: 1420-1620* (New York: Atheneum, 1962).

Pfandl, Ludwig, *Historia de la literatura nacional española en la edad de oro* (Barcelona: Juan Gili, 1933).

Phelan, John L., "El imperio cristiano de Las Casas", *Revista de Occidente: Fray Bartolomé de Las Casas*, dirigido por J. A. Maravall, citado, pp. 279-291.

——————, *The Millenial Kingdom of the Franciscans in the New World* (Berkeley and Los Angeles: University of California Press, 1970).

Platon, *La république, Oeuvres*, Tomes VI-VII, texte établi et traduit par Emile Chambry, avec introduction d'Auguste Dies (Paris: Les Belles Lettres, 1965).

Polo, Gaspar Gil, *Diana enamorada*, Prólogo y notas de Rafael Ferreres (Madrid: Espasa-Calpe, Clásicos Castellanos, 1962).

Quiroga, Vasco de, "Información en Derecho del licenciado Quiroga sobre algunas provisiones del Real Consejo de Indias", *Colección de documentos inéditos relativos al descubrimiento, conquista y organización de las antiguas posesiones españolas de América y Oceania, sacadas de los Archivos del Reino y muy especialmente del de Indias,* por D. Luis Torres de Mendoza (Madrid: Imprenta de J. M. Pérez, 1968), Tomo X, pp. 335-525.

Redondo, Augustín, *Antonio de Guevara (1480?-1545): l'Espagne de son temps. De la carriere officielle aux oeuvres político-morales,* (Paris: Droz, 1976).

Reyes, Alfonso, *Ultima Tule, Obras completas,* XI (México: Fondo de Cultura Económica, 1960).

Riley, E. C., *Cervantes' Theory of the Novel* (Oxford: Oxford University Press, 1964)

Rodríguez Marín, Francisco, "El *Quijote* y Don Quijote en América", *Estudios cervantinos,* Patronato del IV Centenario de Cervantes, Prólogo de don Agustín González de Amezúa, Madrid, 1947, pp. 93-137.

Rojas, Manuel, *La Ciudad de los Césares, Obras* (Madrid: Aguilar: 1973).

Romeo, Rosario, *Le scoperte americane nella coscienza italiana del Cinquecento* (Milano-Napoli: Riccardo Ricciardi, 1971).

Saint-Lu, André, "Significación de la denuncia lascasiana", *Revista de Occidente: Fray Bartolomé de Las Casas,* dirigido por J. A. Maravall, citado, pp. 389-402.

Sepúlveda, Juan Ginés de, *Sobre las justas causas de las guerras contra los indios,* Traducción de M. Menéndez y Pelayo (México: Porrúa, 1941).

Singleton, Max, "El misterio del *Persiles", Realidad,* II (1947), pp. 237-25

Steffen, Hans, "El supuesto primer descubrimiento de la Cordillera", *Revista chilena de historia y geografía,* (1928), 57, pp. 26-54.

Tacite, *La Germanie,* ed. Jacques Perret (Paris: Les Belles Lettres, 1967).

Theyer Ojeda, Thomás, "Importancia que tenían para los españoles las regiones patagónicas", *Revista chilena de historia y geografía,* 36 (1919), pp. 324-342.

Tasso, Torquato, "Discorsi del poema eroico", *Prose,* a cura di Ettore Mazzali (Milano-Napoli, Riccardo Ricciardi, 1959).

Tellechea, Ignacio, "Las Casas y Carranza: fe y utopía", *Revista de Occidente: Fray Bartolomé de Las Casas,* dirigido por J. A. Maravall, citado, pp. 403-427.

Trousson, Raymond, *Voyages aux pays de nulle part* (Bruxelles: Editions de l'Université de Bruxelles, 1979).

Valdés, Alfonso de, *Diálogo de Mercurio y Carón*, edición, introducción y notas de José F. Montesinos (Madrid: Espasa-Calpe, Clásicos Castellanos, 1971).

Vega, Garcilaso de la, el Inca, *Comentarios reales*, edición y estudio preliminar de José Durand (Lima: Reproducción de la primera edición hecha por la Universidad Mayor de San Marcos, 1967).

Vicens Vives, Jaime, *Manual de historia económica de España* (Barcelona: Editorial Vicens Vives, 1969).

Vicuña Cifuentes, Julio, *Mitos y supersticiones* (Santiago de Chile: Ediciones Nacimiento, 1947).

Vilar Berrogain, Jean, *Literatura y economía. La figura satírica del arbitrista en el siglo de oro* (Madrid: Revista de Occidente, 1973).

Weckmann, Luis, "The Middle Ages in the Conquest of America," *Speculum*, 26 (1951), pp. 130-141.

Wolf, Eric, *Sons of the Shaking Earth* (Chicago: University of Chicago Press, 1959).

Zavala, Silvio, *La Utopía de Tomás Moro en la Nueva España. Recuerdo de Vasco de Quiroga* (México: Porrúa, 1965).

—————, *La colonización española en América* (México: Sep./Setentas, 1972).

—————, *La filosofía política en la conquista de América* (México: FCE, 1972).

—————, "The American Utopia of the Sixteenth-Century", *The Huntington Library Quarterly*, N. 4 (August, 1974), pp. 337-347.

Índice alfabético